O que nós sabemos que sabemos.

O que nós sabemos que não sabemos.

O que nós não sabemos que não sabemos.

Consideremos que só temos consciência de

2 MIL BITS

de informação em

400 BILHÕES DE BITS

de informação
que processamos
por segundo...

Quando rejeitamos novos conhecimentos...
quanto de nossa "percepção" está protestando?

Como podemos saber tudo sobre
todas as coisas que ignoramos?

QμΣM Sθmσs πόζ?

A DESCOBERTA DAS INFINITAS POSSIBILIDADES DE ALTERAR A REALIDADE DIÁRIA

WILLIAM ARNTZ

BETSY CHASSE

MARK VICENTE

Tradução

Doralice Lima

Título original
What the Bleep Do We know!? — Discovering the Endless Possibilities for Altering your Everyday Reality

Direitos cedidos para esta edição à Ediouro Publicações S. A.
Publicado por Prestígio Editorial

Adaptação de capa por Susan Johnson
Copidesque por Michel Teixeira, Jacqueline Gutiérrez e Léo Schlafman
Projeto de capa e miolo de Larissa Hise Henoch
Diagramação original de Lawna Patterson Oldfield
Ilustrações originais do capítulo 11 de Gloria Naylor
Imagens do capítulo 12 copyright © Adam McLean 2002

Editora original: Health Communications, Inc.
3201 S.W. 15th Stree – Deerfield Beach, FL 33442-8190

CIP-BRASIL. CATALOGAÇÃO-NA-FONTE
SINDICATO NACIONAL DOS EDITORES DE LIVROS, RJ

A784q Arntz, William
Quem somos nós? — A descoberta das infinitas possibilidades de alterar a realidade diária / William Arntz, Betsy Chasse e Mark Vicente; tradução de Doralice Lima. - Rio de Janeiro: Prestígio Editorial, 2007.
il.

Tradução de: *What The Bleep do We Know!?*
978-85-7724-805-6

1. Vida espiritual. 2. Mecânica quântica - Miscelânea. I. Chasse, Betsy. II. Vicente, Mark, 1965-. III. Título.

07-2958. CDD: 204
CDU: 214

A *Prestígio Editorial* é um selo da *Ediouro Publicações S.A.*
Rua Nova Jerusalém, 345 – Bonsucesso – CEP 21042-235 – Rio de Janeiro, RJ
Tel. (21)3882-8338 – Fax (21)2560-1183 – e-mail: editorialsp@ediouro.com.br
vendas@ediouro.com.br – Internet: www.ediouro.com.br/prestigio

SUMÁRIO

Algumas palavras dos autores...

Começamos esse projeto da forma como sabíamos. Quando terminamos... Bem, você sabe o nome do filme...*

Portanto, se você se encontra numa livraria lendo essas palavras iniciais e o que está procurando é um guia que ensine "como fazer", escrito por seres muito evoluídos que já "fizeram", provavelmente é melhor devolver este livro à prateleira.

Mas se você continua lendo, vamos fazer uma viagem.

Ou melhor, nós fizemos uma viagem. Saímos em grupo Estados Unidos afora, entrevistando todas essas pessoas brilhantes para documentar o que elas tinham a dizer. Queríamos fazer um filme sobre o que pensávamos que eles tinham a dizer. Logo descobrimos que o que eles realmente tinham a dizer era *diferente.* Diferente de algumas das nossas idéias, diferente do que os outros diziam, diferente do que aprendemos na escola, diferente do que é pregado nas igrejas e diferente daquilo que se vê no noticiário da noite. E no final tínhamos que decidir. Decidir *por nós mesmos* onde está a verdade e o que experimentar em nossas vidas.

Will Arntz (à esquerda) e Ervin Laszlo, cientista de renome mundial

Parece haver uma tendência humana em pensar que existe uma fórmula mágica, uma técnica esotérica secreta ou uma tradição oculta que subitamente vai fazer tudo funcionar. Se existe alguma fórmula simples

* O filme mencionado é anterior a este livro. Seu título original é *What the Bleep Do We Know!?* Foi exibido no Brasil com o título *Quem somos nós?* [N. da T.]

assim, não conseguimos encontrá-la em nossos decênios de aprimoramento espiritual.

Portanto, como aparentemente não sabemos tanto assim, você pode se perguntar por que estamos escrevendo um livro. Bem, para muitas pessoas, *Quem somos nós?* apresentou idéias e maneiras novas de ver o mundo. Para outros, o filme pareceu validar o que sempre *sentiram* ser verdadeiro, apesar de nunca terem encontrado ninguém que pensasse da mesma maneira. Assim sendo, parte deste livro é informação: mergulhar mais fundo na ciência. E, então, há aquelas partes que refletem a nós mesmos, como percebemos (ou deixamos de perceber), o que fazemos e como nossas atitudes entram em choque com nossas experiências e nossa realidade. Também exploramos as descobertas de alguns pesquisadores que podem indicar por que fazemos o que fazemos.

E ainda existe a bola de cristal. Muitos dos que entrevistamos são visionários, pioneiros e profetas. Todos sentimos que estamos à beira de *alguma coisa*; alguma coisa importante. Ao longo da história, grandes mudanças na forma como as pessoas viam o mundo (isto é, nos paradigmas) foram pressentidas por visionários, que perceberam sua aproximação e/ou mostraram o caminho. Os visionários criaram o novo paradigma ou o novo paradigma voltou no tempo e criou os visionários? Ou uma coisa cria a outra ou, como sugerem alguns modelos novos, não existe um criar o outro, apenas um estado de existência mútua no qual causa e efeito são substituídos por *ser*?

Isso é uma toca do coelho. E por mais místico que possa soar e por mais estranho que seja de ler, *existem* dados científicos que sugerem ser assim.

Entrevistar nosso coro grego de cientistas, filósofos e místicos foi fascinante. Tanto que, ao final da filmagem, as equipes geralmente acabavam interferindo e fazendo perguntas. E os membros dessas equipes não conheciam o material. Eram profissionais de cinema que contratávamos em cada cidade. E, quando expostos a essas idéias e conceitos, ficaram fascinados e começaram a pensar sobre as possibilidades. É por *isso* que estamos escrevendo esse livro — porque existem pessoas, muitas pessoas, interessadas nesses assuntos. E muitos dos interessados não sabiam disso até experimentarem. Portanto, se pudermos oferecer alguma "culinária quântica", ficaremos felizes. Divirtam-se, porque esta é uma verdadeira viagem por um material surpreendente.

—*Will Arntz*

Há cinco anos eu me queixava (como era meu costume) de que Hollywood simplesmente não produzia filmes que eu achava válidos e necessários ao mundo. Nessa época eu era cinegrafista e realmente desejava encontrar diretores com quem trabalhar que fizessem filmes transformadores. Enquanto isso, ficava me queixando de que a indústria de cinema era superficial. Um dia a dura realidade me atingiu e percebi que não era o papel de Hollywood fazer filmes que modificassem vidas. Talvez esse papel fosse meu. E todos esses anos me queixei de Hollywood por não atender às minhas necessidades. Arrogante, não é mesmo?

Nunca me ocorreu que, em vez de reclamar, eu devia começar a dirigir! Pouco depois conheci William Arntz, um dos homens mais corajosos que já vi. Poucas pessoas arriscam o próprio dinheiro no que pensam, como fez Will. Juntamente com a talentosa Betsy Chasse, formamos uma parceria criativa que gerou o filme, este livro e um novo sentido de ser em todos nós. Durante os três anos fazendo o filme, lidamos com as dependências emocionais nele abordadas e chegamos ao outro lado mais velhos e mais sábios.

Este livro contém algumas idéias que não chegaram a fazer parte do filme, mas apresenta os mesmos conceitos e a mesma informação que fizeram dele um sucesso tão grande. Acredito que esse conhecimento e essas informações modificam a vida. Aproveite bem nosso vislumbre sobre o futuro da humanidade.

—*Mark Vicente*

Há quatro anos eu vivia feliz com minha rasa consciência. (Que tipo de sapato devo usar? Que tipo de carro estou dirigindo?) Então, esse filme literalmente caiu no meu colo. Era o universo mandando uma mensagem! Passei a maior parte dos últimos quatro anos perguntando a Deus e a todo mundo "O que isso tem a ver comigo?" e "Como posso usar isso em minha vida?". Às vezes, tentar entender a maior parte desses questionamentos e incorporá-los já parece opressivo. Este livro é uma oportunidade fantástica de explicar nossa compreensão do mundo louco e estranho em que vivemos. Espero que seja uma ajuda para vocês fazerem o mesmo. Esta é nossa jornada, nossa experiência e nossa responsabilidade sobre tudo isso. Não pretendo me tornar professora ou guru, mas posso dizer que passar pela experiência de filmar e colocar tudo isso no papel me transformou para sempre. Espero que vocês encontrem informações úteis. Mas não aceitem nossa palavra — experimentem por si mesmos.

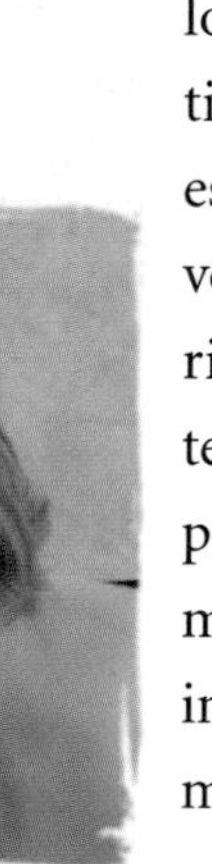

—*Betsy Chasse*

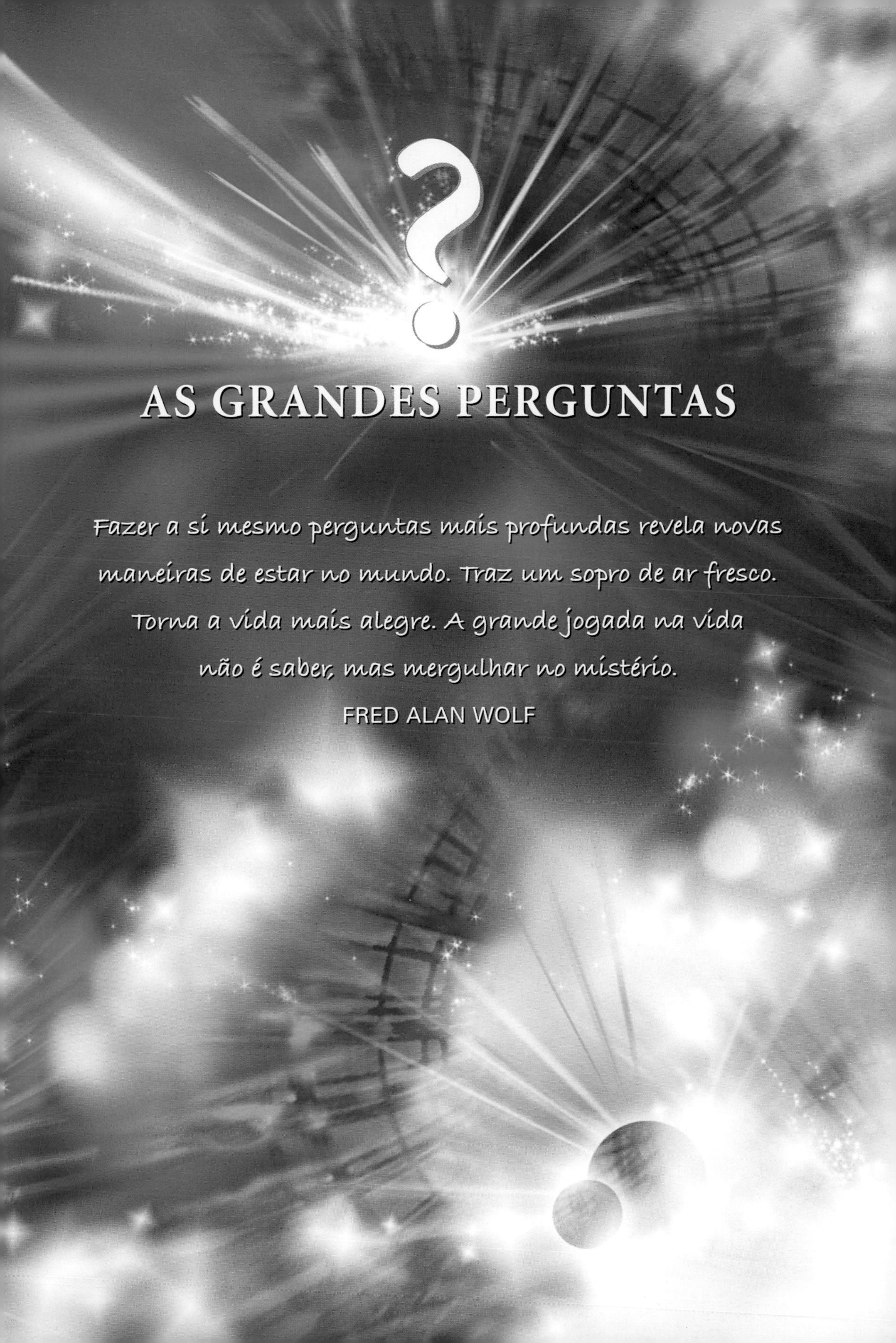

AS GRANDES PERGUNTAS

Fazer a si mesmo perguntas mais profundas revela novas maneiras de estar no mundo. Traz um sopro de ar fresco. Torna a vida mais alegre. A grande jogada na vida não é saber, mas mergulhar no mistério.

FRED ALAN WOLF

O que é uma grande pergunta? Por que se preocupar com isso? O que torna a pergunta grande?

Imagine que aterrissasse em sua mesa de centro uma nave espacial (o tamanho faz diferença?), contendo o *Livro universal sobre tudo*, e você tivesse direito a fazer uma pergunta. Qual seria ela?

Isso pode parecer bobagem, mas vale o esforço. Pare um instante e pense: qual seria essa pergunta? Pode ser qualquer coisa. Vá em frente e anote-a num diário.

Agora digamos que ultimamente o *Livro* esteja se sentindo um tanto subutilizado, e lhe dê uma pergunta de brinde. Pense em alguma coisa sobre a qual você tenha apenas curiosidade. Pode ser se Elvis ainda está vivo ou onde você colocou a chave do carro. Algo que simplesmente seja do seu agrado. Anote essa também.

A essa altura, o *Livro* está se sentindo um pouco esgotado. Ele se tornou o *Livro universal sobre tudo* fazendo perguntas a todo mundo e obtendo respostas reais. Assim, a pergunta para você (cuja resposta será acrescentada ao *Livro*) é:

Qual é a coisa sobre a qual você tem certeza?

Grandes perguntas — o abridor de latas da consciência

A não ser por algumas pessoas como Fred Alan Wolf (que citamos na página precedente), em que situação na vida somos estimulados a fazer perguntas? No entanto, a maioria das grandes descobertas e revelações caras à nossa sociedade foi produto de perguntas. Aqueles temas, aquelas *respostas* que estudamos na escola resultaram de *perguntas*. As perguntas são as precursoras, a causa primária, em todos os ramos do conhecimento humano. O sábio indiano Ramana Maharshi declarou aos discípulos que o caminho para a Iluminação pode ser resumido na frase: "Quem sou eu?" O físico Niels Bohr perguntou: "Como é possível um elétron ir de A para B sem jamais passar entre esses dois pontos?"

De onde viemos?
O que devemos fazer?
E para onde estamos indo?

—Miceal Ledwith

Perguntas como essas nos despertam para o que não sabíamos. E de fato são a única forma de chegar lá — ao outro lado do desconhecido.

Por que fazer uma grande pergunta? Perguntar é um convite à aventura, a uma viagem de descobrimento. Partir para uma nova aventura é emocionante; há o profundo encantamento da liberdade, a liberdade de explorar um território novo.

Então, por que não fazemos essas perguntas? Perguntar abre a porta para o caos, o desconhecido e o imprevisível. No momento em que fazemos uma pergunta cuja resposta desconhecemos, despertamos para todas as possibilidades. Estamos prontos para receber uma resposta que não gostamos ou com a qual não concordamos? E se a resposta nos deixar desconfortáveis ou nos tirar da área de segurança que construímos para nós mesmos? E se a resposta não for o que desejamos ouvir?

Para fazer uma pergunta não é preciso força; é preciso coragem.

Agora vejamos o que torna grande uma pergunta. Uma grande pergunta não precisa vir de um livro de filosofia ou tratar das grandes questões da vida. Para você, uma grande pergunta pode ser: "E se eu decidisse voltar à universidade para me formar numa nova área?" ou "Devo dar atenção àquela voz que insiste em me dizer que vá para a Califórnia ou a China?" ou ainda "É possível descobrir o que existe dentro de um neutrino?" Qualquer uma dessas perguntas ou

A diferença entre o meu eu aos 5 anos de idade e o meu eu hoje é que aos 5 anos eu não tinha feito um grande investimento emocional na idéia de o universo ser de determinada forma. Estar "errado" nunca era problema. Tudo era aprendizagem. Agora fico lembrando a mim mesmo: em ciência não existe experiência fracassada. Ter descoberto que o que eu estava testando simplesmente não funciona é na verdade um sucesso.

—WILL

milhares de outras pode mudar a direção da sua vida. Uma grande pergunta é isso: algo que pode mudar a direção da sua vida.

Portanto, mais uma vez, por que não as fazemos? A maioria das pessoas prefere permanecer na segurança do que sabe a procurar desafios. Mesmo se esbarrassem em uma pergunta, provavelmente iriam evitá-la, enfiariam a cabeça na areia, se ocupariam rapidamente com alguma outra coisa.

Para muitos de nós, só uma crise séria poderia suscitar uma das grandes perguntas: uma doença grave, a morte de alguém querido, o fracasso de um negócio ou de um casamento, um padrão de comportamento repetitivo, quase um vício do qual não conseguimos nos livrar, ou a solidão que não podemos suportar por nem mais um dia. Em momentos assim, grandes perguntas borbulham das profundezas de nosso ser como lava incandescente. Essas perguntas não são exercícios intelectuais, são gritos da alma. "Por que eu? Por que ele? O que fiz de errado? Depois disso, vale a pena continuar vivendo? Como Deus permitiu que isso acontecesse?"

Se *agora*, quando não existe uma crise imediata, conseguíssemos fazer brotar uma paixão assim, que nos levasse a fazer uma grande pergunta sobre nossas vidas, quem sabe o que aconteceria?

Como disse o doutor Wolf, fazer uma grande pergunta pode revelar novas maneiras de estar no mundo. Pode ser um catalisador da transformação. Do crescimento. Da superação. Do progresso.

A alegria das perguntas

Você se lembra de quando tinha 5 anos e vivia perguntando "Por quê?". Depois de um tempo, seus pais devem ter pensado que aquilo era simplesmente para deixá-los loucos, mas você realmente queria saber! O que aconteceu àquela criança de 5 anos?

Quando vejo minha filha se divertindo com um brinquedo ou objeto qualquer, posso ver em seu rosto a pura alegria de tentar entender aquilo. Ela não desanima; continua tentando até conseguir o que quer. Quando consegue, parte para o próximo desafio, a próxima pergunta.

Essa manhã eu a observei enquanto tentava abrir a fechadura do armário. Levou tempo, mas ela continuou até descobrir como abrir. Depois de resolvido o problema da fechadura, a próxima alegria foi: vamos abrir a porta! Com a porta aberta, o rosto dela se iluminou de excitação. Veja o que está lá dentro! O que é aquilo ali na prateleira? Era uma verdadeira viagem de descobrimento, repleta de alegria a cada passo.

O que me perguntei, e pergunto a você, é: qual é a *sua* fechadura? O que *você* deseja saber hoje?

—BETSY

Você consegue se lembrar da criança de 5 anos que você foi? Pode lembrar como era? Isso é importante, porque aos 5 anos você adorava o mistério. Adorava querer saber. Adorava a viagem. Cada dia era repleto de novas descobertas e novas perguntas.

Então, qual é a diferença entre aquele tempo e agora?

Boa pergunta!

A diversão e a alegria da vida estão na viagem. Em nossa cultura, fomos condicionados a considerar inaceitável e mau o "não saber", a vê-lo como uma espécie de fracasso. Para passar no teste, temos de saber as respostas. Porém, mesmo quando se trata do conhecimento dos fatos sobre coisas concretas, o que a ciência não sabe ultrapassa em muito o que ela sabe. Muitos dos grandes cientistas estudaram o mistério do universo e da vida em nosso planeta e declararam francamente: "Sabemos pouco. O que mais temos são perguntas." Isso certamente se aplica aos extraordinários pensadores que entrevistamos. Nas palavras do escritor Terence McKenna: "Quanto mais brilham as fogueiras do conhecimento, mais a escuridão se revela a nossos olhos assombrados."

É ainda mais difícil dar uma resposta clara à pergunta: "Qual é o significado e o propósito da minha vida?" A resposta a grandes perguntas como essa só pode emergir da viagem que é viver. E só podemos chegar a ela pela estrada do não saber — ou talvez devamos dizer, do ainda-não-saber. Se sempre julgamos conhecer a resposta, como iremos crescer? Como poderemos estar abertos para aprender?

Descobri que fico particularmente estimulado ao perceber de repente que não tenho a resposta para alguma coisa. É como chegar à beira de um precipício em minha mente.

Nesse espaço do "nada", ou do não saber, tenho um sentimento intenso de expectativa. A razão da excitação é ter chegado ao limite do que sei e perceber que muito em breve surgirá na minha cabeça um entendimento espantoso que não existia dentro de mim no instante anterior.

Então virá um imenso "ah-ha". Aprendi recentemente que um "ah-ha" estimula os centros de prazer do cérebro (...) Evidentemente, sou viciado nessa sensação.

—MARK

Um professor universitário visitou Nan-in, o mestre zen, para perguntar sobre o zen. Contudo, em vez de ouvir o mestre, o professor se limitou a falar sobre as próprias idéias.

Depois de ouvir por um tempo, Nan-in serviu chá. Encheu a xícara do visitante e continuou a servir o chá. O líquido transbordou, encheu o pires, caiu nas calças do homem e no chão.

— Não está vendo que a xícara encheu? — explode o professor. — Não cabe mais nada!

— Isso mesmo — responde calmamente Nan-in. — Tal como essa xícara, você está cheio de suas próprias idéias e opiniões. Como poderei mostrar-lhe o zen se você não esvaziar sua xícara primeiro?

Cada era, cada geração possui premissas assumidas — o mundo é plano, o mundo é redondo. Há centenas de premissas ocultas, coisas consideradas verdadeiras, que podem ou não ser reais. Na grande maioria dos casos, esses conceitos sobre a realidade — que fazem parte do paradigma dominante ou da visão do mundo — não são corretos. Assim, se a história servir como guia, muitas das nossas certezas de hoje sobre o mundo simplesmente não são verdade.

—John Hagelin, Ph.D.

Esvaziar a xícara significa abrir espaço para as grandes perguntas. Quer dizer estar acessível, se recondicionar para poder aceitar, momentaneamente, o *não* saber. Daí, um conhecimento maior surgirá.

NÃO FAZ MAL NÃO SABER A RESPOSTA

Há pouco tempo, minha sobrinha de 16 anos enviou-me um longo e-mail. A tônica era: "A vida é uma droga. Vejo meu pai chegar todo dia do trabalho completamente arrasado. Não quero cair na armadilha dessa corrida maluca, mas não vejo como evitar. É isso o que a vida é? Para que serve tudo isso? É melhor dar um tiro na cabeça."

"Cristina", escrevi, "talvez esta não lhe pareça uma grande resposta, mas estou orgulhoso de você. Não posso garantir que você resolverá seu dilema e encontrará a resposta. Sei que você precisa de respostas — mas a vida às vezes não nos responde imediatamente. No entanto, você está fazendo as perguntas certas, e isso é importante."

—WILL

Você está em boa companhia

Há milhares de anos as pessoas vêm fazendo grandes perguntas. Sempre houve homens e mulheres que olharam para as estrelas e meditaram sobre o vasto mistério de tudo isso, ou observaram como viviam as outras pessoas ao redor e pensaram: "A vida é só isso?"

Os filósofos gregos da antiguidade meditaram a respeito e discutiram as grandes perguntas. Alguns, como Sócrates e Platão, indagaram: "O que é a beleza? O que é a bondade? O que é a justiça? Qual a melhor forma de governar uma sociedade? Que pessoas têm condições de governar?"

Professores de religião, místicos e mestres espirituais como Buda, Lao Tsé, Jesus, Maomé, São Francisco, Meister Eckhardt, Apolônio de Tiana e muitos outros, de todas as tradições do mundo, fizeram grandes perguntas.

Indivíduos dotados de mente científica sempre fizeram perguntas. Como isso funciona? O que há aqui dentro? As coisas são realmente o que parecem ser? De onde vem o universo? A Terra é o centro do sistema solar? Será que existem leis e padrões subjacentes aos acontecimentos da vida diária? Qual é a conexão entre meu corpo e minha mente?

Nos grandes cientistas da história, essas perguntas fazem surgir uma paixão por *entender* que supera a curiosidade. Eles não estão apenas curiosos — eles precisam saber!

Quando Albert Einstein era garoto, perguntava a si mesmo: "O que vai acontecer se eu estiver andando de bicicleta na velocidade da luz e ligar a lâmpada da bicicleta — a luz acenderá?" Ele quase enlouqueceu, fazendo essa mesma pergunta a si mesmo durante dez anos, mas dessa busca decidida resultou a teoria da relatividade. Esse é um grande exemplo de como fazer uma pergunta e permanecer com ela durante anos, sem resposta, até surgir uma visão totalmente diferente da realidade.

Não é possível chegar a uma conclusão sobre a vida. A vida é algo eterno, assim como nós somos algo eterno. Temos de começar a procurar mais significado no que somos. Bem, o significado do que somos ainda precisa ser descoberto por nós.

—Ramtha

Rompendo paradigmas

Uma das grandes características da ciência é a premissa de que o fato considerado certo hoje pode tornar-se incorreto amanhã. As teorias de ontem serviram como plataforma para se subir mais alto, o que *sir* Isaac Newton quis dizer quando afirmou: "Se eu tive o privilégio de ver mais longe que outros, é porque estava de pé sobre os ombros de gigantes."

A ciência só progride porque se fazem perguntas e se desafiam as premissas e "verdades" aceitas por todos em um determinado momento. E se a mesma coisa se aplicasse a nossas vidas pessoais, nosso crescimento individual e nosso progresso?

Pois, advinhem, também se aplica. Quando nos libertamos das premissas sobre nós mesmos, crescemos mais do que imaginamos ser possível.

Paro na frente do espelho todas as manhãs e procuro me fazer uma grande pergunta: "O que eu não sei e desejo saber?"

Essa manhã foi: "Quero saber se sou realmente capaz de sentir amor incondicional."

Para mim, isso não é apenas uma idéia abstrata. Amor incondicional faz parte dos meus planos — é como quero ser, pelo menos com meu marido e minha filha —, mas, sendo honesta comigo mesma, não tenho certeza de alguma vez tê-lo verdadeiramente sentido.

—BETSY

Então, vamos lá

Pensar nas grandes perguntas é uma forma maravilhosa de passar um "tempo produtivo" com a própria mente. Quando foi a última vez que você levou sua mente para uma viagem de aventura pelo mistério? Que tentou chegar ao outro lado do infinito?

Fazer perguntas também tem um imenso valor prático. É a porta de entrada para a mudança.

A propósito, alguma vez você pergunta a si mesmo, como Joe Dispenza: "Por que continuamos a criar a mesma realidade? Por que continuamos com os mesmos relacionamentos? Por que repetimos os mesmos empregos o tempo todo? Nesse mar infinito de potencialidades em torno de nós, por que continuamos a criar as mesmas realidades?"

Ou, como Einstein enunciou, uma das definições de insanidade é fazer a mesma coisa vezes seguidas, esperando obter um resultado diferente.

É aí que entram as grandes perguntas. Elas são *grandes* porque nos tornam suscetíveis a uma realidade maior, a uma visão mais ampla e a opções maiores. E elas vêm na forma de *perguntas* porque vêm do outro lado do conhecido. Chegar lá é mudar.

Pense um pouco nisto...

Uma observação sobre "Pense um pouco...": muitos de nós conseguiremos responder com facilidade a algumas dessas perguntas. Porém a idéia aqui é não procurar o óbvio, mas sim o não óbvio — o subconsciente, o lugar para onde raramente olhamos, se alguma vez olhamos. Pense nas coisas que você guardou quando era criança, como o medo, por exemplo: será que o medo de cães se difunde pela sua consciência, assumindo outras formas? Vá devagar. Ninguém está no fundo da sala com um cronômetro.

- Você se lembra das três primeiras perguntas no início do capítulo? O que acha delas agora?
- Uma nave espacial aterrissa a seu lado, trazendo o *Livro universal sobre tudo*. Você ganha de brinde uma pergunta, só de brincadeira. Qual seria ela?
- E o brinde dentro do brinde: Estamos de volta ao ponto inicial? Ou avançamos?

Lembre-se dessas perguntas enquanto lê este livro. Elas vão evoluir à medida que você evolui. E essa é a melhor parte! Mantenha um diário para poder acompanhar sua evolução e se lembrar delas.

Todas as coisas importantes são realizadas com o coração despreocupado!

—Ramtha

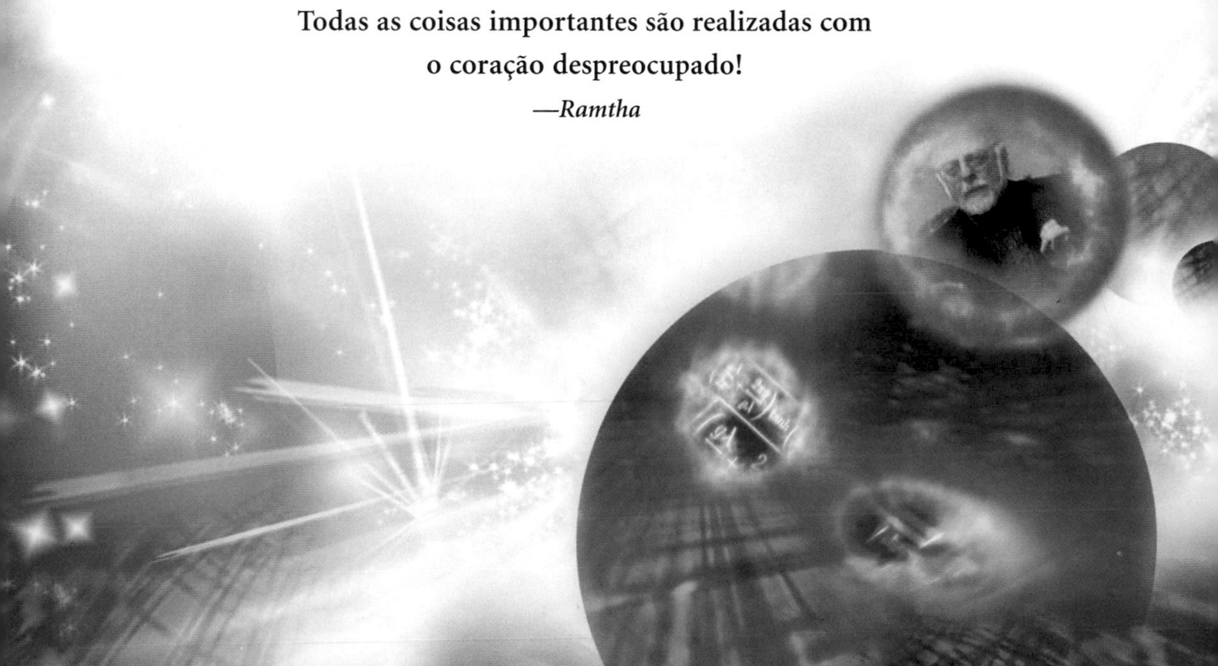

Who am I?

What is an I?

Why am I here on earth, at this time and place?

What's love got to do with

WHO'S ASKING THE QUEST

What are thoug

Is there something I'm supposed to do? How would I know?

Do I have a soul,

Will it go on after my body

Where will it go?

What is consc

WHY IS THERE ANYTHING AT ALL

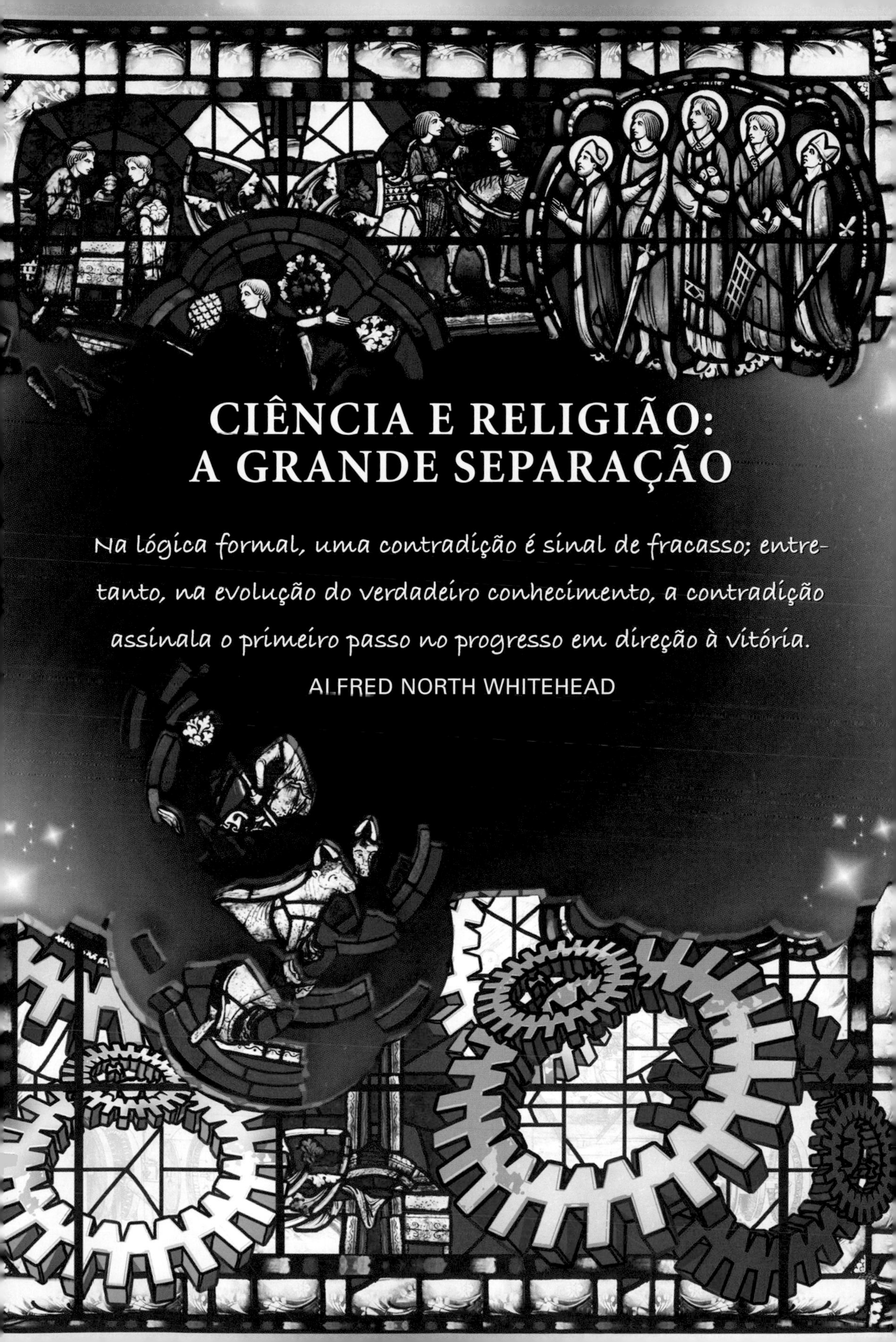

CIÊNCIA E RELIGIÃO: A GRANDE SEPARAÇÃO

Na lógica formal, uma contradição é sinal de fracasso; entretanto, na evolução do verdadeiro conhecimento, a contradição assinala o primeiro passo no progresso em direção à vitória.

ALFRED NORTH WHITEHEAD

O espírito e a ciência são as duas grandes abordagens pelas quais a humanidade busca a verdade. Ambas estão procurando a verdade sobre nós e nosso universo; ambas estão buscando respostas para as grandes perguntas. Elas são dois lados da mesma moeda.

Unidas na origem

Os sumérios (3800 a.C.), a mais antiga civilização conhecida, consideravam iguais os esforços de compreender tanto o mundo ao redor como o mundo espiritual. Havia um deus da astrologia, um da horticultura e um da irrigação. Os sacerdotes do templo eram escribas e tecnólogos que investigavam esses campos do conhecimento.

Os sumérios conheciam o ciclo de 26 mil anos, a precessão dos equinócios, as técnicas para a mutação das plantas com fins de produção de frutas e legumes, e ainda possuíam um sistema de irrigação que nutria todo o "crescente fértil" (a bacia dos rios Tigre e Eufrates).

Avancemos 3 mil anos, até a Grécia antiga. Filósofos faziam grandes perguntas como: "Por que estamos aqui?" ou "O que devemos fazer de nossas vidas?". Eles desenvolveram a teoria do átomo, estudaram os movimentos celestes e buscaram princípios universais para o comportamento ético. Durante milhares de anos, o único estudo do céu foi a astrologia. Da astrologia surgiu a astronomia moderna, que deu origem à matemática e à física. A alquimia, a busca da transmutação e da imortalidade, gerou a química, de onde mais tarde surgi-

É no sentido místico da criação que nos cerca, na expressão da arte, em uma aspiração por Deus, que a alma se eleva e encontra a plenitude de algo implantado em sua natureza... a atividade científica [também] brota de um empenho que a mente se sente impelida a realizar, um questionamento que não aceita ser suprimido. Seja na busca intelectual da ciência ou na busca mística do espírito, a luz nos chama e um propósito que cresce em nossa natureza responde.

—*Sir* Arthur Eddington, astrofísico, em *The Nature of the Physical World*

ram como especializações a física das partículas e a biologia molecular. Hoje, a busca da imortalidade é conduzida pelos bioquímicos que estudam o DNA.

Um mundo vivo

Antes da Revolução Científica, acreditava-se num mundo vivo. Na China, via-se o mundo como uma interação dinâmica entre forças energéticas que fluem constantemente; nada é fixo ou estático, tudo está fluindo, mudando ou eternamente renascendo.

No Ocidente, acreditava-se que o mundo expressava a vontade e a inteligência de um Criador Divino. As peças que compunham o mundo estavam ligadas em uma "grande cadeia do ser", que se estendia de Deus para os anjos e deles para o homem, os animais, as plantas e os minerais, cada um com seu lugar adequado num todo vivo. Nada existia por si só; cada peça estava relacionada com todas as outras.

Os povos de cada continente viviam uma relação harmoniosa com seu entorno — os animais e as plantas, o sol e a chuva, a Terra viva. Manifestavam essa percepção descobrindo "espíritos" em montanhas, riachos e bosques, e fundamentavam a religião e a ciência no aprendizado do viver de forma a agradar aos espíritos da Terra e do céu.

Em todas essas culturas, o objetivo da ciência era adquirir conhecimentos que harmonizassem a vida humana com as grandes forças do mundo natural e com os poderes transcendentais que pressentiam existir por trás do mundo físico. Desejava-se saber como a natureza opera, não para dominá-la, mas para viver de acordo com seu fluir. Como escreveu o físico e filósofo Fritjof Capra em *O ponto de mutação*: "Desde a antiguidade os objetivos da ciência tinham sido a sabedoria, a compreensão da ordem natural e a vida em harmonia com ela. A ciência era praticada 'para a glória de Deus' ou, como diziam os chineses, para 'acompanhar a ordem natural' e 'fluir na corrente do Tao'."

Tudo isso mudou em meados do século XVI.

Nas principais culturas do mundo antigo havia uma escadaria separando o humano e o divino. Pensava-se na Terra e no cosmo como "vós", em vez de "isso". Os indivíduos sentiam que estavam participando de um grande mistério cósmico do qual eles faziam parte. As pessoas experimentavam o divino como iminente no mundo material. A natureza e o cosmo tinham a alma cheia da presença divina. Cerimônias como as realizadas em Stonehenge (...) ligavam a Terra ao céu e fortaleciam o sentimento de participação na realidade divina.

—Anne Baring

O desafio ao poder da Igreja

Quando era pequeno, eu pensava muito em Deus. Me diziam que Deus estava fora de mim e que Ele era um mistério insondável. Sendo então arrogante quanto curioso, concluí que eles estavam errados. Tinha de haver uma forma, pensava. Quando, ainda adolescente, descobri a ciência, fiquei tão animado... Embora soubesse que a ciência estudava os efeitos secundários de uma ordem mais elevada, com o que estava aprendendo sentia estar mais perto do mistério da vida do que em qualquer um dos áridos momentos vividos na igreja, quando criança. Ao descobrir a existência da mecânica quântica, cheguei ao céu! (Perdoem a ironia.) Ali estava uma linguagem que eu julgava capaz de explicar o divino, e a idéia do observador talvez sugerisse que o divino somos nós. A ciência e o espírito não são tão diferentes: são disciplinas diferentes tentando compreender a mesma coisa.

—MARK

Na Europa medieval, a Igreja era o poder supremo. Coroando reis, detendo a posse das terras e provendo a verdade, a Igreja tomou para si a posição de conhecedora de tudo. Seu dogma era lei. Ela não apenas legislava sobre o funcionamento do mundo espiritual — no que se referia a céu, inferno e purgatório —, mas também dizia ao universo físico de que forma ele deveria se comportar.

Em 1543, Nicolau Copérnico teve a ousadia de desafiar a Igreja e a Bíblia. Publicou um livro no qual sugeria que o centro do universo era o Sol, e não a Terra. A Igreja, confrontada, tomou a atitude mais lógica: proibiu a leitura do livro. Também incluiu o trabalho de Copérnico em seu *index* de livros proibidos e, espantosamente, manteve-o lá até 1835!

Felizmente Copérnico morreu de causas naturais antes que a Igreja pudesse se aproximar dele. Dois cientistas que o apoiaram não tiveram a mesma sorte. Giordano Bruno confirmou os cálculos de Copérnico e formulou a teoria de que o sistema formado pelo Sol e seus planetas poderia ser apenas um entre muitos outros semelhantes, em um universo infinito. Por essa terrível blasfêmia, foi submetido a julgamento pela Inquisição (que *ainda* é um departamento da Igreja), condenado como herético e queimado vivo.

Galileu Galilei também apoiou o modelo de Copérnico. Foi julgado pela Inquisição, mas, por ser amigo pessoal do papa, apenas o mantiveram em prisão domiciliar (aos 70 anos) até morrer. É bom ter amigos nas altas esferas.

Galileu freqüentemente é chamado de "pai da ciência moderna" por ter sido o primeiro a fundamentar seu trabalho nos dois pilares que, desde então, caracterizaram o trabalho científico: observação empírica e uso da matemática.

Como conseqüência das descobertas realizadas por ele nos primeiros anos do século XVII, o conhecimento deixou de ser propriedade do clero. Sua validade já não era mais baseada em autoridades ancestrais ou hierarquias eclesiásticas. Pelo contrário, passou a ser adquirido por meio da investigação e da observação e a ser validado por meio de princípios consensuais, procedimento logo denominado *método científico.*

Os cientistas não combatiam a Igreja. Sabiam que era inútil e perigoso. Em vez de formular leis matemáticas sobre Deus, a alma, a natureza humana e a sociedade, eles restringiram suas atividades à investigação dos mistérios da matéria.

Por sua vez, a Igreja fez tudo o que podia para calá-los, para evitar a disseminação de idéias que lhe ameaçassem a autoridade. Porém, o que a Igreja temia aconteceu. Como os cientistas perseveraram nas pesquisas, mandando notícias sobre as fronteiras do conhecido e usando o crescente corpo de conhecimento para criar tecnologias cada vez mais poderosas, a sedução da aventura científica obteve apoio cada vez maior.

A dissidência entre ciência e espírito nos afeta hoje em dia porque os cientistas envolvidos nesse tipo de debate sabem muito pouco sobre os verdadeiros ensinamentos do espírito. Eles simplesmente acham que os personagens vendidos a varejo em qualquer púlpito do país são o espírito científico, quando na verdade eles são apenas uma versão da ciência do espírito. E, infelizmente, os clérigos também não conhecem a própria ciência, de modo que os dois lados estão envolvidos num fogo cruzado. Essas são simplesmente duas formas complementares de ver a realidade.

—Miceal Ledwith

Descartes separa mente e corpo, humanidade e natureza

René Descartes, filósofo e matemático francês do século XVII, ampliou o fosso entre ciência e espírito: "Nada que se inclua no conceito de corpo pertence à mente e nada no conceito de mente pertence ao corpo", afirmou.

E assim foi batido o martelo. A moeda (a realidade) foi dividida ao meio. Se o espírito e a ciência estavam em litígio, Descartes foi o advogado que tornou palatável essa separação.

Embora acreditasse que a mente e a matéria eram criação de Deus, Descartes as considerava completamente distintas e isoladas. A mente humana era um centro de inteligência e razão, projetada para analisar e compreender. O domínio da ciência era o universo material — a natureza — que ele via como uma máquina cujo funcionamento obedecia a leis que podiam ser formuladas matematicamente. Para Descartes, grande apreciador de relógios e brinquedos mecânicos, não só os objetos inanimados — como os planetas e as montanhas —, mas tudo, na natureza, partilhava essa natureza mecânica.

Todas as operações do corpo também podiam ser explicadas por um modelo mecânico. Ele escreveu: "Considero o corpo humano uma máquina." Como veremos, a separação entre mente e corpo, transformada por Descartes em regra fundamental da ciência, causou uma infinidade de problemas.

Passei a maior parte da minha vida com a cabeça enfiada na areia. Minha defesa era acordar pensando em qual par de sapatos iria usar. Nunca consegui aceitar o conceito de haver um cara lá no céu me julgando, e nunca comprei totalmente a idéia de descender de um macaco. Sempre me pareceu que deveria existir alguma coisa mais, porém grande demais para ser concebida por alguém tão pequeno quanto eu. Por muito tempo deixei isso por conta das "pessoas mais inteligentes". Agora percebo que se eu não acordar e participar desse diálogo, a ciência e a religião continuarão em suas estradas de elitismo, dogma e disputa de poder. Acho que elas precisam de um bom terapeuta de família — NÓS!

—BETSY

Francis Bacon e a dominação da natureza

Francis Bacon, filósofo e cientista britânico, também teve papel importante na instituição do método científico, que pode ser representado pelo diagrama:

Hipótese → pesquisa e experimentação → elaboração de conclusões gerais → teste das conclusões por meio de pesquisa adicional

É claro que esse método trouxe imensos avanços para a humanidade, desde a pura alegria de compreender melhor a natureza até as melhorias na saúde, na engenharia, na agricultura, etc., chegando aos primeiros passos da exploração espacial. Mas isso é apenas a metade da história.

Como assinalou Fritjof Capra, Bacon via a aventura científica de uma forma, "em geral, francamente perversa". A natureza precisava ser "acossada em suas perambulações", "obrigada a servir", "escravizada". O papel do cientista era "torturar a natureza para extrair seus segredos". Infelizmente, essa atitude que pretendia extrair conhecimentos para controlar e dominar a natureza tornou-se o princípio norteador da ciência ocidental. Bacon resumia a idéia com uma frase que todos aprendemos na escola: "Conhecimento é poder."

O modelo clássico de Newton

O nome que mais freqüentemente associamos à formulação da visão científica é o de *sir* Isaac Newton, e o modelo mecanicista do mundo geralmente é denominado "física newtoniana" ou "modelo newtoniano". Esses termos se justificam, já que Newton realizou um gigantesco avanço, sintetizando e melhorando imensamente as idéias e os métodos de seus predecessores. As conclusões e as provas matemáticas fornecidas por ele foram poderosas a ponto de durante quase trezentos anos os cientistas de todo o mundo acreditarem que elas eram a exata descrição do funcionamento da natureza.

Newton, tal como Descartes, via o mundo como uma máquina em funcionamento no espaço tridimensional, cujos eventos (como o movimento das estrelas ou a queda das maçãs) ocorriam no tempo. A matéria era sólida, contendo em seu interior partículas diminutas. Essas partículas e também objetos tão grandes quanto os planetas se moviam de acordo com leis da natureza, como a força da gravidade. Essas leis podiam ser descritas com tanta precisão matemática que, conhecidas as condições iniciais de um objeto — por exemplo, a localização de um planeta, sua velocidade e o padrão de sua órbita —, era possível prever com absoluta certeza o seu futuro. O fato de Newton ter visto uma associação entre dois eventos tão díspares como a queda de uma maçã e o movimento de um planeta foi absolutamente revolucionário. Essa associação era intermediada por uma "força", no caso, a força da gravidade.

A abordagem mecanicista logo foi aplicada a todas as ciências: astronomia, química, biologia, e assim por diante. Com pequenas variações (como uma visão mais sofisticada do nível atômico da realidade), essa é a descrição do mundo em que fomos todos ensinados a acreditar.

No século XVII, saímos de uma época em que o universo era visto como entidade viva e vibrante e passamos a ver o mundo como máquina. Descartes e Newton solidificaram esse conceito, usando a ciência e a matemática para descrever um mundo sem vida, composto de objetos inanimados. Eles fizeram belos cálculos e ampliaram nossa compreensão sobre os sistemas inanimados. Descartes e outros cientistas aplicavam aos sistemas vivos o modelo de um relógio ou de algo movido a corda. Assim, se pudéssemos entender bem as peças, os componentes do sistema, compreenderíamos seu funcionamento como um todo. Isso pode ser verdadeiro para o relógio, mas nós não somos máquinas.

—Daniel Monti, médico

Newton e a religião

Pensemos no seguinte: por mais revolucionários que Newton e seus colegas tenham sido em seu trabalho, quando se tratava de religião eles não questionaram o pensamento dominante em sua época. Estavam mergulhados nele. Embora fossem responsáveis pela introdução de um novo e radical paradigma que desafiava e subvertia conceitos aceitos por séculos, viveram suas vidas pessoais completamente imersos no mundo medieval em que tinham nascido.

Como tantos outros, acreditavam que Deus era o supremo arquiteto e o construtor do mundo. Newton escreveu em seu principal trabalho científico, intitulado *Principia Mathematica*:

> Esse sistema extraordinariamente belo composto pelo Sol, pelos planetas e pelos cometas só poderia provir do julgamento e do domínio de um ser inteligente e poderoso (...) Esse Ser governa todas as coisas, não na qualidade de alma do mundo, mas como Senhor de tudo (...) Ele é eterno e infinito, onipotente e onisciente... Ele governa todas as coisas e conhece todas as coisas que existem ou podem existir (...)
>
> Não vejo outra razão para a existência em nosso sistema de um corpo habilitado a fornecer luz e calor a todo o resto, senão o fato de o Autor do sistema julgá-lo conveniente.

A filosofia está escrita nesse imenso livro — o universo — que permanece continuamente aberto aos nossos olhos. Mas o livro não pode ser compreendido a menos que primeiro aprendamos a linguagem e interpretemos os caracteres com que ele foi escrito. E ele foi escrito na linguagem da matemática e seus caracteres são triângulos, círculos e outras figuras geométricas. Sem eles, estamos vagando por um labirinto escuro.

— Galileu Galilei

Como se quisesse prevenir as eras futuras contra a filosofia materialista que dominaria o pensamento ocidental em nome da mecânica newtoniana, *sir* Isaac escreveu: "O ateísmo é tão insensato e tão odioso à humanidade que nunca teve muitos professores."

Uma amarga separação

Foram as gerações posteriores de cientistas, inteiramente concentradas na máquina do mundo, que descobriram não haver necessidade de Deus ou da espiritualidade. Libertados das restrições do dogma religioso, os cientistas buscaram vingança, decretando ser fantasia e ilusão tudo o que não pudesse ser visto ou medido. Muitos se tornaram tão dogmáticos quanto as autoridades da Igreja, declarando com segurança farisaica que somos estritamente pequenas máquinas circulando por um universo mecânico e previsível, governado por leis imutáveis.

Os seguidores de Darwin deram o toque final ao triunfo materialista. Não somente não existe Deus e, logo, uma inteligência criativa dirigindo o desenvolvimento da vida intergaláctica, mas nós mesmos, antes o centro do mundo, não somos senão mutações aleatórias, portadores de um DNA que vive uma jornada em busca de evolução, num universo sem sentido.

Esperança de reconciliação?

A separação entre mente e corpo, transformada por Descartes numa regra fundamental em que a pesquisa científica acreditou por centenas de anos, causou problemas sem fim. Ao considerar que o mundo fora de nossas mentes nada mais é que matéria sem vida funcionando de acordo com leis previsíveis e mecânicas e desprovida de qualquer qualidade espiritual, essa regra nos distanciou da natureza viva que nos sustenta. E forneceu à humanidade a desculpa perfeita para explorar todos os "recursos naturais" com a finalidade de atender aos próprios objetivos imediatos e egoístas, sem qualquer preocupação com outros seres vivos ou o futuro do planeta.

E o planeta sofreu. Saqueado em seus recursos e privado de sua pureza, nosso lar poluído começou a girar em direção à extinção.

Enquanto cavava cada vez mais fundo em seu universo morto, a ciência trouxe à luz um mistério. Nos primeiros anos do século XX, o garrote do materialismo começou a ser desapertado por cientistas como Albert Einstein, Niels Bohr, Werner Heisenberg, Erwin Schrödinger e outros fundadores da teoria quântica, que declararam ao mundo: Se investigarmos bem a fundo a matéria, ela desaparecerá e se transformará em energia incomensurável. Se seguirmos o exemplo de Galileu e procurarmos descrevê-la matematicamente, descobriremos que o universo não é nada material! O universo físico é essencialmente não-físico e pode se originar de um campo ainda mais sutil que a própria energia, mais

Se ciência e espírito buscam a natureza da realidade ilimitada, então em algum momento seus caminhos se cruzam. As escrituras mais antigas que conhecemos, os Vedas, descrevem o mundo físico como ilusão, *maya*. A física quântica afirma que a realidade não é o que vemos; na melhor das hipóteses, ela é praticamente vazia, ondas de nada insubstancial.

Os budistas tibetanos falam de tudo como "origem interdependente". Na física existe a teoria do emaranhamento, segundo a qual todas as partículas estão conectadas e assim estiveram desde o big bang (onde elas emaranharam-se pela primeira vez). E, mais poético, temos no zen o famoso koan: "Qual é o som de uma das mãos batendo palmas?" Ele ecoa a pergunta da física: "Como é possível uma partícula estar em dois lugares ao mesmo tempo?"

Profissionais mergulham em suas respectivas disciplinas, mas a história do progresso humano mostra que a evolução ocorre quando áreas progressivamente mais vastas de estudo são integradas.

Qual é o som de dois adversários se beijando?

—WILL

semelhante à informação, à inteligência ou à consciência, do que à matéria.

Dogma:
ponto de vista, princípio ou opinião peremptório de uma igreja em matéria de fé ou moral.

Dois lados da mesma moeda

Em nossa época, a moeda permanece dividida, com a religião de um lado e a ciência de outro. Por quê? Não porque a realidade seja dividida, mas porque os adeptos dessa visão são pessoas. Você se lembra por que as pessoas não fazem grandes perguntas? Porque a resposta pode não ser o que elas desejam.

E se a mente e a matéria não forem divididas? E se existirem entre elas ciclos de retroalimentação observáveis? Estamos no século XXI; no entanto, a linha dominante da ciência ainda se recusa a examinar essa questão.

O doutor Dean Radin, cientista chefe do Instituto de Ciências Noéticas, conduziu a investigação de fenômenos psíquicos com total aderência ao método científico. Apesar disso, ele ainda encontra resistência da parte da comunidade científica tradicional.

Como diz o doutor Radin:

> Eles [os cientistas tradicionais] têm convicções pessoais e particulares que desenvolveram por experiência, mas não falam delas em público porque, pelo menos no mundo acadêmico, espera-se que você não fale sobre essas coisas. E essa é uma das poucas áreas no mundo acadêmico em que o tabu não só é forte, mas já persiste por pelo menos um século. Conheço muitos colegas acadêmicos (...), pessoas destacadas em seus campos — a psicologia, a neurociência cognitiva, as neurociências básicas, a física (...) —, que, em particular, têm um grande interesse por (...) fenômenos psíquicos. Alguns deles estão obtendo bons resultados em suas experiências. Bem, por que não estamos ouvindo falar disso? Porque a cultura do mundo acadêmico estabelece que não pode. Portanto,

estamos vivendo a parábola da roupa nova do imperador. Mesmo agora o tabu é tão forte que não se deve falar sequer sobre o próprio tabu. É como um projeto altamente secreto do governo, cuja própria existência é segredo. Bem, o tabu é segredo; espera-se que ninguém fale sobre ele. Uma vez que se fale, esse é o primeiro estágio para fazer com que ele desapareça, e quando isso acontecer, veremos um enorme interesse da parte dos cientistas tradicionais em estudar esses assuntos.

A PARTÍCULA DE HIGGS

A partícula de Higgs é uma partícula prevista teoricamente que fornece massa a todas as outras existentes no universo. Há décadas os cientistas vêm construindo aceleradores de partículas cada vez maiores para encontrá-la, porque ela é uma partícula pesada (maciça). Eles não conseguem encontrá-la porque ela tem massa muito grande e dá massa às partículas. Então, o que dá massa à partícula de Higgs? Isso parece um pouco estranho a vocês? Talvez os cientistas devessem procurar uma partícula "de informação", que informe às outras partículas o estado delas (massa, carga, spin...).

Que perguntas VOCÊ quer ver respondidas?

E então?

A prece promove a cura? É possível afetar a realidade física com a mente? É possível perceber coisas que estejam fora do espaço/tempo? Algum ser é capaz de caminhar sobre a água? A partícula de Higgs existe?

O quê?

A física de partículas teórica prevê a existência da partícula de Higgs. Centenas de milhões de dólares estão sendo gastos para construir aceleradores mais poderosos para encontrá-la. E, no entanto, acreditamos que a maioria dos cidadãos do planeta Terra preferiria ter resposta para as perguntas anteriores.

Certamente, as respostas para essas perguntas teriam um sólido impacto sobre a forma como nos vemos e como vemos o mundo. Muito mais do que a descoberta de uma nova partícula. Porém o mundo da ciência tradicional não quer investir tempo em algo que considera "fora do domínio deles". Engraçado, porque é exatamente daí que surgem os avanços.

Assim, quem está sabotando a busca da verdade?

São dois lados da mesma moeda.

Primeiro foi a Igreja e agora são os novos sacerdotes — os cientistas.

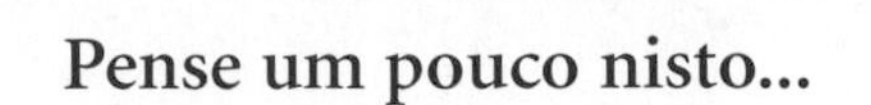

Pense um pouco nisto...

- Você sabotou sua própria busca da verdade?
- O que significa espiritualidade para você?
- Qual é a diferença, se houver, entre um dogma e uma lei natural?
- Quais são os dogmas na sua vida?
- Como eles governam sua percepção de si mesmo e da sua realidade?
- Você usa o método científico na sua vida?
- Como a cisão entre ciência e religião afetou a sua vida?
- Qual é a diferença entre ciência e religião?
- Como o dualismo afetou a forma como você se vê e como vê a realidade?
- Você vive a vida como um ser independente da natureza e de todos os outros, ou se sente realmente conectado?
- Com que freqüência você se sente como um lagarto? Você é capaz de fazer crescer uma cauda?

A MUDANÇA DE PARADIGMA

Procuro homens que tenham
infinita capacidade de não saber
o que não pode ser feito.

HENRY FORD

Um paradigma é como uma teoria, mas um pouco diferente. Uma teoria, como a de Darwin sobre a evolução, é uma idéia que procura explicar o funcionamento de alguma coisa. Ela deve ser testada, provada ou negada, apoiada ou contestada por meio de experimentação e reflexão. Um paradigma, por outro lado, é um conjunto de premissas implícitas que não se pretende testar; na verdade, são essencialmente inconscientes. São parte do nosso *modus operandi* como indivíduos, como cientistas ou como sociedade.

Um paradigma jamais é questionado porque ninguém pensa sobre ele. É como se estivéssemos *o tempo todo* usando as conhecidas lentes cor-de-rosa: vemos tudo através dessas lentes. Essa é a realidade em que vivemos. Todas as nossas percepções passam por essa referência e dentro desse sistema está tudo o que consideramos verdadeiro. Só contestamos essas verdades — ou temos consciência delas — quando esbarramos numa parede e quebramos as lentes cor-de-rosa: subitamente o mundo parece diferente.

Alguma vez você usou um cortador para fazer biscoitos? Sejam quais forem os ingredientes utilizados, todos os biscoitos saem do forno com a mesma aparência.

—WILL

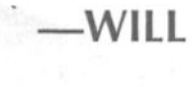

Paradigmas e sistemas de crenças

O paradigma também pode ser visto como um sistema de crenças. Se alguma vez você tentou definir seu sistema de crenças, o que valoriza e em que acredita, sabe como isso é difícil. É possível que alguns dos aspectos sobre os quais você pensou conscientemente não sejam tão difíceis. Você pode acreditar na importância da família, da amizade, da atividade física, de uma dieta saudável; também pode ter razões para acreditar que sua filiação política é sensata, e assim por diante. No entanto, dezenas, talvez centenas de convicções inconscientes e não questionadas dirigem sua vida partindo de níveis subterrâneos de percepção nebulosa — convicções sobre seu valor e sua competência, por exemplo, ou sobre a confiabilidade, ou a falta dela, que você atribui a outras pessoas. Essas convicções foram sedimentadas desde a infância e continuam a determinar sua relação com o mundo.

Um paradigma é como o sistema inconsciente de crenças de uma cultura. Vivemos e respiramos essas crenças; pensamos e interagimos de acordo com elas.

Ao entender quais paradigmas governam minha vida, posso começar a perceber como criei as situações em minha vida. Ao fazer este filme e escrever este livro, quebrei um imenso paradigma inconsciente, aquele que me fazia pensar: "Eu não sou tão inteligente assim!" Nunca me considerei uma pessoa capaz de entender nenhum desses conceitos. Claro, eu era esperta e habilidosa e conseguia abrir caminhos pelo mundo e me tornar um sucesso, mas eu não era uma "rata de biblioteca". Na minha primeira semana neste filme, Will e Mark me entregaram uns vinte livros e disseram: "Comece a ler, porque você vai telefonar para esses cientistas e convencê-los a participar do nosso filme." Levei um tempo para parar de dizer a mim mesma que não era capaz de fazer aquilo. Era meu emprego — eu tinha de o fazer. Assim que deixei de me agarrar às minhas limitações, mergulhei de cabeça. Mesmo agora elas ainda me perseguem — mas quando isso acontece, eu só repito: "Sou um gênio!"

—BETSY

O velho paradigma científico não está funcionando

Praticamente todo dia surgem novas informações científicas que não podem ser explicadas pelo modelo newtoniano clássico. A teoria da relatividade, a mecânica quântica, a influência dos pensamentos e das emoções sobre nossos corpos, as ditas "anomalias" como a percepção extra-sensorial, a cura pela mente, a vidência, a atuação de médiuns e canais, as experiências de quase-morte ou de sair do corpo, tudo isso mostra a necessidade de um modelo diferente, um novo paradigma que inclua todos esses fenômenos dentro de uma teoria mais abrangente sobre o funcionamento do mundo.

O problema não é só que o modelo antigo é insuficiente para responder às questões levantadas pelas novas pesquisas. Ainda pior é o fato de ele nem chegar perto de livrar a vida humana do sofrimento, da pobreza, da injustiça e da guerra. Na verdade, seria possível até demonstrar que, devido ao modelo mecanicista vir dominando há muito tempo nossa forma de experimentar o mundo, muitos desses problemas ficaram *piores*.

Mudanças de paradigma podem também ocorrer na escala humana. Elas podem ser uma coisa tão simples quanto acordar de repente e compreender algo sobre nós mesmos que sempre existiu, mas nunca tínhamos percebido. Por exemplo, recentemente descobri um dos motivos para meu apetite voraz por conhecimento. Ele não é fruto somente da curiosidade, mas também do medo. Quando criança, lembro que tinha medo de muitas coisas. Talvez como meio de combater a insegurança e a incerteza, decidi aprender o máximo que pudesse para tentar construir um modelo "previsível" da realidade. Dessa forma eu achava que poderia prever qualquer eventualidade capaz de causar dor. Era uma condição infeliz. Eu vivia em um estado de medo constante por causa da forma como interpretei acontecimentos ocorridos na minha infância. Entretanto, recentemente me veio a idéia de que se não fosse por aquele medo, eu jamais teria obsessão pelo conhecimento. No momento em que atingi essa compreensão, fiquei absolutamente grato por todas as experiências "difíceis". Naquele momento, minha versão do passado mudou para sempre. Isso é o que eu chamo de mudança de paradigma. Novos olhos enxergando uma situação antiga.

— MARK

Repercussões do paradigma newtoniano

O modelo materialista da realidade há tempos deixou de ser "teoria" para se tornar a base implícita de qualquer pensamento ou pesquisa. Por quatrocentos anos ele governou a investigação científica e o que o mundo científico está disposto a aceitar como possível ou impossível. Ele nos diz que o universo é um sistema mecânico composto de "blocos estruturais" sólidos, materiais e elementares. Afirma que é real o que é *mensurável* e que só é *mensurável* o que podemos perceber por meio de nossos cinco sentidos ou de qualquer extensão mecânica deles. Defende, ainda, a idéia de que a única maneira válida de se adquirir conhecimento é banir sentimento e subjetividade e se tornar completamente racional e objetivo.

Essa forma de se relacionar com o mundo divide a totalidade da vida humana em mente e corpo e declara sem valor sentimentos, paixões, intuição e imaginação. Transforma a natureza em objeto e nos separa dela. Assim, a natureza se transforma em "recursos" a serem controlados e explorados, em vez de um sistema orgânico vivo a ser cuidado e amparado.

De acordo com o paradigma científico atual, vivemos num universo mecânico, morto. Talvez uma inteligência viva tenha criado e dado movimento a ele (como Newton e outros cientistas acreditavam), mas agora ele é completamente mecânico e previsível. Partindo de um conjunto qualquer de condições iniciais, o resultado estará completamente determinado. Os resultados são inevitáveis.

Agora, mesmo que o movimento dos planetas seja tão previsível quanto a queda das pedras e das maçãs, e o comportamento e a relação dos objetos com o mundo material possam ser quantificados (veremos depois que a física quântica desafiou essas conclusões), afirmar o mesmo sobre a vida humana é degradante e absurdo. Para onde nos levaria esse tipo de vida? Se não existe liberdade, se o caminho está completamente determinado, então o que é a vida? Nesse modelo não há lugar para consciência ou espírito, para liberdade e escolha.

Um novo paradigma

Segundo o doutor Jeffrey Satinover, "muita gente quer que a mecânica quântica nos salve dessa espécie de indiferença fria e impiedosa. E as pessoas sentem que precisam de salvação porque a idéia mecânica, fria e impiedosa é imensamente poderosa. Mesmo que você não acredite, ela afetou num grau muito grande sua vida e sua visão de mundo sobre a civilização".

Imagine-se como um ser mecânico (já vimos tantos filmes de ficção científica que podemos imaginar facilmente), vivendo num mundo totalmente morto, no qual todas as "coisas" são desprovidas de consciência, são objetos insensíveis totalmente controlados por leis abstratas de comportamento. O que você acha disso? Como se sente com relação às pessoas que ama, sendo você agora apenas uma máquina e sendo o amor apenas um acaso na química cerebral, sem qualquer conseqüência a não ser uma vantagem evolucionária para o DNA?

Você acredita nisso? No entanto, é o que a maioria dos cientistas do mundo está dizendo. E eles são as mesmas pessoas que nos dizem por que o céu é azul, por que nossos carros ligam de manhã, por que as árvores transformam gás carbônico em oxigênio. E se eles tivessem um computador suficientemente grande, poderiam dizer por que você está sentado onde está nesse exato momento, lendo este exato livro. Tudo é uma questão de condições iniciais com as quais "você" (que não passa de uma mera ilusão) não tem nada a ver.

Você acredita *nisso*?

Certamente temos dificuldade de pensar em nós mesmos como seres puramente mecânicos. É porque não somos. E nem os outros. Todos nós sentimos ter (ou talvez sintamos ser) consciência e espírito, sentimos que *fazemos* escolhas.

Ou não?

E aqui estamos no fundo da toca do coelho dos paradigmas. À esquerda, está a vida na qual somos seres conscientes decidindo o próprio caminho, e, à direita, apenas uns e zeros que de alguma forma criam a ilusão que é você.

Segundo o ponto de vista clássico, somos máquinas, e não temos espaço para experiências conscientes. Não faz diferença se a máquina morre; você pode matar a máquina, jogá-la no lixo (...), não importa. Se o mundo for assim, as pessoas se comportarão dessa maneira. Mas há uma outra forma de pensar isso (...) indicada pela mecânica quântica. Ela sugere que o mundo não é essa coisa mecânica, é mais semelhante a um organismo. É uma coisa orgânica altamente interconectada (...) que se estende pelo espaço e pelo tempo. Assim, de um ponto de vista muito básico relacionado com a moralidade e a ética, o que eu penso afeta o mundo. De certo modo, essa é a verdadeira razão pela qual é importante que ocorra uma mudança na visão de mundo.

—Dean Radin, Ph.D.

Para mim, a grande mudança de paradigma tem a ver comigo (aqui dentro) e o resto do universo (lá fora). Se somos apenas soldadinhos movidos a corda, como relógios, em um universo que faz tique-taque, então por que eu deveria me importar com o que acontece fora de mim? Essa é a atitude que torna fácil bombardear pessoas, esgotar recursos e condenar as gerações futuras a um mundo miserável. Por outro lado, quando expando minhas fronteiras no tempo e no espaço, tudo é diferente. Na prática, isso significa que em vez de, por preguiça, deixar a luz acesa a noite toda, penso na quantidade de carvão ou petróleo queimada para manter acesa aquela lâmpada, penso no seu processo de fabricação, no buraco da camada de ozônio e em como dentro de três gerações não vai sobrar mais nada.

É impressionante como alguém pode se preocupar o dia inteiro com a próxima refeição e não se preocupar com o que as pessoas comerão daqui a cem anos. Os alces que pastam no meu prado passam de uma moita para a próxima, sem nunca comer TODAS as sementes. Eles também não usam relógio.

—WILL

A reação do sistema

Tal como nos séculos XVI e XVII, a época de Copérnico, Newton e dos outros pioneiros do modelo científico, os elementos conservadores da sociedade não se limitam a recusar esse novo conhecimento; eles fazem firme oposição a ele. A ortodoxia dominante está rigidamente entrincheirada e não admite a menor mudança. Em nossos dias, as autoridades eclesiásticas foram substituídas por indivíduos (nem todos) que, em vez de utilizar o método testado e aprovado de queimar na fogueira, usam o poder das universidades, das agências governamentais de fomento e da mídia de mentalidade estreita. Essas pessoas, em vez de ameaçarem a *vida* propriamente dita daqueles cientistas "heréticos", ameaçam seu *meio de vida* demitindo-os, negando-lhes promoções ou nomeações, retendo o dinheiro de pesquisa, ridicularizando aqueles cujas idéias e projetos de pesquisa não se encaixam nos limites aceitáveis.

Amit Goswami tem esperança. Ele acredita que a oposição não é necessariamente um mal. "Quem faz oposição tem alguma coisa significativa a declarar. Ninguém rejeita alguma coisa até julgar se ela é uma bobagem; um mero exame superficial será suficiente para eliminar as bobagens. Porém quando as coisas se tornam significativas e um exame superficial já não resolve, aí é quando você endurece e quer excluir o outro, porque ele é perigoso demais. Assim, a percepção de que os cientistas alternativos estão obtendo bons resultados nos campos em que atuam já está [causando impacto] sobre o mundo da ciência tradicional. E é por isso que a polarização é um bom sinal de que estamos progredindo."

A evolução dos paradigmas científicos

Uma das grandes verdades sobre os paradigmas é que *eles mudam*. Na ciência, que é uma construção na qual uma geração se edifica em cima do trabalho dos que vieram antes, o paradigma do conhecimento evolui à medida que as visões antigas se revelam incompletas ou incorretas. Ora devagar, ora esperneando e gritando, a grandeza da ciência é que ela *avança*! A ciência avança inexoravelmente, construindo uma nova visão, uma nova estrutura, tendo como base a estrutura do passado.

Às vezes o modelo vigente entra em choque com o avanço do conhecimento e sai machucado. Quando isso acontece, seja com o apoio, seja na contracorrente dos poderes estabelecidos, o modelo vigente dá lugar a um novo.

O doutor Hagelin descreveu assim esse processo:

> Dentro do progresso da ciência ocorrem estágios de compreensão e de evolução do conhecimento. Cada um deles traz a própria visão, o próprio paradigma, de acordo com o qual as pessoas agem, dentro do qual os governos nascem, os países surgem, as constituições são escritas, as instituições são estruturadas, a educação é criada. Dessa forma, mundos evoluem de paradigma para paradigma à medida que o conhecimento progride. Cada era tem visão de mundo e paradigma característicos, e no fim das contas um conduz o outro.

Acredito que a tendência de maior alcance na época atual é uma mudança que está brotando em nossa visão compartilhada do universo — deixamos de pensar nele como morto para experimentá-lo como coisa viva. Quando vemos o universo como algo vivo e vemos a nós mesmos continuamente sustentados dentro dessa vida, percebemos que estamos intimamente relacionados a tudo o que existe. Essa percepção (...) representa uma nova maneira de ver o mundo e de se relacionar com ele. Ela supera a profunda separação que marcou nossas vidas.

—Duane Elgin

O PARADIGMA DOS PARADIGMAS

Juntamente com muitos cientistas de vanguarda, William Tiller bateu de frente com o preconceito vigente. Ele declara: "Certo, nós fizemos experiências envolvendo a intenção e elas são muito sólidas... Por que a ciência não nos apóia? Isso é mesmo muito triste. Em sua maioria, os cientistas se trancaram de tal forma no paradigma convencional e no modo convencional de ver a natureza que construíram uma prisão em torno deles mesmos. Se você produzir dados experimentais que violam os preceitos deles, eles querem que aquilo desapareça, e por isso varrem os dados para baixo do tapete. Eles não deixam que você publique. Tentam blo-

quear todas as possibilidades de comunicação dos dados porque aquilo é muito desconfortável. É uma lástima — e sempre foi dessa maneira. Sentir conforto com certa forma de ver o mundo é uma característica humana. Coisas novas são desconfortáveis: elas nos obrigam a mudar nossa modo de pensar."

Tiller nos dá uma razão importante para mudar o atual paradigma da realidade científica:

"Não há lugar no (...) paradigma atual para qualquer forma de consciência, intenção, emoção, mente ou espírito. E como nosso trabalho mostra que a consciência pode exercer um efeito concreto sobre a realidade física, isso significa que no fim das contas tem de haver uma mudança de paradigma que abra espaço para a incorporação da consciência; a estrutura do universo precisa ser expandida para além do ponto em que está no presente para que a consciência possa entrar."

Mudança de paradigma pessoal

A mudança de paradigma na atualidade não se passa apenas na ciência. Ela também se estende à sociedade e afeta fortemente nossa cultura. Talvez a mudança mais importante esteja acontecendo no plano pessoal. Nas duas últimas décadas, milhares, possivelmente milhões de pessoas passaram por transformações drásticas em seus valores, percepções e formas de se relacionar entre si e com o mundo.

Por que isto está acontecendo? Uma razão é alguns terem percebido que, uma vez tendo alcançado o fim de seus esforços para obter carros mais vistosos, casas maiores e sapatos para todos os dias do ano, o que resta é um vazio — o mesmo vazio que eles tentaram preencher com bens e sucesso financeiro. A visão materialista estabelece: mais dinheiro = vida melhor. Porém, tendo adquirido mais e tendo descoberto que o vazio permanece, a conclusão é: a premissa materialista está errada.

Outra razão? Se o novo paradigma estiver correto e o universo for um ser vivo do qual fazemos parte — nós, nossos pensamentos, os planetas e todas as partículas subatômicas —, então a própria necessidade de uma nova visão de mundo vai provocar o seu aparecimento. Talvez seja a arrogância humana (de novo, não!) o que faz parecer que nós estamos criando essa nova visão. Um organismo faminto sempre procura alimento. Somos parte desse organismo, assim como os planetas, nossos pensamentos e as partículas subatômicas, e procuramos um novo caminho por saber que acampamos diante da porta da morte.

E esse não é um lugar confortável para se estar: água poluída e ar contaminado; superpopulação competindo com fome; armas do tamanho de uma maleta, mas capazes de destruir uma cidade. A lista só faz crescer. A doutora Candace Pert afirma: "O corpo sempre quer se curar." Portanto, se nossa realidade, tanto física quanto não-física, é um imenso organismo, como sugere a "nova física", então nesse momento essa realidade está tentando se curar. E desse impulso novas concepções do mundo surgem, ao mesmo tempo em que as velhas concepções lutam para permanecer.

O que está na balança? Nossa percepção da realidade. Quem é a balança? Somos nós.

Pense um pouco nisto...

- Que paradigma governa a sua realidade?
- De que cor são suas lentes (tanto as conscientes quanto as inconscientes)?
- Como encontrar as lentes inconscientes?
- Qual é o paradigma predominante no mundo?
- Qual a diferença entre ele e seu paradigma?
- Como eles interagem?
- A *consciência social* é um paradigma?
- A revista *People* é um paradigma?
- E a Bíblia?
- O que seria necessário para você mudar de paradigma?
- Você está disposto a abandonar tudo o que se relaciona com o velho paradigma?
- Qual é o seu novo paradigma?
- Ele é novo para *você* ou ele é um novo paradigma global?
- Se nós realmente somos máquinas mutantes... você pode se apaixonar pela sua torradeira?

O que eu pensava ser irreal, agora me parece em alguns aspectos mais real do que o que eu considero real, que agora parece irreal.

FRED ALAN WOLF

Este capítulo poderia ter ficado em qualquer lugar: logo depois de "As grandes perguntas" (esse é o grande cara, certo?) ou no meio do "Ciência e religião" (já que ambas estão procurando definir a realidade). O capítulo "A mudança de paradigma" poderia se chamar "A mudança da realidade consensual".

Os animais e os pássaros com freqüência vivem em uma realidade diferente da nossa. Alguns podem ouvir sons que não somos capazes de ouvir ou enxergar freqüências luminosas (ultravioleta, infravermelho) que não podemos ver. A maioria dos mamíferos (como os cachorros) vive num mundo repleto de odores, confiando menos na visão que nós. E os bebês, que passam horas olhando fixamente um canto "vazio" do teto?

E que tal depois de "Visão e percepção" (o próximo capítulo), que se refere ao que percebemos — e consideramos real? Ou depois de "A física quântica", que mergulha na essência da realidade. Sejamos diretos — ele poderia/deveria ter ficado *em toda parte.*

Não? Então me diga *o que é realidade* quando você acabou de se apaixonar (capítulo sobre "Emoções") ou quando o seu grande amor acabou de morrer. E o capítulo "Desejo...", sobre escolhas e livre-arbítrio? Você acha que essas decisões se amparam na realidade ou no que você pensa ser a realidade?

Entre os capítulos à frente, quais os que se enquadram em nossa visão da realidade? "A consciência cria a realidade". Está certo, existe uma relação. Isso pode continuar, e continuar...

Essa questão *está* em toda a parte, em todos os capítulos, em todos os momentos que vivemos. Toda decisão tem por base alguma elaboração simples, representativa daquilo que consideramos real. No entanto, quando foi a última vez que você mergulhou na toca do coelho, dentro dos seus pressupostos sobre a realidade?

Fizemos essa pergunta a vários cientistas. Em sua resposta, o doutor David Albert se ocupa de como e por que respondemos diariamente a essa pergunta:

Suponhamos que saio da cama pela manhã e de repente decido levar a sério a hipótese certamente verdadeira (...) de que não sei se meus olhos estão funcionando corretamente (embora pareça haver um piso estável ao lado da cama) e poderia haver um abismo ou qualquer coisa assim. Se eu não for capaz de atribuir uma probabilidade a cada uma das possibilidades, então não vou sair da cama! Vai me parecer que estou paralisado no sentido mais literal da palavra.

Uma hipótese é que há um piso ali, e é isso o que vejo. Outra é minha visão do piso ser uma alucinação e existir um abismo ali. Ao sair da cama, você ratifica uma dessas hipóteses como mais provável que a outra. É assim que procedemos em nossa vida diária.

Endossamos a realidade que nossos olhos nos fornecem, e, portanto, naquele momento respondemos à pergunta que paira sobre nós — o que é a realidade? A maioria das pessoas acha que realidade é o que nossos sentidos projetam para nós. Além disso, é claro, a ciência adotou essa visão durante quatrocentos anos: o que não for perceptível por meio dos cinco sentidos (ou de suas extensões) não é real.

Porém, mesmo essa "realidade" tem uma aparência quando a examinamos com nossos olhos, e outra quando a examinamos mais a fundo, por meio do microscópio ou do acelerador de partículas. Então, ela se torna completamente diferente, irreconhecível.

E os nossos pensamentos, então? Eles são parte da "realidade"? Olhe em torno: há janelas, cadeiras, lâmpadas e esse livro. Você provavelmente pensou que tudo isso era real. Tudo isso foi precedido por uma "idéia" de janelas e cadeiras. Alguém imaginou essas janelas e cadeiras e as criou. Portanto, se elas são reais, a idéia também é real? A maioria das pessoas acha que pensamentos e emoções são reais — mas quando os cientistas exploram a "realidade", eles evitam cuidadosamente falar sobre essas coisas.

E a consciência, o fato fundamental de nossa própria existência, que vai conosco aonde vamos? Para fazer qualquer coisa, para pensar, sonhar, criar, perceber, temos de estar conscientes. Isso não é parte da realidade? Mas onde está ela? De que é feita? Ao contrário do que acontece com os objetos materiais, fenômenos intangíveis como a consciência não podem ser medidos, mas isso não significa que eles não sejam "reais", não é mesmo?

Muitos cientistas estão numa saia-justa nesse caso. Se a consciência for real, então sua realidade pode ser examinada; se não for real, então eles nunca terão de procurá-la e assim nunca saberemos se ela é real.

Então, "O que é real?" — possivelmente nossa pergunta mais freqüente — não é fácil de responder. E no entanto, quem somos, o que é a vida, o que é possível e o que não é, tudo isso se baseia no que pensamos ser real.

—WILL

De volta ao laboratório!

Nunca questionei a realidade. Por que faria uma coisa tão idiota? Então, a realidade em que eu vivia virou uma bagunça e comecei a questioná-la — não necessariamente as mesas e cadeiras, mas a minha percepção da realidade. Quando me convenci de que a minha realidade era apenas o produto de minhas limitações, percebi que precisava sonhar fora delas. O que eu verdadeiramente desejo e não acredito que possa ter ou me tornar? A única coisa "sólida" na minha realidade é a percepção que tenho dela. Se eu me dispuser a abrir os olhos a novas possibilidades, minha realidade poderá mudar.

—BETSY

Sem conseguir responder a "O que é a realidade?" — que se revelou uma pergunta para lá de complexa — a humanidade foi para o laboratório e resolveu algo mais simples: vamos pegar todas as "coisas" que concordamos serem "reais" e ver do que são feitas. Elas são mais simples do que sonhos, idéias, emoções ou outras coisas internas.

Foi o filósofo grego Demócrito quem primeiro teve a idéia do átomo: "Não existe nada a não ser átomos e espaços vazios; tudo o mais é opinião." Foi um grande ponto de partida. Então vieram os microscópios eletrônicos, os aceleradores de partículas e as câmaras de neblina e nós, os gigantes, nos debruçamos sobre o mundo das coisas pequenas.

Na escola, provavelmente lhe mostraram um desenho de átomo, com um núcleo sólido e elétrons girando em torno, e lhe disseram: "Os átomos são os blocos de que é feita a natureza." Boa tentativa! É um conceito elegante, que permite criar diagramas atraentes, mas não é verdadeiro.

No fim das contas, aqueles pequenos átomos sólidos, com suas órbitas bem comportadas, eram apenas pacotes de energia. Então, descobriu-se que eles também não eram pacotes de energia, mas condensações momentâneas de um campo de energia (...) Cada átomo consiste quase totalmente em "espaço vazio", de modo que é uma espécie de milagre não cairmos no chão cada vez que nos sentamos numa cadeira. E como o chão também é majoritariamente vazio, onde encontraríamos alguma coisa bastante sólida para nos sustentar? O lance aqui é que "nós" — nossos corpos — também somos feitos de átomos!

E agora a pesquisa de ponta está sugerindo que o dito "espaço vazio" dentro e em torno dos átomos não é de forma alguma vazio; está tão cheio de energia que um centímetro cúbico — mais ou menos o conteúdo de um dedal ou o volume de uma bolinha de gude — contém mais energia que toda a matéria sólida existente em todo o universo conhecido!

Então, o que você disse que era a realidade?

Para ir mais fundo

Muito antes dos filósofos gregos — e certamente dos físicos quânticos — os sábios da Índia sabiam que alguma coisa importante acontecia fora do domínio dos sentidos. Os videntes, tanto hindus quanto budistas, ensinavam e ainda ensinam que o mundo das aparências, o que percebemos por meio de nossos sentidos, é *maya* ou ilusão, e que existe alguma coisa subjacente ao reino material, algo mais poderoso e mais fundamental, mais "real", apesar de intangível. Como sugerem tantos textos espirituais, existe uma "realidade superior", mais fundamental que o universo material, relacionada à consciência.

Isso é exatamente o que a física quântica está revelando. Ela sugere que no núcleo do mundo físico existe um domínio completamente não-físico, que pode ser chamado de informação, de ondas de probabilidade ou de consciência. E, embora digamos que tudo é feito de átomos, se a visão quântica estiver correta seremos obrigados a admitir que esse campo subjacente de inteligência é, na essência, o que o universo "realmente" é.

O doutor Edgard Mitchell, astronauta da Nasa, na viagem de volta do espaço, chegou à seguinte conclusão:

> Logo percebi que esse universo é inteligente. Ele está avançando em uma direção, e temos algo a ver com ela. E aquele espírito criativo, a intenção criativa que fez a história desse planeta, vem de dentro de nós e está lá fora — tudo é o mesmo...
>
> A consciência propriamente dita é o que é fundamental, e a energia-matéria é o seu produto (...) Se mudarmos de opinião sobre quem somos — e nos olharmos como seres criativos e eternos, criando a experiência física, unidos por esse nível da existência que chamamos consciência — então começaremos a ver e a criar de forma diferente esse mundo em que vivemos.[1]

Não há essencialmente nada na matéria — ela é completamente insubstancial. A coisa mais sólida que se pode dizer a respeito de toda essa matéria insubstancial é que ela é mais como um pensamento; é como um bit concentrado de informações.

—Jeffrey Satinover, médico

---

[1] E o doutor Mitchell fez isso. Ele voltou à Terra e criou o Instituto de Ciências Noéticas (IONS), instituto de pesquisa dedicado a investigar cientificamente percepções "místicas", dele mesmo e de outros, sobre a realidade.

A consciência – uma realidade mais verdadeira é possível

Observei que algumas pessoas às vezes acham que não faz sentido perguntar coisas como "O que é a realidade?" Que isso não tem relação com as realidades do cotidiano. Mas vamos supor por um momento que o mundo "lá fora" seja construído por nossa percepção. Como podemos alterar os fundamentos que criam esse mundo? Alterando o que está "lá fora" no mundo? Bem, isso é o que a maioria de nós insiste em fazer e nunca dá certo. Alguma vez você já tentou fugir de uma situação e descobriu que seus problemas o seguiram? É claro que eles seguiram. Isso acontece porque não é possível deixar o sistema nervoso para trás. Você continua a reagir da mesma forma aos mesmos estímulos. Sendo assim, qual a melhor forma? Fique sabendo: **a realidade tem tudo a ver conosco.**

—MARK

A percepção de Mitchell se assemelha à experiência de místicos de todos tempos, até hoje. O médico Andrew Newberg estudou, pela neurociência, a experiência mística/espiritual e escreveu sobre ela em *Why God Won't Go Away: Brain Science and the Biology of Belief* e *The Mystical Mind: Probing the Biology of Belief*. Segundo ele, os que passam por uma experiência mística profunda e "retornam" ao mundo costumeiro "percebem a realidade de (...) uma forma ainda mais verdadeira e fundamental; para eles, o mundo material em que vivemos é uma realidade secundária."

Por essa razão, diz o doutor Newberg: "Precisamos realmente examinar a relação entre a consciência e a realidade material (....) Se o mundo material é, de fato, o produto de uma realidade consciente ou se a própria consciência é o material fundamental do universo."

Mas podemos chegar a saber?

No século XVIII, o filósofo alemão Emmanuel Kant afirmou que nunca poderemos conhecer a natureza da realidade *como ela é*. Nossas investigações só fornecem respostas ao que perguntamos, baseados nas capacidades e limitações de nossas mentes. Tudo o que percebemos no mundo natural (seja por nossos sentidos, seja pela ciência) passa pelo filtro da nossa consciência, e é determinado, até certo ponto, pelas estruturas mentais. Assim, o que vemos são "fenômenos", interações entre a mente e o que quer que esteja "realmente ali". Não vemos a realidade; só a nossa construção da realidade, elaborada por nossos neurônios. A "coisa em si" nos é oculta.

Vendo a questão por outro ângulo, a ciência só nos dá *modelos* do mundo, não o mundo propriamente dito. Como diz Miceal Ledwith:

Bem, quer saber, a visão quântica da realidade não é tudo nem o fim de tudo. O que tentamos fazer na história da ciência é produzir modelos cada vez menos imperfeitos para expressar a natureza do que existe, e certamente dentro de vinte ou trinta anos a física quântica será substituída por uma compreensão mais profunda da realidade, seja qual for o nome que essa física receba.

Depois que a ciência fornece esses modelos, ainda é preciso lidar com o "nós", como diz o doutor Andrew Newberg:

> Não temos boa resposta para a questão de estarmos ou não vivendo num grande *holodeck**. Acho que esse é um problema filosófico importante com o qual precisaremos lidar no que se refere ao que a ciência tem a dizer sobre nosso mundo, pois na ciência sempre seremos o observador. Sempre estaremos limitados pelo que em última análise chega a nosso cérebro, que nos permite ver e perceber o que fazemos. Portanto, é possível que tudo isso seja apenas uma grande ilusão da qual não somos capazes de sair para ver o que existe fora dela.

Níveis da realidade

Uma informação pode ser muito útil quando lidamos com questões complexas sobre a natureza da realidade: a idéia de que existem diferentes níveis simultâneos, todos eles reais. Em outras palavras, os níveis superficiais são reais em si; só quando os comparamos aos níveis mais profundos percebemos que não são de fato reais; não são o nível "final". Braços e pernas são reais; células e moléculas são reais; átomos e elétrons são reais; a consciência é real. Como diz o doutor John Hagelin:

> Literalmente existem diferentes mundos nos quais vivemos. Há a verdade superficial e a profunda. Há o mundo

Lembro quando me deparei pela primeira vez com a idéia de que criamos a realidade em nossas mentes e o mundo "físico" é só uma idealização. Tinha acabado de ler *Nature of Personal Reality*, de Jane Roberts. Fechei meus olhos, pensei que a parede em frente não era real e que ao abrir os olhos eu poderia ver através dela. Não deu certo. Ou deu?

Claro, eu guardei na mente a idéia de que a parede não existia, mas a maneira como me sentava, esperando que o solo me sustentasse, sendo puxado pela gravidade, tudo reforçava a visão de que o mundo é a coisa mais real que existe. Ao sair da cama e apoiar os pés no chão, acredito firmemente que o chão é real e não uma ilusão, e que não há ali um abismo.

Cada uma de nossas ações envolve algumas premissas sobre a realidade. No entanto, raramente nos perguntamos sobre elas. Partimos desses princípios, e a realidade age de acordo, e, assim, nunca vemos a mão que a cria. Por trás disso tudo existe uma pergunta zen: "Qual é o som de uma realidade entrando em colapso?"

—WILL

* No universo ficcional da série *Jornada nas Estrelas – A Nova Geração*, o *holodeck* é um "simulador de realidade". [N.da T.]

macroscópico que podemos ver, há o mundo de nós mesmos, há o mundo de nossos átomos e o de nossos núcleos. São mundos totalmente diferentes.

Cada um deles tem uma linguagem própria, sua própria matemática. Eles não são apenas menores: são totalmente diferentes entre si, mas complementares, porque eu sou meus átomos, mas também minhas células. E também sou minha fisiologia macroscópica. Isso tudo é verdade. São apenas níveis diferentes da verdade.

Portanto:

1. É tudo verdade.
2. Nada disso é verdade — só existem *modelos*.
3. Jamais poderemos sair de nossa própria forma de perceber *o todo*.
4. Se expandirmos nossa percepção, poderemos captar *o todo*.
5. *Todos* os itens anteriores são verdadeiros.
6. *Todos* os itens anteriores são modelos.
7. *Ou...*

A resposta fácil para a pergunta sobre se a realidade é ilusória e nebulosa como todas as probabilidades (...) seria sim. Portanto, se alguém viesse a mim e fizesse essa pergunta, eu responderia: sim, isso está basicamente correto. Porém não é tão simples assim, porque no momento em que interagimos com a realidade, ela assume uma condição de existência absolutamente pétrea. Ela só é nebulosa quando não estamos interagindo com ela.

—Jeffrey Satinover, médico

A realidade é um processo democrático?

As nossas vidas diárias e decisões momentâneas sobre a realidade são democráticas? Quando a concordância com os outros torna algo real? Se, de dez pessoas numa sala, oito vêem uma cadeira, e duas um marciano, quem está alucinando?

E quando 12 pessoas acham que um lago é uma massa de água, e uma pessoa, uma superfície em que se possa caminhar?

Voltando ao capítulo anterior, podemos dizer que um paradigma é apenas a idéia (modelo) de maior aceitação sobre o que é real. Votamos por meio de nossas ações, e aquilo se torna real.

Nisso tudo, o problema é: a consciência cria a realidade? É por isso que não há uma boa resposta — porque a realidade *é* a resposta?

Pense um pouco nisto...

- Quais são as suas pressuposições sobre a realidade? Qual é o pressuposto mais básico que você faz todo dia?
- Alguma vez você pensou sobre de que são feitos os pensamentos?
- Você pode dar um exemplo de como seus pensamentos se tornam realidade?
- Escrever uma resposta para a pergunta anterior é um exemplo?
- O que são sonhos? Se tanto sonhar quanto perceber são atividades primárias do cérebro, por que achar que o mundo exterior é mais real?
- Qual dessas situações parece mais real?
- Qual é a diferença entre a realidade e a sua percepção da realidade?
- Como uma mudança no seu paradigma alterará sua percepção da realidade?
- É possível mudar sua percepção da realidade sem mudar seu paradigma?
- De que cor estão suas lentes agora?

Esse mundo
mundo gota de orvalho
e no entanto...

—*Kobayashi Issa*

VISÃO E PERCEPÇÃO

A mente fornece a referência, o conhecimento específico e as premissas específicas para que os olhos vejam. A mente forma o universo que o olho então vê. Em outras palavras, nossa mente está estruturada em nossos olhos.

HENRYK SKOLIMOWSKI

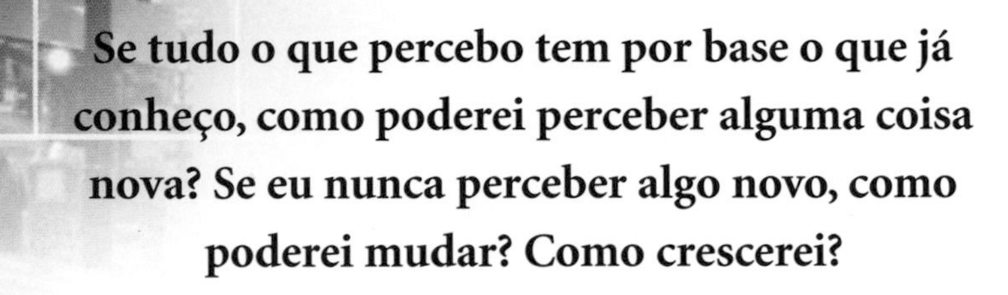

Se tudo o que percebo tem por base o que já conheço, como poderei perceber alguma coisa nova? Se eu nunca perceber algo novo, como poderei mudar? Como crescerei?

Depois daquela viagem por um dos tópicos mais nebulosos e desconhecidos — a realidade — é bom voltar para um pouco de verdadeira ciência. Provada, validada, aceita. E, ao contrário do que a maioria das pessoas acredita, elas percebem.

Campeões de natação e de mergulho, de salto em altura, de corrida de velocidade, de levantamento de peso e outros atletas se prepararam para visualizar em detalhes suas apresentações, usando todos os sentidos para simular a ação completa que desejam desenvolver. No começo isso parecia muito estranho, principalmente para aqueles atletas competitivos e carregados de testosterona. Eles não conseguiam entender que valor poderia haver, para seus treinamentos, ficarem parados e com os olhos fechados, mas agora já está absolutamente provado que isso funciona e já se tornou lugar-comum.

Quem vê o quê!?

Cinco níveis aninhados de processamento cerebral. Foi o que você acabou de fazer para "ver" cada uma dessas letras. Seus olhos não mandaram uma imagem de cada letra para "você". Seu cérebro processou os dados visuais enviados pelos olhos e *construiu* essas letras.

Para isso, o cérebro primeiro divide em formas, cores e padrões básicos os impulsos que chegam a ele. Ele então compara esses elementos a padrões de lembranças de coisas similares, associando-os a emoções e atribuindo significado aos eventos. Ele então reúne tudo isso, formando uma "imagem" integrada que é projetada no lobo frontal quarenta vezes por segundo. É isso mesmo: nós nem ao menos vemos de forma contínua. É como um filme piscando.

Isso significa que o cérebro pinta tudo o que vemos. Imagine que você está olhando para uma floresta. O cérebro está, na verdade, pintando as folhas de cada árvore que você vê. Para tanto, ele associa as imagens a lembranças, ou redes neurais, de folhas, cores, tamanhos e formas, e de alguma maneira as reúne.

Se tudo isso parece tão chocante e tão contrário à forma como nos movemos pelo mundo, como os neurofisiologistas chegaram a esse esquema?

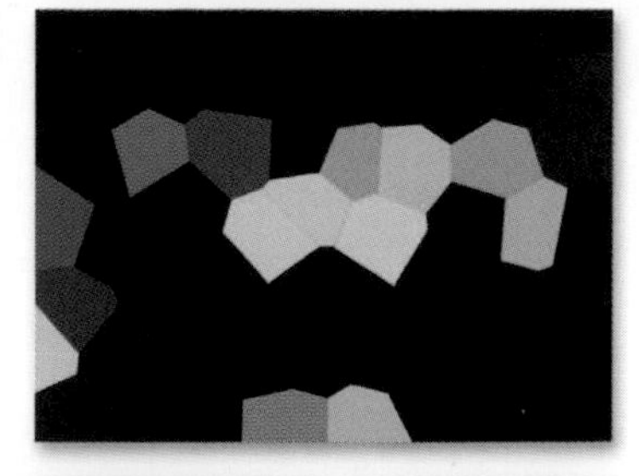

Isso no seu rosto é um nariz?

Os cientistas descobriram como o cérebro constrói imagens visuais pelo estudo de pacientes que sofreram derrame. Após o derrame, uma pequena parte do cérebro parava de funcionar. Então, os cientistas podiam ver como o sentido da visão tinha sido afetado.

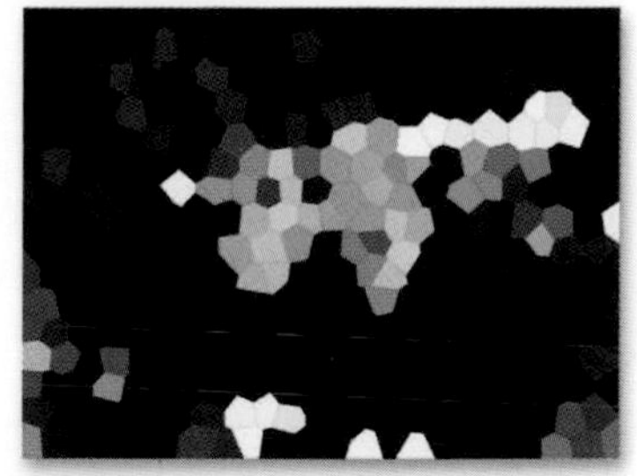

Um exemplo é o caso de pacientes cujo derrame afetou uma pequena parte da área do cérebro responsável pelo processamento visual, a parte que (aparentemente) processa narizes. Esses pacientes não conseguiam enxergar narizes. Eram capazes de ver todos os detalhes de uma pessoa, porém, se entrasse alguém usando um grande nariz vermelho de palhaço, quando se perguntava a eles o que havia de diferente, nunca mencionavam o nariz. Mesmo quando provocados — "Cara, o Bob tem um tremendo nariz!" — reagiam como se não houvesse nada de extraordinário. Todo o resto eles percebiam perfeitamente, portanto evidentemente os olhos estavam mandando todos os sinais ao cérebro. Em lugar de efetivamente ver o nariz (mesmo de palhaço), eles apenas viam o que julgavam que o nariz da pessoa "deveria" ser.

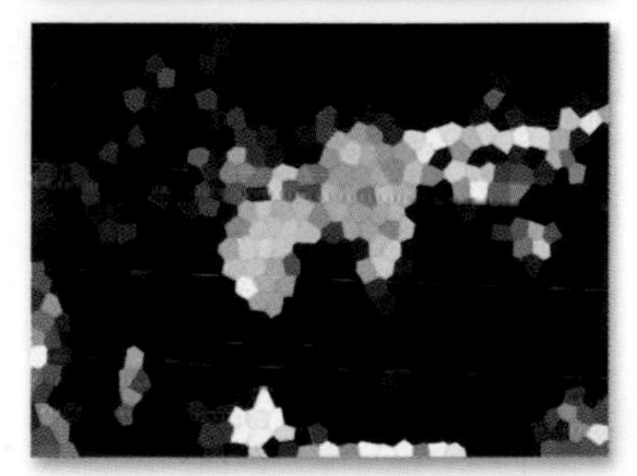

Também há evidências, embora menos dramáticas, de que é o cérebro — e não os olhos — quem realmente vê: não existem receptores visuais no local em que o nervo óptico sai do globo ocular para chegar à parte posterior do cérebro. Portanto, poderíamos esperar que, ao fechar o olho, pudéssemos ver um ponto negro no centro, mas nunca o vemos. Isso acontece porque quem pinta a imagem é o cérebro, e não o olho.

Somos bombardeados por imensas quantidades de informação que entra em nosso corpo e é processada. Ela entra por meio de nossos órgãos dos sentidos, vai se infiltrando corpo acima, e a cada passo vamos eliminando informação. Por fim, a que chega à superfície da consciência é aquela que mais atende a nossos interesses.

—Candace Pert, Ph.D.

O que eu não posso ver e desejo ver? Como as minhas emoções estão afetando e efetuando a percepção da minha realidade? Como posso perceber algo novo quando estou presa a meu velho paradigma? O que estou disposta a mudar para ver a realidade de forma diferente? Como uma mudança nas minhas percepções vai mudar minha realidade? Ela vai ficar melhor? Diferente? As duas coisas?

—BETSY

Mais dados...

Os cientistas descobriram que se medirmos a corrente elétrica produzida pelo cérebro de um indivíduo (usando, por exemplo, um exame de tomografia) enquanto ele olha um objeto e novamente enquanto *imagina* as mesmas áreas do cérebro são ativadas. Fechar os olhos e *visualizar* um objeto produz os mesmos padrões cerebrais de quando se está de fato *olhando* o objeto.

Não somente o cérebro não faz distinção entre o que vê e o que imagina, mas também parece não saber a diferença entre uma ação executada e a mesma ação visualizada. O doutor Edmund Jacobson (criador da Técnica de Relaxamento Progressivo para redução de estresse), descobriu isso por volta de 1930, quando pediu a indivíduos que visualizassem ações físicas, e constatou movimentos musculares muito sutis, correspondentes àqueles que os músculos realmente fariam se desempenhassem a atividade visualizada. Essa informação vem sendo muito bem utilizada por atletas em todo o mundo.

A verdade sobre a percepção

A percepção é um processo complexo com múltiplas facetas, iniciada quando nossos neurônios sensoriais captam informação do meio ambiente e a enviam ao cérebro na forma de impulsos elétricos. Como todas as criaturas vivas, temos uma percepção sensorial limitada. Não vemos a radiação infravermelha ou percebemos os campos eletromagnéticos como os pássaros (que usam essa informação para se orientar). Contudo, a quantidade de informação que entra por meio dos cinco sentidos é impressionante — cerca de 400 bilhões de bits *por segundo.*

Obviamente não recebemos nem processamos conscientemente essa quantidade — pesquisadores afirmam que passam por nossa consciência apenas 2 mil bits por segundo. Portanto, nas palavras do doutor Andrew Newberg, quando o cérebro trabalha para "tentar criar para nós uma história do mundo, ele precisa se livrar de muitos dados supérfluos."

Por exemplo, enquanto lê essas palavras, embora seus sentidos captem a temperatura do ambiente, a sensação do corpo na cadeira, a textura da roupa sobre a pele, o zumbido do refrigerador e o cheiro do xampu, você está quase totalmente desligado de tudo. O doutor Newberg prossegue:

> O cérebro precisa filtrar uma tremenda quantidade de informação irrelevante para nós. Ele faz isso inibindo coisas, evitando que algumas respostas e informações neurais acabem por chegar ao nível consciente, e assim ignoramos a cadeira em que estamos sentados. Ou seja, filtrando o que é conhecido. E, então, existe a filtragem do que é desconhecido...
>
> Ao vermos alguma coisa que o cérebro não consegue identificar, buscamos algo similar. ("Não é um esquilo... mas é muito parecido.") Se não houver nada semelhante, ou se for algo que saibamos não ser real, descartamos a informação com: "Eu devo estar imaginando coisas."

Seu cérebro não sabe a diferença entre o que está acontecendo lá fora e o que está acontecendo aqui dentro.

—Joe Dispenza

Assim, nós não percebemos a *realidade* de fato; vemos a imagem dela que nosso cérebro construiu, usando o impulso sensorial e associações obtidas em suas vastas redes neurais. "Dependendo de suas experiências", diz o doutor Newberg, "e de como você as processa, isso realmente cria seu mundo visual (...) O cérebro é, afinal, quem percebe a realidade e cria nossa versão do mundo."

Não existe "lá fora", um lá fora que seja independente do "aqui dentro".

—Fred Alan Wolf, Ph.D.

Emoções e percepções

Como sugere a pesquisa da doutora Pert, dos Institutos Nacionais de Saúde, o que determina como e se vamos perceber algo é tanto o que acreditamos ser real quanto o que sentimos em relação ao que os nossos sentidos capturam. Ela diz: "Nossas emoções decidem o que é digno de atenção (...) Os receptores são os mediadores na decisão sobre o que vai se tornar um pensamento ao chegar à consciência e o que vai permanecer como um padrão de pensamento não digerido, enterrado num nível mais profundo do corpo."

Conforme explica Joe Dispenza: "As emoções foram projetadas para fixar quimicamente algo em nossa memória de longo prazo." As emoções são ligadas num nível ainda baixo do processamento visual, próximo do primeiro passo. De um ponto de vista evolutivo, isso faz sentido. Se você caminha por uma trilha e um tigre salta à sua frente, você vai processar essa imagem e começar a correr antes de saber por quê.

Quatrocentos bilhões de bits por segundo. Mesmo depois de jogarmos fora o "irreal" (marcianos) e o "irrelevante" (cheiro de xampu), ainda restam muitos bits. As emoções atribuem a eles um peso ou importância relativos. Elas são um atalho estrutural na percepção, e também nos dão a capacidade incomparável de não ver o que simplesmente *não queremos ver*.

ISSO É UM GATINHO NO SEU NARIZ?

Pesquisadores colocaram gatinhos recém-nascidos em um ambiente experimental onde não havia linhas verticais; semanas depois, quando colocados no ambiente "normal", os gatinhos não eram capazes de ver nenhum objeto com uma dimensão vertical (como as pernas de uma cadeira), e esbarravam nesses objetos.

Paradigma e percepção

Portanto, se construímos a realidade com elementos de nosso estoque já existente de lembranças, emoções e associações, como podemos perceber algo novo?

A chave são os novos conhecimentos. Expandir nosso paradigma, nosso modelo do que é real e possível, acrescenta novas opções à lista utilizada por nosso cérebro. Lembre-se, essa lista é só uma descrição operacional da realidade, baseada em nossa experiência pessoal; não é a realidade propriamente dita. Conhecimentos novos podem abrir nossas mentes a novos tipos e novos níveis de percepção e experiência.

Informações novas são importantes, mas o conhecimento completo envolve tanto a compreensão quanto a experiência. Se você quiser que alguém saiba como é comer um pêssego, pode descrever a experiência — "é suculento, doce, macio..." — mas ele ou ela nunca saberá de fato o que é comer um pêssego enquanto não morder um. Portanto, para expandir

Nossos olhos estão se movendo o tempo todo. Eles se movem sobre todo esse campo de energia. Então, por que eles colocam em foco e começam a deixar entrar uma área e não outra? É muito simples: vemos aquilo em que queremos acreditar. E viramos as costas ao que não é familiar ou é desagradável.

—Candace Pert, Ph.D.

nosso paradigma e despertar para uma vida mais rica, precisamos de novas experiências.

Por exemplo, quando foi a última vez que você provocou a própria mente? Que você fez algo tão escandalosamente diferente que ficou de boca aberta, pensando: "Não acredito que fiz isso."

Em *Viagem a Ixtlan*, Carlos Castaneda descreve uma das lições de don Juan: "Espreitar a si mesmo." Ou seja, estudar os próprios hábitos como se espreitasse uma presa, de modo a se apanhar fazendo coisas habituais e então fazer algo totalmente novo.

De volta às velhas perguntas: se só percebemos o que conhecemos, como iremos perceber algo novo? Se é você quem se faz, como poderá criar um novo você?

Quando compreendemos que só conseguimos experimentar a vida dentro das fronteiras do que já sabemos, torna-se óbvio que se quisermos ter uma vida mais abrangente e mais rica, com mais oportunidades de crescimento, realizações e felicidade, precisaremos nos empurrar para a frente, fazendo grandes perguntas, experimentando novas emoções e armazenando mais dados em nossas redes neurais.

Nós criamos o nosso mundo

O resultado, pelo menos para a ciência, é: Nós criamos o mundo que percebemos. Quando abro os olhos e olho em torno, não vejo "o mundo", mas o que meu equipamento sensorial consegue perceber, o que meu sistema de crenças me permite ver, o que minhas emoções desejam ou não ver.

Apesar de resistirmos e desejarmos acreditar num "mundo real" que podemos perceber e com o qual concordamos, o fato é que freqüentemente — talvez sempre — pessoas diferentes percebem as mesmas coisas de forma completamente diferente. Por exemplo, quando um crime é descrito por várias testemunhas (como no filme clássico japonês *Rashomon*), as versões "do que realmente aconteceu" diferem radicalmente,

Recentemente ouvi a história sobre a seguradora que tentava analisar um problema específico em Saskatchewan: pilotos de aeronaves pequenas, quando tinham problemas com o motor, tentavam aterrissar na auto-estrada mais próxima e relativamente mais vazia. Depois de aterrissar e reduzir a velocidade, eles raramente deixavam velocidade suficiente para sair da estrada. (Provavelmente estavam felizes só por estarem vivos.) Freqüentemente, motoristas batiam os carros contra os aviões e, quando questionados pela polícia, quase sempre diziam que não tinham visto a aeronave. Num momento eles estavam dirigindo; no momento seguinte, haviam se chocado contra alguma coisa. A companhia de seguros descobriu a razão para isso ocorrer: a última coisa que um motorista espera ver numa auto-estrada é um avião, portanto eles nunca os vêem.

—MARK

não só nos detalhes, mas até na aparência da vítima e do criminoso. Cada testemunha acredita ter a versão correta — porém o que eles têm é a própria percepção do ocorrido.

Sempre criamos nosso mundo em uma miríade de maneiras. A visão e a percepção são as mais óbvias e passíveis de comprovação científica. A questão vital é: a coisa pára por aí? É esse o limite da nossa capacidade de influenciar o mundo que vemos?

O único filme que passa no cérebro é aquele que temos a capacidade de ver.

—Ramtha

QUEM SOMOS NÓS: UMA NOVA EVOUÇÃO

Recebemos muitos e-mails perguntando por que continuamos a reeditar o filme. Diziam que suas cenas favoritas haviam sido excluídas e novas cenas acrescentadas. Algumas pessoas estavam muito indignadas. Mas nós não cortamos nada! Mesmo quando dissemos isso aos espectadores, eles não acreditaram. Aparentemente, quando novos conhecimentos surgiram, suas mentes perceberam partes diferentes do filme.

Assim sendo, decidimos realmente dobrar e desdobrar: substituímos as antigas entrevistas por novas, acrescentamos uma hora de novas entrevistas e de animação, reestruturamos a parte ficcional. Vai ser divertido observar se alguém se perde em meio a uma nova evolução!

—WILL

Um passo além

Para você não pensar que a ciência solucionou o mistério da visão, vamos mais fundo na toca do você-sabe-quem.

Karl Pribram revolucionou o modo de pensar o cérebro quando declarou que ele é essencialmente holográfico: o processamento está espalhado por todo o cérebro e, como num holograma, cada parte contém o todo. Só isso já era bastante estranho, mas então ele aplicou esse modelo à forma como percebemos. Afirmou que o universo é essencialmente holográfico e a única razão para sentirmos que estamos "dentro" da realidade, em vez de apenas "percebê-la", é o fato de nosso cérebro estabelecer uma conexão holográfica com o que está "lá fora" (caso em que o tempo e espaço desaparecem).[1] Portanto, nossa percepção não é processada apenas no cérebro, ela se move para além dele para interagir com o que está "lá fora".

Por isso os óculos de realidade virtual nunca conseguirão convercer-nos de que estamos "dentro" daquela realidade.

Mas, se a realidade é holográfica, é possível perceber isso de imediato? Nossos sentidos são limitados; são cortadores de biscoitos dando forma à realidade. Ao passo que os exploradores da consciência relatam ser possível experimentar completamente o mundo, todo o universo e um grão de areia, tudo ao mesmo tempo. E desse ponto de vista, tudo — tudo o que percebemos com nossos sentidos — é *maya*, ilusão. Tudo depende do ponto de vista.

---

[1] Na verdade é uma alteração de freqüencia e das relações de fase.

Pense um pouco nisto...

- Como o seu paradigma ou atitude afeta o que você vê?
- Qual é o seu estado emocional mais freqüente? Como esse estado afeta suas percepções?
- Você consegue ver qualquer coisa que exista fora desse estado emocional?
- Se só percebemos o que conhecemos, como é possível perceber alguma coisa nova?
- O que você está disposto a fazer para perceber alguma coisa nova?
- Por que você não enxerga auras?
- De onde está vindo essa nova percepção?

Ludwig Fleck, o epistemologista e microbiologista polonês que incutiu em Thomas Kuhn a idéia do paradigma, percebeu que quando os novos alunos recebem uma lâmina para examinar ao microscópio, inicialmente são incapazes de fazê-lo. Eles não conseguem ver o que está na lâmina.

Por outro lado, eles freqüentemente vêem algo que não está ali. Como isso pode acontecer? A resposta é simples: toda percepção, principalmente as formas mais sofisticadas, exige treinamento e desenvolvimento rigorosos. Depois de um tempo, todos os estudantes começam a ver o que está ali para ser visto.

A FÍSICA QUÂNTICA

Acho que posso afirmar com segurança que ninguém entende a mecânica quântica.

RICHARD FEYNMAN

Ganhador do Prêmio Nobel de 1965 pelo desenvolvimento da eletrodinâmica quântica

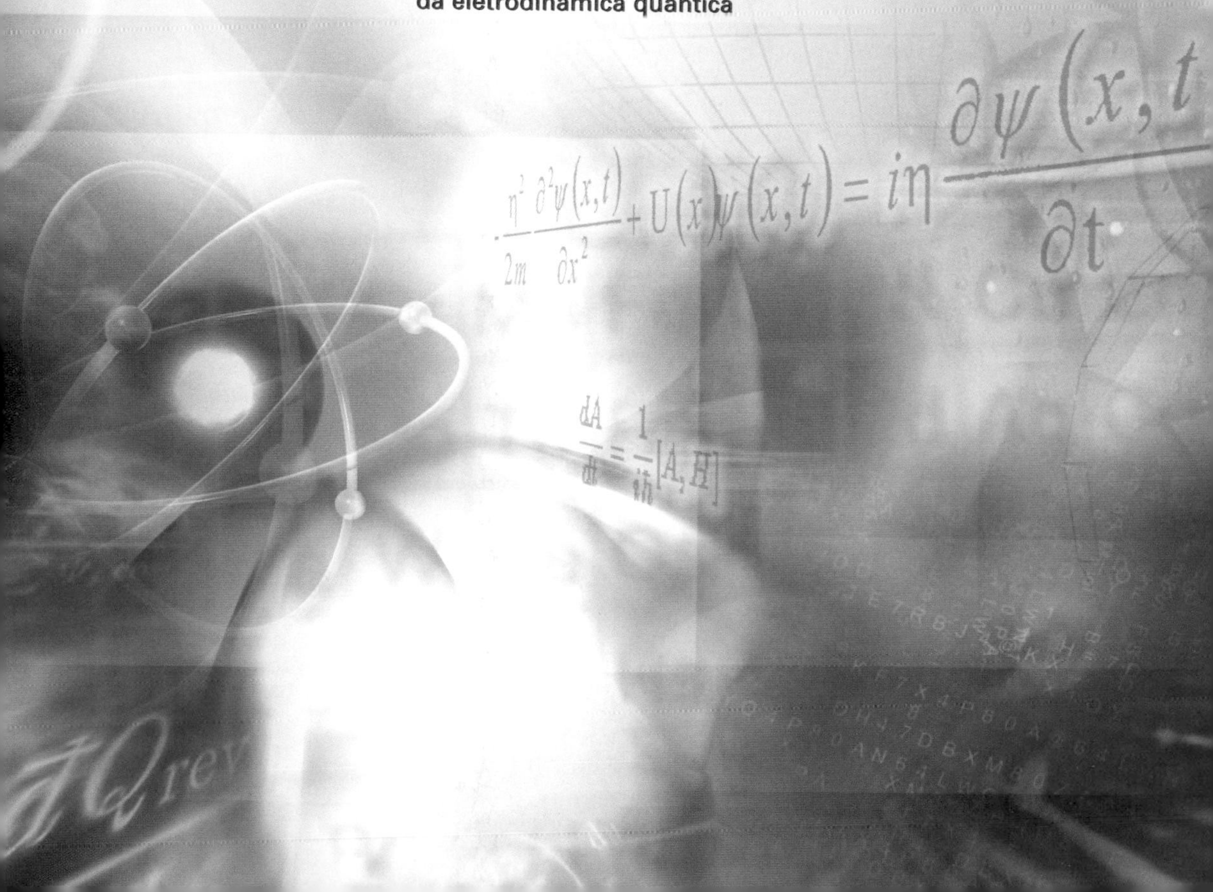

Quem não se sentiu abalado quando teve contato pela primeira vez com a teoria quântica não pode tê-la entendido.

—Niels Bohr,
ganhador do Prêmio Nobel de 1922 por seu trabalho sobre a estrutura do átomo

Se ganhadores do Prêmio Nobel não entendem a teoria quântica, que esperança nos resta? O que podemos fazer quando a realidade bate à nossa porta e nos diz coisas desconcertantes, desafiadoras e enigmáticas? Nossas reações, a forma como procedemos na vida e nossas opiniões dizem muito a nosso respeito, mas esse é um mistério para um capítulo mais adiante. Neste momento, vamos trocar idéias a respeito de elétrons, fótons e quarks, e de como alguma coisa (se é que se trata de uma *coisa*!) tão pequena pode ser tão insondável e capaz de dilacerar nosso mundo organizado e inteligível.

Por um lado, essa é uma teoria extremamente paradoxal, instigante, conceitualmente confusa. Por outro lado, não temos a opção de jogá-la fora ou deixá-la de lado porque, das ferramentas que já tivemos nas mãos, ela é comprovadamente a mais poderosa para prever o comportamento dos sistemas físicos.

—David Albert, Ph.D.

O conhecido encontra o desconhecido

A física clássica newtoniana teve por base as observações de objetos sólidos e conhecidos que fazem parte da experiência trivial, como maçãs que caem e planetas que descrevem órbitas. Suas leis foram repetidamente testadas, aprovadas e ampliadas ao longo de vários séculos. Elas foram muito bem compreendidas e realizaram um excelente trabalho na previsão do comportamento físico — como foi visto no triunfo da Revolução Industrial. Porém no final do século XIX, quando os físicos começaram a desenvolver as ferramentas para investigar os domínios da matéria em escala muito pequena, descobriram um fato espantoso: a física newtoniana não conseguia explicar nem prever os resultados encontrados.

Durante os cem anos seguintes, uma descrição científica inteiramente nova foi desenvolvida para explicar o mundo do muito pequeno. Conhecido como mecânica quântica ou física quântica (ou simplesmente teoria quântica), esse conhecimento novo não *substitui* a física newtoniana, que ainda explica muito bem os objetos macroscópicos. Pelo contrário, a nova física foi inventada para (corajosamente) ir aonde a física newtoniana não chegava: ao mundo subatômico.

"O universo é muito estranho", afirma o doutor Stuart Hameroff. "Aparentemente existem dois conjuntos de leis governando-o. Em nosso mundo diário (...), ou seja, (...) na nossa escala de tamanho e tempo, as coisas são descritas pelas leis do movimento, de Newton. Contudo, indo para uma escala pequena, no nível do átomo, um conjunto diferente de leis assume o controle: as leis quânticas."

O termo quantum foi aplicado na ciência pela primeira vez pelo físico alemão Max Planck, em 1900; é uma palavra do Latim que significa simplesmente quantidade, mas é usada para representar a menor unidade de qualquer propriedade física, tal como energia ou matéria.

Fato ou ficção?

O que a teoria quântica revelou é tão espantoso que mais parece ficção científica: as partículas podem estar em dois ou mais lugares ao mesmo tempo. (Uma experiência muito recente mostrou que uma partícula pode estar em até 3 mil lugares!) O mesmo "objeto" pode aparentar ser uma partícula, localizada em um lugar determinado, ou uma onda, espalhada pelo espaço e pelo tempo.

Segundo Einstein, nada pode se deslocar mais rápido do que a velocidade da luz, mas a física quântica demonstrou que partículas subatômicas parecem se comunicar *instantaneamente*, seja qual for a distância entre elas.

A física clássica era *determinística*: se conhecermos qualquer conjunto de condições de um objeto (tal como sua posição e velocidade), poderemos determinar com certeza para onde ele está indo. A física quântica é *probabilística*: *nunca* sabemos com certeza absoluta como uma coisa específica vai terminar.

A física clássica era *reducionista*: partia da premissa de que somente conhecendo as partes era possível eventualmente compreender o todo. A nova física é mais orgânica e *holística*: pinta o universo como um todo unificado cujas partes são interconectadas e se influenciam mutuamente.

O mais importante talvez seja que a física quântica apagou a distinção cartesiana rígida entre sujeito e objeto, observador e observado, que dominou a ciência por quatrocentos anos.

Na física quântica, o observador *influencia* o objeto observado. Não há os observadores isolados de um universo mecânico; tudo *participa* do universo. (Isso é tão importante que será tratado num capítulo à parte.)

Se você quer identificar uma das profundas diferenças filosóficas entre a mecânica clássica e a mecânica quântica, [é o fato de] a mecânica clássica estar construída desde a base em torno do que sabemos ser uma fantasia: a possibilidade de se observar passivamente as coisas (...) A mecânica quântica acaba definitivamente com isso.

—David Albert, Ph.D.

Desafio à mente nº 1 — O espaço vazio

Uma das primeiras fendas na estrutura da física newtoniana foi a descoberta de que os átomos, os blocos estruturais supostamente sólidos de que é feito o universo físico, eram predominantemente compostos de espaço vazio. Em que grau? Se usássemos uma bola de basquete representando o núcleo de um átomo de hidrogênio, o elétron que gira em seu redor estaria a aproximadamente 32km — e todo o espaço entre eles, vazio. Portanto, ao olhar em torno, lembre-se de que à sua frente na realidade estão minúsculos pontos de matéria cercados de nada.

Não exatamente. Esse suposto "vazio" não está vazio: contém quantidades enormes de energia já que ela aumenta à medida que descemos a níveis mais sutis da matéria (a energia nuclear é um milhão de vezes mais poderosa que a energia química). Os cientistas dizem haver mais energia em 1cm^3 de espaço vazio do que em toda a matéria do universo conhecido. Embora eles não tenham obtido diretamente essa medida, viram os efeitos desse imenso mar de energia.[1]

[1] Para saber mais, pesquise "forças de Van der Waals" e "efeito Casimir".

Desafio à mente nº 2 — Partícula, onda ou partícula-onda?

Não somente existe "espaço" entre as partículas, mas os cientistas descobriram que as partículas subatômicas (constituintes do átomo) também não são sólidas, e parecem ter uma natureza dual. Dependendo de como são examinadas, podem se comportar como partículas ou ondas. Uma partícula é um objeto independente, sólido, com uma localização específica no espaço. As ondas, por outro lado, não são sólidas e não estão num determinado local, mas espalhadas como as ondas sonoras ou as ondas na água.

No estado de onda, elétrons e fótons (partículas de luz) não têm localização precisa, existem como "campos de probabilidade". No estado de partícula, esse campo "colapsa", produzindo um objeto sólido, localizado no espaço e no tempo.

Assim, a diferença está na observação ou mensuração. Elétrons que não são medidos ou observados comportam-se como ondas. Submetidos à observação, "colapsam" na forma de partícula e podem ser localizados.

Como algo pode ser tanto partícula sólida quanto onda flutuante? O paradoxo se resolve se recordarmos que as partículas *se comportam* como onda ou partícula. Mas "onda" e "partícula" são simples analogias. O conceito de onda foi consolidado na teoria quântica por Erwin Schrödinger, que resumiu em sua famosa "equação de onda" as probabilidades ondulatórias da partícula antes da observação.

Deixando claro que não sabiam com o que estavam lidando, e que nunca tinham visto nada igual, alguns físicos decidiram chamar o fenômeno de "partícula-onda".

DENTRO DA TOCA DAS PARTÍCULAS

Enquanto Schrödinger formulava sua equação de onda, Werner Heisenberg solucionava o mesmo problema usando álgebra matricial avançada. Mas a solução matemática era obscura, não guardava relação com experiência humana e não soava tão bem quanto "onda", de modo que as "transformações matriciais" foram abandonadas. É tudo apenas uma analogia.

Essa ciência é espantosa! Para começar, ela funciona como mágica, da mesma forma como eu via as coisas funcionarem, quando criança. Assim, o que dizer daquele garoto, com seus sonhos e fantasias? Ele estava alucinando? Talvez. Mas, de fato, mecânica quântica parece mágica. A questão é: onde fica a linha divisória entre o estranho mundo quântico e o mundo em larga escala, aparentemente sólido? Sempre me perguntei: se sou feito de partículas subatômicas que fazem coisas muito estranhas (...), também posso fazer coisas muito estranhas?

—MARK

Desafio à mente nº 3 — Salto quântico e probabilidade

Quando estudavam o átomo, os cientistas descobriram que os elétrons, quando passam de uma órbita para outra em

Quando um "objeto" subatômico está no estado de onda, o que ele se tornará quando for observado e se tornar localizado é incerto. Ele existe em um estado de múltiplas possibilidades. Esse estado é chamado de superposição. É como jogar cara-ou-coroa dentro de um quarto escuro. Matematicamente, mesmo depois que a moeda tiver caído sobre a mesa, não podemos dizer se o resultado é cara ou coroa. Entretanto, assim que acendemos a luz, a superposição "colapsa" e a moeda se revela cara ou coroa. Tal como o ato de acender a luz, o ato de medir a onda faz entrar em colapso a superposição mecânica quântica, e a partícula aparece em um estado mensurável, "clássico".

torno do núcleo, não se deslocam pelo espaço da forma como outros objetos — pelo contrário, eles se deslocam *instantaneamente*. Isso é, desaparecem de um lugar, uma órbita, e aparecem em outra. A isso se chama *salto quântico*.

Como se isso não quebrasse um número suficiente de regras do senso comum, os cientistas também descobriram que não conseguiam determinar exatamente onde os elétrons iriam aparecer ou quando eles iriam saltar. O máximo que podiam fazer era determinar as probabilidades (equação de onda de Schrödinger) da nova posição do elétron. "A realidade que experimentamos está constantemente sendo criada de novo, a cada momento, de dentro desse estoque de possibilidades," comenta o doutor Satinover, "mas o verdadeiro mistério nisso tudo é que, de dentro desse estoque de possibilidades, a que acontecerá é determinada por alguma coisa que *não é parte do universo físico*. Não existe um processo que faça aquilo acontecer." Ou seja: os eventos quânticos são os únicos verdadeiramente aleatórios no universo.

Desafio à mente nº 4 — O princípio da incerteza

Na física clássica, todos os atributos de um objeto, incluindo sua posição e velocidade, são medidos com uma precisão limitada apenas pela tecnologia. No nível quântico, porém, sempre que se mede uma propriedade, como a velocidade, não é possível ter uma medida precisa de outras, como a posição. Ao se saber onde algo está, não se sabe sua velocidade de deslocamento. E não importa o grau de sutileza ou de avanço da tecnologia, é impossível penetrar no véu que encobre a exatidão.

O princípio da incerteza (ou princípio da indeterminação) foi formulado por Werner Heisenberg, um dos pioneiros da física quântica, e estabelece que não é possível obter a um só tempo a medida precisa da velocidade e a da posição de uma partícula. Quanto mais nos focalizamos em uma propriedade, mais a medição da outra se perde na incerteza.

Desafio à mente nº 5 — Não-localidade, EPR, teorema de Bell e emaranhamento quântico

Albert Einstein não gostou da física quântica (para dizer o mínimo). Sobre o conceito de aleatoriedade descrito, ele disse: "Deus não joga dados com o universo." Niels Bohr respondeu: "Pare de dizer a Deus o que fazer!"

Em 1930, numa tentativa de derrotar a mecânica quântica, Einstein, Podolsky e Rosen (EPR) propuseram um experimento intelectual que pretendia mostrar como essa teoria era absurda. Habilmente, eles usaram uma implicação controversa da física quântica: imagine duas partículas criadas ao mesmo tempo, o que implica elas estarem emaranhadas, ou superpostas. Então, deve-se dispará-las para lados opostos do universo. A seguir, você faz algo que altere o estado de uma das partículas; instantaneamente, a outra se alterará para adotar um estado correspondente. Instantaneamente!

Essa idéia era tão ridícula que Einstein se referiu a ela como "ação fantasmagórica a distância". Segundo a teoria da relatividade, nada pode se deslocar a uma velocidade superior à da luz. Isso era infinitamente mais veloz! Além disso, a idéia de que um elétron pudesse saber o que estava acontecendo a outro, do outro lado do universo, violava qualquer senso de realidade.

Então, em 1964, John Bell criou uma teoria estabelecendo que a assertiva de EPR está correta. Eis o que acontece: a idéia de alguma coisa ser localizada, ou existente em um único lugar, está incorreta. Tudo é não-localizado. As partículas estão intimamente ligadas em um nível *além do tempo e do espaço.*

Após a publicação do teorema de Bell, essa idéia foi confirmada inúmeras vezes em laboratório. Faça um esforço e envolva sua mente nela por um instante. O tempo e o espaço, as características mais básicas do mundo em que vivemos, são substituídos no mundo quântico pelo conceito de tudo estar se tocando o tempo todo. Não admira Einstein ver aí o tiro de misericórdia na mecânica quântica — a teoria não faz sentido.

Para mim, a pergunta interessante não é: "Por que a teoria quântica é tão interessante?", mas, "Por que TANTAS PESSOAS estão interessadas na teoria quântica?" Ela desafia nossas idéias sobre a forma como é o mundo; ela nos diz que as coisas mais óbvias que SABEMOS ser verdadeiras simplesmente não o são. Entretanto, ela cativa milhões de pessoas que supostamente "não são nada científicas".

—WILL

Apesar disso, esse fenômeno parece ser uma lei que opera no universo. De fato, Schrödinger foi citado como tendo declarado que o emaranhamento não é *um* dos aspectos mais interessantes da teoria quântica; é *o* aspecto mais interessante. Em 1975, o físico teórico Henry Stapp chamou o teorema de Bell de "a descoberta mais profunda da ciência". Repare que ele disse da *ciência*, não somente da *física*.

Devo ter enlouquecido Mark e Will. Eu costumava perguntar um milhão de vezes por dia: "Que &%!*@ isso tem a ver comigo?! Por que eu devo me incomodar com esse mundo louco da quântica? Meu mundo já é bastante louco!" Ainda não tenho certeza de ter entendido tudo. Foi Fred Alan Wolf quem disse: "Se você acha que entendeu, você não escutou nada!" O que adquiri de toda essa bobagem quântica foi gostar do caos, aceitar o desconhecido, pois daí podem surgir grandes experiências!

—BETSY

A física quântica e o misticismo

Deve estar ficando fácil ver por que física e misticismo se cruzam. Coisas separadas, mas sempre se tocando (não-localidade); elétrons que se movem de A para B sem nunca passar entre esses pontos; matéria que parece (matematicamente) ser uma função de onda distribuída e que só entra em colapso, ou adquire existência espacial, quando é medida.

Os místicos não parecem ter problema com essas idéias, muitas delas anteriores aos aceleradores de partículas. Muitos dos fundadores da teoria quântica tinham grande interesse nas questões espirituais. Niels Bohr usava em seu brasão o símbolo yin/yang; David Bohm manteve longas discussões com o sábio indiano Krishnamurti; Erwin Schrödinger dava palestras sobre os upanixades.

Qual é o som de um elétron colapsando?

Mas a teoria quântica prova a visão mística? Se você perguntar aos físicos, obterá respostas de todo tipo. Faça essa pergunta em um coquetel para físicos, defendendo enfaticamente uma das visões, e você poderá (afinal, a física quântica é probabilística) se ver fisicamente agredido.

Com exceção dos materialistas convictos, todos parecem concordar que estamos no estágio da analogia, que os paralelos são impressionantes demais para serem ignorados, que a disposição para manter uma visão paradoxal do mundo é a mesma, tanto no mundo quântico quanto no zen. Diz o doutor Radin: "Há uma forma alternativa de pensar sobre o mundo; ela é indicada pela mecânica quântica."

As dúvidas sobre o que causa o colapso da função de onda ou se os eventos quânticos são realmente aleatórios ainda estão em grande parte sem resposta. Porém, embora seja grande o anseio pela produção de um conceito realmente unificado da realidade, que necessariamente nos inclua e responda a todos os mistérios quânticos, o filósofo contemporâneo Ken Wilber aconselha cautela:

> O trabalho desses cientistas — Bohm, Pribram, Wheeler e outros — é importante demais para ser oprimido por especulações imprudentes sobre misticismo. E o próprio misticismo é profundo demais para ser atrelado a fases da teorização científica. Deixemos que eles se apreciem um ao outro, e que o diálogo e a troca mútua de idéias nunca cesse...
>
> Portanto, quando critico certos aspectos do novo paradigma, meu objetivo definitivamente não é impedir o interesse por novas tentativas. É antes de tudo fazer um apelo em favor da precisão e da clareza na apresentação de temas que são, no fim das contas, extraordinariamente complexos.[2]

Estamos de pé sobre os ombros de bilhões de vidas genéticas que nos dão esse corpo geneticamente perfeito, esse cérebro geneticamente perfeito que levou milhares de anos para evoluir, de modo a podermos manter essa conversação abstrata. Se estamos aqui para sermos corporificados na maior máquina evolucionária que já existiu — nosso corpo e nosso cérebro humano —, então adquirimos o direito de perguntar "e se..."

—Ramtha

Conclusões

Conclusões? Você só pode estar brincando! Por favor, se você tiver alguma conclusão, corra com ela. Apesar disso, bem-vindo ao mundo controvertido, excitante, instigante e revelador do pensamento abstrato. Ciência, misticismo, paradigmas, realidade — veja o que nós, humanos, investigamos, descobrimos e discutimos.

Veja como a mente humana explorou esse estranho mundo onde aparentemente nos encontramos.

Essa é a nossa verdadeira grandeza.

---

[2] Ken Wilber. *O paradigma holográfico e outros paradoxos* (Cultrix: 1994).

Pense um pouco nisto...

- Pense num exemplo de experiência da física newtoniana em sua vida.
- A física newtoniana definiu seu paradigma?
- Ter novos conhecimentos sobre o maluco e estranho mundo quântico muda seu paradigma? Como?
- Você está disposto a experimentar o que está além do conhecido?
- Pense num exemplo de efeito quântico em sua vida.
- Quem ou o que é o "observador" que determina a natureza e a localização da "partícula"?

O OBSERVADOR

Espelho, espelho meu, quem causa o colapso

do muito pequeno sou eu?

VERSÃO QUÂNTICA DE UM ANTIGO CONTO DE FADAS

Minha decisão consciente sobre a forma como vou observar um elétron irá até certo ponto determinar-lhe as propriedades. Se eu fizer uma pergunta própria de partícula, ele me dará resposta de partícula. Se fizer uma pergunta própria de onda, ele me dará resposta de onda.

—Fritjof Capra

A profunda mudança na maneira como os físicos concebem a natureza básica de sua atividade e o significado de suas fórmulas não foi um movimento frívolo: foi um último recurso. A mera idéia de que para compreender os fenômenos atômicos é necessário abandonar a ontologia física e entender que as fórmulas matemáticas se referem diretamente ao conhecimento dos observadores humanos, e não aos eventos externos e reais, parece tão absurda que nenhum grupo de cientistas eminentes e renomados a adotaria a não ser como uma medida extrema e final.

—Henry Stapp

Quando confrontada com a comprovação experimental de que o processo de observação parece influenciar o que está sendo observado, a ciência foi forçada a abandonar quatro séculos de premissas e a abraçar uma idéia revolucionária — *estamos* envolvidos com a realidade. Embora a natureza e a extensão dessa influência ainda sejam motivo de debates acalorados, é claro que, como diz Fritjof Capra: "O aspecto decisivo da teoria quântica é que o observador não é necessário apenas para observar as propriedades de um fenômeno atômico, mas é necessário até para causar essas propriedades."

O observador afeta o que é observado

Antes de observarmos ou medirmos um objeto, ele existe como onda de probabilidade (tecnicamente, *função de onda*). Ele não tem localização ou velocidade definidas. Sua função de onda ou onda de probabilidade contém a expectativa de que ele esteja *neste* ou *naquele* lugar quando for observado. Ele tem posições em potencial, velocidades em potencial — mas não saberemos quais são elas até que as observemos.

Brian Greene escreve em *O tecido do cosmo*: "De acordo com essa visão, quando medimos a posição de um elétron, não estamos medindo um aspecto objetivo e preexistente da realidade. Pelo contrário, o ato de medir se confunde profundamente com a criação da própria realidade que medimos." Fritjof Capra conclui: "O elétron não tem propriedades objetivas que independam da minha mente."

Tudo isso torna nebulosa a distinção, antes clara, entre o "mundo lá fora" e o observador subjetivo. Ambos parecem se mesclar e dançar juntos no processo de descobrimento — ou será de criação? — do mundo.

Penso que um dos aspectos fantásticos que as pessoas não percebem quando falam sobre o observador é quem ele realmente é. Talvez tenhamos nos habituado tanto com a palavra que não a compreendemos de fato. O observador é todo ser humano, não importa gênero, raça, condição social ou crença. Significa que TODO ser humano tem a habilidade de observar e de alterar a realidade subatômica. Qualquer pessoa, não somente os cientistas em seus ambientes santificados. Essa ciência pertence a todo mundo, porque ela própria é uma metáfora para explicar a NÓS, os seres humanos.

—MARK

O problema da medida

Na atualidade, chama-se esse efeito da observação de problema da medida. Embora as primeiras descrições desse fenômeno tenham incluído o observador consciente, muitas tentativas foram feitas para excluir do problema a controversa palavra "consciente". Rapidamente surgiram dúvidas sobre o que é ser consciente: se um cachorro olha os resultados de um experimento sobre elétrons, isso fará colapsar a função de onda?

Ao remover a *consciência* do problema, os físicos puderam entender o fato mencionado anteriormente: foi banida para sempre a fantasia de fazer uma medição sem afetar o que está sendo medido. A conhecida "mosca na parede", que fica ali e não influencia nada, não pode existir.

Para pôr um termo aos problemas de observadores, medições, mente e colapso, foram propostas diversas teorias. A primeira, ainda freqüentemente discutida, é a Interpretação de Copenhague.

A Interpretação de Copenhague

A idéia radical de que o observador tem uma influência inevitável sobre o processo físico observado, de não sermos teste-

Para entender completamente a mecânica quântica, para determinar totalmente o que ela afirma sobre a realidade (...) temos de resolver o problema da medida quântica.

—Brian Greene
O tecido do cosmo

A questão talvez seja: é possível fazer um modelo matemático do que um observador está fazendo quando observa e muda a realidade? Até o momento, isso nos tem escapado. Qualquer modelo matemático que utilizemos e que inclua a observação parece introduzir descontinuidades na matemática. O observador tem sido excluído das equações da física por uma razão simples — é mais fácil fazer as coisas dessa maneira.

—Fred Alan Wolf, Ph.D.

munhas neutras e objetivas de coisas e acontecimentos, foi estipulada por Niels Bohr e seus colegas em Copenhague, onde ele vivia; por essa razão, ela é freqüentemente chamada de Interpretação de Copenhague. Bohr argumentava que o princípio da incerteza de Heisenberg tinha implicações maiores do que o fato de não se poder determinar exatamente e ao mesmo tempo a velocidade e a localização de uma partícula subatômica. Como explica Fred Alan Wolf, a controvérsia de Bohr era que "não é só que não possamos medir aquilo. Aquilo não é um 'aquilo' até ser um 'aquilo' *observado*. Heisenberg achava que havia 'aquilos'". Ele não aceitava que não houvesse nenhum "aquilo" até que um observador estivesse envolvido. Bohr acreditava que nem as próprias partículas adquirem existência até serem observadas, e que a realidade no nível quântico não existe até ser observada ou medida.

De fato, muitos cientistas contestaram esse conceito que contraria o bom senso e nossa experiência diária. Einstein e Bohr discutiram longamente e em diversas ocasiões, e Einstein declarava que simplesmente não podia aceitar essa idéia.

Há discordância — alguns diriam um debate furioso — quanto a isso significar ou não que a consciência humana, o observador humano (em comparação com o não-humano), é o que causa o colapso da função de onda e leva o objeto a passar do estado de probabilidade para o valor pontual.

Heisenberg afirmava que a mente era intrínseca ao problema. Referia-se ao ato de medir como "o ato de registrar o resultado *na mente do observador*. A mudança descontínua na função de probabilidade (...) ocorre no ato do registro, porque é a mudança descontínua *em nosso conhecimento*, no instante do registro, o que tem sua imagem na mudança descontínua da função de probabilidade" (grifo nosso).

Lynne McTaggart expressa o mesmo em termos menos científicos: "A realidade é uma gelatina não consolidada. Existe uma espécie de grande lodo indeterminado que é a nossa vida em potencial. Nós, pelo próprio ato de nos envolvermos, de percebermos, pela nossa observação, fazemos essa gelatina se consolidar. Portanto somos parte intrínseca de todo o processo da realidade. Nosso envolvimento a cria."

Fundamentos da mecânica quântica

Essa área de investigação surgiu nos anos 1970 como uma tentativa de remover a parte "consciente" das teorias da mecânica quântica. Era uma forma muito mais mecanicista de ver o problema da medida. Nessa visão, o instrumento físico de medição era considerado o agente ativo.

O doutor Albert descreve:

> [Houve] uma série de conversações cada vez mais embaraçosas, do tipo: "Então, a consciência de um gato pode causar esses efeitos? E a de um rato?" Com o tempo ficou claro que as palavras envolvidas eram tão imprecisas, tão escorregadias, que não seria possível construir com elas uma teoria científica útil, e a idéia foi abandonada.
>
> Esse trabalho [fundamentos da mecânica quântica] se refere à tentativa de descobrir como alterar as equações para produzir essas mudanças ou como acrescentar coisas, elementos físicos, à nossa imagem do mundo, de modo a mostrar como essas mudanças acontecem.

Simplificando, os fundamentos da mecânica quântica tentaram ver a física quântica de um ponto de vista puramente físico, sem incluir o desafio de um observador consciente.

No universo de Einstein, os objetos têm valores definidos para todos os atributos físicos possíveis. Os atributos não ficam em um limbo, esperando que uma medição os faça existir. A maioria dos físicos diria que Einstein estava errado nesse aspecto também. Nessa visão majoritária, as propriedades das partículas se manifestam quando são obrigadas a isso pela medição (...) Quando não estão sendo observadas (...), as propriedades das partículas têm uma existência nebulosa, vaga, caracterizada unicamente pela probabilidade de que uma ou mais potencialidades se realizem.

—Brian Greene,
O tecido do cosmo

A teoria dos muitos mundos

O físico Hugh Everett propôs que, ao realizar uma medição quântica, a função de onda, em vez de colapsar gerando um único resultado, torna existentes todos os resultados possíveis. No processo de se tornar existente, o universo se divide em tantas versões de si mesmo quantas forem necessárias para atender a todos os resultados de medição possíveis. Isso dá origem à idéia (complicada, mas que definitivamente expande a mente) da existência de inúmeros universos paralelos nos quais todas as potencialidades quânticas se realizam. Dê um tempinho para digerir esse conceito — cada vez que você faz uma escolha, inúmeras possibilidade ou resultados paralelos estão acontecendo *ao mesmo tempo*!

Se perguntarmos (...) se a posição do elétron permanece a mesma, temos que dizer "Não"; se perguntamos se a posição do elétron muda com o tempo, temos que dizer "Não"; se perguntarmos se o elétron está em repouso, temos que dizer "Não"; se perguntarmos se ele está em movimento, temos que dizer "Não".

—J. Robert Oppenheimer, diretor do projeto Los Alamos, que criou a bomba atômica

A lógica quântica

O matemático John von Neumann desenvolveu uma base matemática rigorosa para a teoria quântica. Ao tratar do observador e do observado, ele dividiu o problema em três processos.

Processo 1: É a decisão do observador de fazer uma pergunta ao mundo quântico. "Espelho, espelho meu...". A escolha da pergunta já limita os graus de liberdade do sistema quântico de resposta. (Na verdade, qualquer pergunta limita a resposta: se perguntamos a alguém que fruta comeu no jantar, bife não é uma resposta válida.)

Processo 2: É o estado da equação de onda em evolução — o processo pelo qual a nuvem de possibilidades se desdobra ou evolui da maneira descrita pela equação de Schrödinger.

Processo 3: É o estado quântico que responde à pergunta proposta no processo 1, que "*causa o colapso do muito pequeno*".

Um dos aspectos interessantes desse formalismo foi a decisão sobre o que perguntar ao mundo quântico. Nele, toda observação envolvia uma escolha sobre o que observar. Palavras como "escolha" e "livre-arbítrio" passaram a ser vistas como parte do evento quântico como um todo. Embora ainda se possa discutir se um cachorro é um observador consciente, a resposta à dúvida sobre se alguma vez um cachorro decidiu (processo 1) realizar uma medição quântica relacionada com a natureza ondulatória dos elétrons parece bastante óbvia.

Nessa teoria lógica quântica, não é feita nenhuma distinção sobre o que está incluído no sistema físico envolvido no processo 2. *Isso significa que não só os elétrons observados mas também o cérebro do observador pode ser considerado parte da função de onda em evolução.* Isso deu origem a uma quantidade de teorias sobre a consciência, a mente e o cérebro.[1]

Na lógica quântica de John von Neumann foi apresentado um aspecto essencial do problema de medida: a decisão do observador é o que faz a medição. Essa decisão limita os graus de liberdade com os quais o sistema físico (tal como os elétrons) pode responder, afetando o resultado (realidade).

Neo-realismo

O neo-realismo foi liderado por Einstein, que se recusou a aceitar qualquer interpretação de que a realidade cotidiana não existe por si mesma, independente de nossas observações e medições. Segundo a proposta dos neo-realistas, a realidade consiste nos objetos familiares à física clássica, e os paradoxos da mecânica quântica revelam que a teoria está incompleta e falha. Essa visão também é conhecida como interpretação das "variáveis ocultas" da mecânica quântica, pois considera que, uma vez descobertos todos os fatores ausentes, os paradoxos desaparecerão.

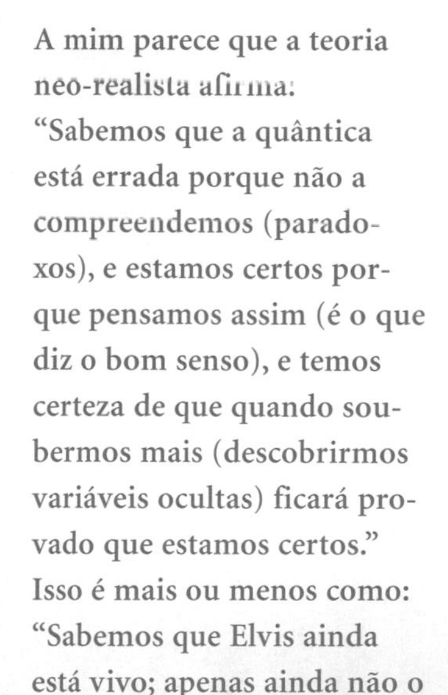

A mim parece que a teoria neo-realista afirma: "Sabemos que a quântica está errada porque não a compreendemos (paradoxos), e estamos certos porque pensamos assim (é o que diz o bom senso), e temos certeza de que quando soubermos mais (descobrirmos variáveis ocultas) ficará provado que estamos certos." Isso é mais ou menos como: "Sabemos que Elvis ainda está vivo; apenas ainda não o encontramos."

—WILL

A consciência cria a realidade

Essa interpretação leva a extremos a idéia de que o ato consciente de observação é o fator chave na formação da realidade. Isso é dar a ele um papel especialmente privilegiado no colapso do possível para formar o real. A maioria dos físicos convencionais considera essa interpretação como pouco mais do que uma aspiração da mentalidade da Nova Era e como uma interpretação nebulosa do problema da medida.

[1] Henry Stapp, *The Mindful Universe*. Esse tópico é tratado no capítulo "O cérebro quântico".

Temos um capítulo inteiro para discutir essa questão. Basta dizer que esse debate está em andamento há milênios. As tradições espirituais e metafísicas mais antigas há muito tempo mantém a visão relatada por Amit Goswami: "A consciência é o fundamento de todo ser." Prótons e nêutrons são relativamente recém-chegados a esse debate. O aparecimento deles no banco das testemunhas foi de fato um acontecimento memorável.

Quando entendemos o observador, então nos curvamos diante da mente superior que dá a essa energia modos de realidade com que ainda temos de sonhar em nossa existência. Nós apenas ainda percebemos essa energia como caos, mas sua ordem é definida. Está acima de nós. É mais profunda.

—Ramtha

A totalidade

Segundo afirmava David Bohm, o protegido de Einstein, a mecânica quântica revela que a realidade é um todo indivisível no qual tudo está conectado de forma profunda, transcendendo os limites usuais de espaço e tempo. Ele apresentou o conceito da existência de uma "ordem implicada" da qual emerge a "ordem explicada" (o universo físico oculto, que não pode ser detectado). O envolvimento e o desenvolvimento dessas ordens é o que dá origem às variedades do mundo quântico. A visão de Bohm sobre a natureza da realidade gerou uma teoria holográfica do universo, usada por Karl Pribram e outros para explicar o cérebro e a percepção. Em uma conversação recente com Edgard Mitchell, Pribram percebeu que a Interpretação de Copenhague é imprecisa e que a holografia quântica é um modelo bem melhor da realidade.

E então, eu...

Até agora tratamos principalmente do conceito físico de observador. O outro lado do observador é possivelmente a impressão mais íntima que cada um de nós tem de si mesmo. Temos a sensação da existência de "um observador" em algum lugar dentro de nós olhando, observando o tempo todo. Algumas vezes chamado de "a pequena voz silenciosa", muitas tradições e práticas espirituais utilizaram o termo observador para dar um nome ao ser inefável, ou para designar nossa natureza interior e alterar por meio da observação o eu exterior.

A prática zen de estar sempre presente em cada momento e não ser varrido pelas atividades externas também pode ser descrita como permanecer no observador.

Não surpreende que seja tão atraente o impulso de unir a visão subjetiva do observador com a visão científica, principalmente quando ambas parecem estar falando sobre a mesma coisa. Sujeito e objeto estão intimamente relacionados. E apesar de nossa percepção interna do observador ser quase sempre passiva, a ciência parece estar afirmando que a observação é ativa. A observação resulta em efeito físico.

Seja ou não a consciência o único agente causador do efeito, o fato de que qualquer medição altera o sistema físico é por si só uma revelação. Ele mostra que não podemos tirar nenhuma *informação* de um sistema sem alterar a qualidade física daquele sistema.

Até que ponto o observador afeta o observado?

Essa é a pergunta de 64 mil dólares. Fred Alan Wolf diz:

> Você não está mudando a realidade exterior. Nem alterando as cadeiras e os caminhões, os tratores e os mísseis que estão sendo lançados — você não está mudando essas coisas! Não! Mas você está mudando a forma como percebe as coisas, ou talvez a forma como pensa sobre elas, como percebe o mundo.

Mas por que não estamos alterando caminhões, tratores e a destruição ecológica? De acordo com o doutor Joe Dispenza: "Porque perdemos o poder de observação." Ele acredita em manter a mensagem da física quântica bem simples: a observação tem um efeito direto sobre o mundo do observador. Isso motivará as pessoas a manter o foco em se tornarem observadores melhores. Ele prossegue:

Descobrimos que onde a ciência mais progrediu a mente recuperou da natureza aquilo que colocou lá. Encontramos uma pegada estranha nas praias do desconhecido. Criamos teorias profundas, uma após a outra, para explicar a origem daquela pegada. Por fim, conseguimos reconstruir com sucesso a criatura que deixou aquela marca. E vejam! A pegada é nossa.

— *Sir* Arthur Eddington

Sempre tive a impressão de ser muito tranqüila — no controle de minhas emoções e reações às pessoas, aos lugares, às coisas, ao tempo e aos acontecimentos. Então, quando ouvi o que diziam Fred Alan Wolf e John Hagelin e nossos outros entrevistados, percebi que eu não era mais do que uma bola de gude ricocheteando nas paredes da vida. Fico surpresa por ter tido tempo para respirar e não ter sofrido uma fratura de crânio! O fato de observar melhor o que acontece "dentro" e usar isso para mudar minha percepção do que está "fora" criou possibilidades na minha vida. Sou capaz de fazer coisas que nunca pensei poder fazer ou ver, e o tempo se move muito mais devagar, num ritmo que me dá a capacidade de observar e escolher, em vez de reagir e me arrepender.

—BETSY

O mundo subatômico responde à nossa observação, mas em geral perdemos a capacidade de atenção a cada seis a dez segundos (...) Portanto, como coisas muito grandes poderão responder a quem não tem nem mesmo a capacidade de focalizar e se concentrar? Talvez sejamos apenas maus observadores. Talvez não tenhamos dominado a habilidade de observação (...)

Devíamos estar dispostos a reservar uma parte do dia para (...) observar, com pura sinceridade, como construir um novo futuro possível para nós mesmos. Se fizermos isso, se observarmos corretamente, começaremos a ver oportunidades surgindo em nossas vidas.

Para alterar nossa realidade diária

Deixando a escala subatômica e indo para a escala humana: o que é observação? Para os seres humanos, a porta de entrada para a observação é a percepção. E você se lembra, dos capítulos anteriores, como isso pode ser suspeito? ("Espelho, espelho meu... existe alguém mais bonita do que eu?"). Amit Goswami observa:

Podemos pensar em cada observação como medida quântica, porque produz uma lembrança no cérebro. Essas lembranças são ativadas sempre que tornamos a encontrar e experimentar um estímulo repetitivo, que sempre vai trazer à tona não só a impressão original, mas também essa repetição de impressões de memória...

Percebemos alguma coisa depois que ela é refletida no espelho da memória. É esse reflexo que nos dá aquele sentimento de individualidade, o "quem sou", ou seja, um padrão de hábitos, de lembranças, de passado.

Em outras palavras:

Lembrança (passado) → Percepção → Observação → (afetando a) Realidade

Não é surpresa, então, que práticas como "Um curso em milagres" destaquem *o perdão* como o elemento importante para mudar o presente. E pense nos ensinamentos de Jesus — o quanto ele ensinou o perdão. E ensinou sobre a percepção: "Antes de repar ares no cisco no olho de teu irmão, retira primeiro a trave do teu olho." E a observação máxima: "Ama a teu próximo como a ti mesmo."

O subtítulo deste livro é "A descoberta das infinitas possibilidades de alterar a realidade diária." Bem, se a realidade é somente a resposta às perguntas ou atitudes que mantemos na mente, e se essa resposta está no fim de uma longa cadeia de lembranças, percepções e observações, a questão não é como alteramos a realidade. O surpreendente é *por que* mantemos nossa realidade. Na resposta a essa questão está a chave para a mudança.

O problema da medida só é "problema" porque abala radicalmente a idéia de que estamos fora do objeto observado. Mesmo um simples instrumento de medição interage com o sistema medido e o altera. A realidade observada tem uma fluidez que parece contrária ao mundo das xícaras de café e dos lançamentos de mísseis. E, no entanto, esse problema é uma característica fundamental de como todos os aspectos da realidade se entrelaçam.

A palavra de trabalho aqui é "entrelaçar". Poderíamos dizer conectar, ou emaranhar, ou fazer parte da mesma equação de onda. A idéia da inseparabilidade essencial de todas as coisas está sempre ressurgindo do rol quântico das testemunhas.

E quem somos nós, reles seres humanos, para discutir com um zilhão de elétrons?

Quem causa o colapso do que é muito pequeno? Não se trata de quem, mas de *o quê*. Todas as coisas.

Resta uma pergunta — são apenas *coisas*, ou também *não-coisas*: mente, espírito, consciência? E se as não-coisas também forem tão reais quanto as coisas que fazem colapsar? No mundo das ilusões, a separação entre coisas e não-coisas pode ser aquela ilusão à qual todas as outras se apegam.

"Da perspectiva dos quanta, o universo é um lugar extremamente interativo", escreveu o ensaísta Dan Winters em um artigo para a revista Discover, sob o provocante título: "O universo existe quando não estamos olhando?" O artigo resume a idéia da "gênese pela capacidade de observação", do físico de Princeton John Wheeler. De acordo com Wheeler (colega de Albert Einstein e Niels Bohr e criador do termo "buraco negro"): "Não somos simplesmente observadores eventuais no cenário cósmico; somos os formadores e criadores vivendo em um universo participativo."

Pense um pouco nisto...

- É possível alguém se identificar como observador sendo o observador?
- O que ou quem é o eu?
- O que ou quem é o observador?
- Eles são distintos?
- Você é capaz de observar alguma coisa dentro de você que não seja o eu?
- Se você puder se tornar um observador do seu eu, como isso mudará sua percepção da realidade?
- Se é preciso um observador para criar a realidade, qual é o seu grau de focalização como observador? Que realidade você está criando no seu estado atual de observação?
- Por quanto tempo você consegue manter um pensamento?
- A realidade continua a existir quando você não a está observando?
- Se é necessário um observador para colapsar a realidade, o que mantém íntegro o seu corpo enquanto você dorme?
- Então, quem ou o quê é o observador?

A consciência é difícil de definir.
As pessoas buscam explicar a consciência tentando entender exatamente o que ela é. O que ela significa para nós como seres humanos? Por que razão nós a temos?

ANDREW NEWBERG

Qual seria uma definição simples de consciência? É o que há de mais difícil para definir.

—Fred Alan Wolf

Nick Herbert obteve seu título de doutor em física experimental pela Universidade Stanford. Durante anos ele foi cientista sênior da Memorex Corporation, no Vale do Silício, e trabalhou nas áreas de magnetismo, eletrostática, óptica e termodinâmica. Ele escreveu o livro *A realidade quântica* e ensinou ciência em todos os níveis (do jardim de infância à pós-graduação). Você se lembra do teorema de Bell (sobre não-localidade), mencionado nos capítulos anteriores? Nick Herbert criou a demonstração matemática mais concisa para essa característica revolucionária do universo, demonstrando a interconectividade fora do espaço e do tempo. Em que ele está interessado agora? Na *consciência.*

“Minha crença é que a consciência é o problema mais difícil,” diz, “e a física encontrou seu lugar graças aos problemas fáceis (...) Podemos descobrir todas as forças e todas as partículas da natureza — essa é a seara da física —, mas, e depois? Depois teremos de enfrentar algum desses problemas mais difíceis — a natureza da mente, de Deus, e problemas maiores que ainda nem sabemos como formular.”

Por que estamos aqui? Bem, essa é a questão definitiva, não é? Quando você diz nós, penso que quer dizer seres conscientes; é o que somos.

—Stuart Hameroff, médico

Você acha que a ciência vai entender isso melhor do que ter de lidar com a batata quente chamada consciência, que está associada a tanto culto religioso, tanto vodu obscuro?

—Ramtha

O que é consciência?

Todos nós a temos.(Não temos?) Todos somos seres despertos, conscientes. (Nos bons dias.) Vimos que a física quântica, em sua busca por respostas sobre a realidade e a percepção, esbarrou na consciência. "Ela" está sempre conosco: toda percepção de experiência, pensamento, ação e interação se desenrola no campo da consciência.

A consciência é fundamental em tudo o que fazemos — arte, ciência, relacionamentos, vida; é uma constante em nossas vidas. No entanto, a ciência fez pouco para examiná-la a fundo. Segundo Herbert, em seus quase 400 anos de vida, "a ciência fez um imenso progresso na compreensão do universo físico em todas as escalas, do quark ao quasar", mas a consciência permanece "um buraco negro intelectual".

Tanto na física quanto na psicologia muitos cientistas ainda vinculados ao paradigma materialista/newtoniano descartam a consciência como mero produto do funcionamento cerebral. (A expressão mais utilizada por eles é *epifenômeno*, o que significa ser essencialmente um efeito colateral ou subproduto.) Basicamente isso sustenta que o eu percebido por você é um acidente da evolução e que, quando o cérebro morre, o acidente desaparece e a embalagem se reúne aos outros envoltórios decompostos no depósito de lixo.

Muitos de nós aceitamos sem questionamento a palavra e a idéia da consciência. Há essa sensação que me vem, quando olho meu corpo, de que alguma coisa o está dirigindo. Alguma coisa dá vida a meu corpo. Na maioria dos casos, nunca perguntamos o que é essa coisa, porque ela somos nós. Isso foi mais profundamente perceptível nas ocasiões em que saí do corpo e olhei para ele. Num momento assim, vejo a forma de um corpo humano e levo um tempo para reconhecer que sou eu mesmo. Nesses momentos sou algo que ainda existe, "pensa" e tem uma sensação de identidade. Essa experiência está além da linguagem, o que talvez justifique por que ninguém descreveu com sucesso, em palavras, o que é a consciência.

—MARK

Uma pergunta difícil

Se a consciência é tão importante e fundamental, por que se sabe tão pouco sobre ela? Uma explicação é que isso é como procurar os óculos quando eles estão sobre o nariz — como estão sempre ali, não são vistos. Outra razão é estarmos vivendo uma era extremamente materialista, dominada por uma ciência materialista; em outras palavras, nossa cultura está interessada no que está "lá fora", e não muito interessada no que se passa "aqui dentro."

Mesmo quando voltamos a atenção para dentro, estivemos mais interessados no conteúdo da consciência, no material que povoa as redes neurais — pensamento, sonhos, planos, especulações —, do que na consciência propriamente dita.

Uma grande reflexão de nossa sociedade materialista é: quem são os heróis em nossas escolas? As escolas são o lugar para instrução, conhecimento, aprendizagem — vida mental. Os heróis são os atletas – a vida física.

—WILL

Estamos interessados nas imagens do filme, mas nos esquecemos de que sem a tela para projetá-las não haveria nada.

Porém, a razão mais importante provavelmente é o fato de a consciência não se enquadrar no paradigma newtoniano. Ela não é feita de um material mensurável. Não se pode medi-la. E a maioria dos cientistas permanece mergulhada na visão de mundo cortada ao meio por Descartes há centenas de anos: o intangível, o imaterial, o espiritual estão para sempre separados do físico. Dessa forma, para explicar a consciência, eles têm apenas os fenômenos químicos que se passam no cérebro e nos circuitos neurais. Seguindo esse paradigma, os cientistas chegaram ao ponto de chamar a consciência de *anomalia.*

O quê? A minha consciência, a sua consciência, o fato básico de nossa existência é uma *anomalia — um "desvio da normalidade"*?

O fato é que a ciência atual não dispõe de referência para entender a consciência. É uma "pergunta difícil" — portanto, muitos cientistas voltaram as costas a ela e se dedicaram a outras coisas; procedimento padrão quando paradigmas são questionados (e o sustento das pessoas está em jogo). O físico e filósofo Peter Russel observa: "Quando as anomalias em um paradigma aparecem, geralmente são ignoradas ou rejeitadas."

Nossa pesquisa sobre o cérebro ajudou a revelar estados mais elevados de consciência além da vigília, do sonho e do sono. Existem sete estados de consciência. Além dos três que normalmente experimentamos, existe a consciência pura. É um estado mais simples da consciência humana, um estado profundamente calmo e silencioso de percepção ilimitada, no qual a mente experimenta e se identifica com o campo unificado de todas as leis da natureza.

—John Hagelin, Ph.D.

Como bolas de bilhar

No final do século XIX, a doutrina padrão era o modelo newtoniano segundo o qual o mundo era semelhante a um mecanismo gigantesco cheio de elementos sólidos que esbarravam uns nos outros como bolas de bilhar. Como destacou o físico da Universidade de Columbia, David Albert, "isso foi muito satisfatório até meados do século XIX, quando as pesquisas sobre o eletromagnetismo, realizadas por pesquisadores como Faraday, culminando no final do século com o trabalho de Maxwell, começaram a mostrar que as partículas não eram mais o catálogo completo dos móveis do universo".

Os fenômenos eletromagnéticos não podiam ser explicados nos termos dos princípios aceitos da física; no entanto, eles também não podiam ser desprezados. Portanto, indo contra os ventos dominantes da ortodoxia, foi necessário levar em consideração a existência dos campos. Como diz o doutor Albert: "Já se falava sobre campos desde pelo menos o início do século XIX, mas por um longo tempo eles não foram levados a sério." A partir daí eles foram admitidos como aspectos intrínsecos e fundamentais do cosmo.

Pode ter chegado a hora de fazer o mesmo com a consciência e o desafio pode ser comparável. A qualidade ou natureza da carga eletromagnética e dos campos elétricos e magnéticos diferia da qualidade dos objetos sólidos, coração do modelo newtoniano. A consciência é um nível da realidade ainda mais sutil que as forças ou os campos de força. No entanto, se ela é um nível da realidade e se é papel da física produzir uma "teoria de tudo" genuína, a consciência terá de ser incluída.

É um ponto de vista interessante, esse movimento quântico. Por exemplo, a consciência é somente quântica? Ela só pode ser explicada pela física quântica? Eu costumava pensar assim, aí pelos anos 1970. Já não penso mais. Agora estou convencido de que a mecânica quântica pode não ser suficiente.

—Fred Alan Wolf, Ph.D.

O OVO OU A GALINHA?

Como observa Ed Mitchell, todos operamos dentro de "um modelo científico segundo o qual tudo pode ser reduzido a pura matéria ou pura energia. Na verdade, tudo é energia, sendo a matéria uma forma de energia. Mais que isso, de acordo com esse modelo, a consciência como experimentamos é simplesmente um epifenômeno, ou seja, um subproduto da atividade cerebral; ela não é realmente fundamental.

"No entanto, todas as tradições religiosas do mundo afirmaram, de uma forma ou de outra: 'Não, não é assim. A própria consciência é o fundamental, e a energia-matéria é o produto da consciência.' Essa é a questão básica em que estamos trabalhando há um longo tempo, sem sermos realmente capazes de resolvê-la claramente de uma forma ou de outra."

As anomalias

"A profunda mudança na maneira como os físicos concebem a natureza básica de sua atividade e o significado de suas fórmulas não foi um movimento frívolo: foi um último recurso."

—Henry Stapp

Você se lembra dessa citação no capítulo "O observador"? Ela falava de como o estranho comportamento do mundo subatômico *forçou* os cientistas a mudar. "Foi uma linda teoria destruída por um fato feio." Existem "fatos feios" obrigando o mundo científico a adotar "últimos recursos"?

- Muitos tiveram pelo menos uma experiência que não pode ser explicada por meios normais ou pela evasiva: "é só uma coincidência".
- Uma quantidade enorme de experiências de quase-morte foram estudadas e descrevem vivências muito similares *quando fora do corpo.*
- Regressões a vidas passadas produziram fatos obscuros de tempos remotos dos quais o indivíduo não tinha informação e que se revelaram verdadeiros.
- A visão a distância — transcender o espaço e o tempo para adquirir informação — foi uma atividade tão bem-sucedida que os EUA e a antiga URSS tinham equipes de videntes fazendo trabalho de espionagem.
- Experimentos demonstram estatisticamente como a intenção humana altera processos aleatórios quânticos (não se limitando a causar o colapso das funções de onda).
- Curas miraculosas.
- Sonhos proféticos.

À medida que fico mais consciente de mim mesma e de minha conexão com tudo, percebo que sou uma consciência ou uma expressão dela. Tenho o sentimento de estar conectada a alguma coisa que é maior do que eu ou que minha personalidade. Isso me inspira a ir mais fundo e ver o que posso manifestar. Adoro o sentimento que me vem quando fico em silêncio, mesmo por um instante, e recebo um sinal vindo do nada e ajo em função dele. É quando a mágica acontece.

—BETSY

A lista vai longe. Parece um pouco tolo (alguns diriam um pouco feio) insistir que todos esses dados são apenas ilusões, coincidências e devaneios, e negar que a consciência possa ser uma realidade por si mesma.

A revelação da consciência

Muitos cientistas, como Amit Goswami, Peter Russel e David Chalmers (diretor do Centro de Estudos da Consciência da Universidade do Arizona), argumentam energicamente a favor da inclusão da consciência na nova estrutura da ciência. "Se a existência da consciência não pode ser derivada das leis da física", pondera Chalmers, "uma teoria da física não será uma verdadeira teoria de tudo. A teoria definitiva tem de conter mais um componente fundamental. Para isso, proponho que a experiência consciente seja considerada um aspecto fundamental, que não pode ser reduzido a nada mais básico."

Nick Herbert chegou a uma conclusão semelhante: "Acredito que a mente é um processo fundamental por si só, tão disseminado e tão profundamente inserido na natureza quanto a luz ou a eletricidade."

E a ciência, em sua busca constante, vai nessa direção. Stuart Hameroff e Roger Penrose propuseram uma teoria da consciência baseada nos microtúbulos cerebrais. (Vamos abordar essa e outras teorias quânticas no capítulo "O cérebro quântico".) As universidades estão oferecendo programas de estudos da consciência. Conferências atraem uma platéia diversificada e interessada, composta por cientistas, estudiosos e místicos, todos às voltas com a pergunta aparentemente simples: O que é a consciência? Mas isso não é diferente das disciplinas científicas tradicionais às voltas com a pergunta aparentemente simples: o que é a realidade? Como ocorre em tantos outros casos — são dois lados da mesma moeda.

E Pete Russel acha que pode ser o momento de lançar a questão: "Em vez de partir do princípio de que a consciência emana do mundo material, como faz a maioria dos cientistas, precisamos considerar a visão alternativa, proposta por muitas tradições metafísicas e espirituais, segundo a qual a consciência é considerada um componente fundamental da realidade — tão ou talvez até mais fundamental que o espaço, o tempo e a matéria."

Penso que a consciência é essa percepção que temos, essa vida interior de experiência que nos diferencia dos robôs e zumbis, os quais podem estar mostrando um comportamento complexo, cuidando de seus assuntos e fazendo coisas, sem ter nenhuma vida interior ou experiência. Eu diria que a consciência é uma seqüência de eventos discretos. Esses eventos conscientes — que na realidade são aquele tipo específico de redução de estado quântico que pode ser atribuída a esse limiar no nível fundamental (da geometria espaço/tempo) — ocorrem aproximadamente quarenta vezes por segundo.

—Stuart Hameroff, médico.

A consciência reina?

Na verdade, a maioria das tradições espirituais afirma que a consciência não é "um" componente fundamental; ela é "o" componente fundamental. Todas as coisas brotam de um reservatório subjacente de consciência.

O doutor Hagelin está convencido de ser esse o caso:

> A primeira de todas as experiências, poderíamos dizer, o princípio do universo, é quando a consciência pura, o campo unificado que vê a si mesmo, cria dentro de sua natureza essencialmente unificada a estrutura ternária composta de observador, observado e processo de observação. É daí, do nível mais profundo da realidade, que a consciência cria a criação, de modo que existe um relacionamento íntimo entre o observador e o observado. Eles estão essencialmente unidos como um todo inseparável na base da criação, que é o campo unificado e também nossa própria consciência mais profunda, o ser.

E com todas as definições e perguntas sobre a consciência ainda sem resposta, como o doutor Hagelin, Teresa d'Ávila, Jesus Cristo, Lao Tse, Eckhart Tolle, os sábios do Vedanta,[1] chegaram a ter clareza sobre esse assunto? *Usando a consciência para investigar a consciência.* Tal como os cientistas da física utilizam instrumentos físicos de medição, os exploradores da consciência usam esse veículo para descobrir essa realidade. Vocês se lembram da narrativa de Ed Mitchell sobre seu momento de consciência cósmica? Parece ser uma experiência comum a todos os que passaram por ela — as fronteiras do ser se dissolvem para revelar que o ser é tudo, em toda parte, o tempo todo. O que sugere não apenas que a consciência não é criada pelo cérebro, mas que o cérebro limita a consciência. (Isso provavelmente é uma boa idéia, se você está dirigindo.)

Para trazer a consciência para dentro da ciência, pelo menos como a ciência é compreendida atualmente, precisamos, de alguma forma, de um medidor da consciência. Esse aparato precisa ser semelhante à maneira de medir ou quantificar as forças. Isso faz parte do processo analítico.

Há muitos textos, tanto antigos (hebraicos e cabalísticos) quanto modernos (o *Livro de Urântia*), que trazem classificações detalhadas dos seres celestiais — anjos, arcanjos, serafins, querubins e outros. Minha idéia estranha de hoje é que esses são sistemas de classificação para faixas e abrangências da consciência. Com certeza a psicologia, considerada ciência, usa categorias para entender os tipos de personalidade e, então, utiliza essas categorias para analisar todo tipo de fenômeno. Os domínios da consciência são diferentes disso?

—WILL

[1] Essa lista pode se alongar muito mais...

E o que acontece quando os exploradores da consciência retornam? O doutor Andrew Newberg nos conta:

> Quando têm essa experiência (mística), as pessoas percebem que ela representa um nível da realidade mais fundamental que a realidade material do cotidiano na qual normalmente vivemos. De fato, mesmo quando não estão mais passando pela experiência mística, elas ainda percebem aquela realidade como mais real, representando uma forma mais verdadeira, a forma mais fundamental da realidade. E o mundo material no qual vivemos é como se fosse para elas uma realidade mais secundária.

Se mudarmos nossas idéias sobre quem somos – e nos enxergarmos como seres criativos, eternos, criando a experiência física, unidos naquele nível da existência que chamamos de consciência – então começaremos a ver e criar de forma muito diferente esse mundo em que vivemos.

—Ed Mitchell

Se esse for o caso, então por que esperar pela experiência mística surpreendente, extraordinária, para despertar da realidade material? O que acontece quando você começa a criar experiências místicas dentro de sua consciência? A resposta, naturalmente, é que você muda sua realidade.

Mas você está mudando a realidade "lá fora"? Certamente, à medida que o mundo físico se torna secundário, suas experiências serão fundamentalmente alteradas. Por exemplo, o arranhão no carro novo não é tão importante, mas o arranhão pode ser alterado? A boa notícia e a má notícia são — só você pode determinar isso para si mesmo. Isso é "mau" porque ninguém pode fazer essa descoberta em seu lugar, mas é "bom" porque, uma vez você tendo feito a descoberta, ninguém pode lhe dizer que *não*.

Pense um pouco nisto...

- A consciência é o campo unificado? Em que você está baseando sua resposta?
- A maioria das pessoas que passaram pela experiência de quase-morte relata a mesma coisa: estiveram "fora do corpo", avançaram por um túnel, viram uma luz no final dele, sentiram infinita felicidade. Esses relatos podem ser transformados em ciência? Caso afirmativo, de que maneira?
- Quantas pessoas precisam concordar com alguma coisa para que ela se torne um "fato"? O que dizer da Idade Média, quando todo mundo concordava que a Terra era plana?
- Que outras anomalias você conhece? Quais delas você experimentou?
- Se a consciência é "o fundamento de todo ser" e é a causa primária, como é possível estar "consciente da consciência"?
- Como você define o relacionamento entre realidade e consciência? É hierárquico (um cria o outro) ou complexo (ovo e galinha)?
- Por que o frango (consciência) atravessa a estrada (realidade)?
- Embora seja um tanto engraçado, esta é uma pergunta de verdade: se a consciência é a causa primária, por que ela é compelida a experimentar a realidade? Por que você é?

O DOMÍNIO DA MENTE SOBRE A MATÉRIA

Tudo o que somos é resultado do que pensamos. A mente é tudo.

Nós nos tornamos aquilo que pensamos.

BUDA

E então? Isso é verdade? A mente realmente domina a matéria ou isso é uma experiência delirante de descontentes esquizofrênicos que consideram a vida aborrecedora a ponto de ser preciso manufaturar propriedades fantásticas para esse mundo tão sólido?

Você não gostaria de saber se existe alguma prova do domínio da mente sobre a matéria? Essa não é uma pergunta para a qual todo mundo deseja saber a resposta?[1]

Sabemos que a matéria afeta a mente. É o domínio da matéria sobre a mente. Aqui está uma experiência simples que prova essa questão:

- Observe seu estado mental.
- Pendure um piano grande, de armário ou de cauda, a 1m de altura sobre o seu pé.
- Solte o piano.
- Observe seu estado mental.

Nesse exemplo, se você não for o Roger Rabbit, o Patolino ou o Coiote, seu estado mental será significativamente diferente. O que não é surpresa, pois a matéria é sólida e substancial enquanto a mente é efêmera e imaterial. Certo?

---

[1] Desculpe, partícula de Higgs, você perdeu essa eleição.

O método científico

O exercício anterior não só foi um experimento intelectual realizado por você, mas também o sustentáculo da ciência — o método científico. Como explica o doutor Jeffrey Satinover:

> O método científico é o mais objetivo dos métodos humanos de investigação. Ele é absoluto; não está vinculado a qualquer cultura, não está vinculado ao gênero; é uma ferramenta absolutamente poderosa de investigação da realidade nas mãos de quem estiver disposto a utilizá-la.

Em termos simples, o método científico é o seguinte: pegue uma teoria; imagine um experimento que a teste, eliminando todas as influências espúrias; execute o experimento; se a teoria for contrariada, procure outra.

Vamos ser honestos: em nossa época, esperamos que a ciência seja a primeira a nos dar respostas sobre a realidade. O domínio da mente sobre a matéria é um tópico controvertido na ciência moderna. Eis outro experimento: pergunte a dez pessoas se elas gostariam de saber da existência de algum respaldo científico para esse conceito. (Afinal, se o domínio da mente sobre a matéria for uma realidade, então o fato de as pessoas aceitarem essa realidade torna-o infinitamente mais fácil.)

Acho que o interessante na física é ela ser uma forma genuinamente nova e inovadora de tentar um entendimento com o mundo. Penso que o método experimental, importante para a física, é muito diferente do método da revelação ou do método da meditação.

—David Albert, Ph.D.

Há cientistas tão preconceituosos como seres humanos quanto qualquer pessoa. Há o método científico, criado especificamente para minimizar a influência do preconceito. Isso é a ciência propriamente dita.

—Jeffrey Satinover, médico.

Lançando o desafio

Falamos de paradigmas e da resistência natural à mudança, mas a ciência, afinal, é trabalho dos cientistas, pessoas comuns. Em uma conferência, John Hagelin advertiu: "Não cometam o erro de pensar que os cientistas são científicos."

Esclarecendo: nessas questões do domínio da mente sobre a matéria, da pesquisa psíquica e de atividades paranormais, o preconceito campeia na comunidade científica. Tudo isso é uma afronta à própria metodologia que eles preconizam.

Por que nos incomodamos? Porque muito do que ocorre em nosso mundo está baseado na compreensão científica atual. E a história da ciência nos diz uma grande coisa: quando ela verdadeiramente se envolve, sua marcha é irreprimível, descartando teorias e conjecturas até encontrar as que concordam com os resultados experimentais.

O doutor Dean Radin há muitos anos realiza experiências no Instituto de Ciências Noéticas e batalha para fazer a ciência reconhecer as provas sobre fenômenos psíquicos e místicos — essencialmente, o domínio da mente sobre a matéria:

> Tenho a tendência a esgotar as provas. Elas são mais sólidas do que pensamos e há muito mais provas do que pensamos. Trato-as como trataria qualquer preconceito: para combater o preconceito, seja ele racial, de gênero ou qualquer outro, você tem de assumir uma postura afirmativa.
>
> Portanto, adoto uma postura agressiva exatamente como faço com a ação afirmativa e digo que se existe alguma coisa a examinar, que seja examinada (...) Quando você começa realmente a prestar atenção, nesse caso nas provas, você percebe que tudo o que examina para buscar comprovação é filtrado pela teoria. Portanto, se a sua teoria afirma que aquilo não pode existir, então você não está examinando adequadamente as provas.

Existe todo um domínio da física chamado setor oculto, que nos é dado pela teoria das supercordas. Ele é um mundo em si mesmo. Ele permeia esse espaço, nós andamos através dele. Em princípio, podemos até vê-lo de forma difusa. Isso provavelmente é o que chamamos de mente. Provavelmente existem corpos-pensamento e pensamentos que vivem lá como as criaturas físicas vivem aqui.

—John Hagelin, Ph.D.

Os experimentos

Como assinala o doutor Radin, há muitos indícios a favor do domínio da mente sobre a matéria. Um exemplo são os experimentos com Geradores de Eventos Aleatórios (GEAs) ou Geradores de Números Aleatórios para pesquisar a intenção. Esses mecanismos são basicamente um cara-ou-coroa eletrônico. Estão baseados num evento quântico isolado, como o decaimento radioativo, ou numa mistura de eventos quânticos em cascata, como o "ruído" gerado pelos circuitos eletrônicos.

O doutor Radin fala sobre esses experimentos:

> No século XVII, quando Francis Bacon estava desenvolvendo o empirismo na ciência, ele (...) mencionou a possibilidade de se usar dados. Cada vez que um dado é lançado, é possível retraçar todo o caminho percorrido até chegar aos eventos quânticos que o fizeram cair desta e não daquela forma. Mas, se o dado quicar muitas vezes, o resultado se torna uma incerteza da mecânica quântica.
>
> Quando surgiu a eletrônica, alguém teve a idéia de simular o jogo dos dados usando circuitos eletrônicos. Isso se tornou útil porque ficou fácil medir exatamente o que estava acontecendo, e os resultados podiam ser registrados automaticamente.

Assim, com o uso da eletrônica foi possível deixar que a máquina registrasse as observações, eliminando o erro humano. O resultado foi não só a obtenção de registros mais precisos, mas também uma explosão de experimentos com GEAs.

> Uma experiência com números aleatórios conduzida centenas de vezes nas últimas quatro décadas foi o uso de um gerador que produz somente seqüências aleatórias de bits, seqüências de zeros e uns, tal como um cara-ou-coroa. Você simplesmente pede para alguém para pressionar um botão que produzirá 200 bits, mas também pede à pessoa para tentar produzir mais uns do que zeros.
>
> Quando se analisa todo o conjunto da literatura, as centenas de experimentos realizados, você pode fazer uma única pergunta: *faz diferença* o fato de as pessoas estarem tentando gerar uns ou zeros? E a resposta global é sim, faz diferença. De algum modo existe uma correlação entre a intenção e o funcionamento ou o produto dos GEAs. Se você deseja ter mais números um, de alguma forma o gerador produz mais uns do que zeros.
>
> (...) A análise final é de **50 mil para um**. A probabilidade de que não tenha sido por acaso [que os geradores foram nessa direção, a favor da intenção] é de 50 mil para um.

Todo dia acordo e me lembro da minha citação favorita de Ramtha: "A única forma de fazer bem a mim mesma não é pelo que faço a meu corpo — mas pelo que faço à minha mente."

Em suma, o que eu faço com a minha mente afeta meu corpo, porque é tudo uma coisa só. Isso me lembra de sair da consciência de corpo/mente para a consciência de mente=corpo=realidade

—BETSY

Tem havido críticas a essas descobertas, de que elas "são apenas estatísticas." Mas a função de onda quântica é só a probabilidade de *estatisticamente* encontrar uma partícula em determinado lugar, em determinado momento. Logo, se isso é um problema, ele está em boa companhia.

Geradores de eventos aleatórios: a mente coletiva

Você se lembra do julgamento de O. J. Simpson? Como poderíamos esquecer — centenas de milhões de pessoas aguardando pelo veredicto. Para elas, aquilo era um grande drama de tribunal. Para Dean Radin, Roger Nelson e Dick Shwope, era uma oportunidade de ver se não apenas a intenção, mas a *coerência das mentes* poderia fazer os GEAs deixarem de ser aleatórios.

O que aconteceria quando centenas de milhões de pessoas subitamente focalizassem a atenção em algo? Um mês após eu me fazer essa pergunta, ocorreu a leitura do veredicto de O. J. Simpson. Esse é um momento incomum na história humana, sabermos com antecedência que em determinada fração de segundo estaria sendo dita a palavra culpado ou inocente. Algo de grande interesse iria acontecer ao vivo, atraindo centenas de milhões de pessoas.

Eles decidiram registrar o evento por meio de geradores de números aleatórios; colocaram três no laboratório nos EUA, um em Amsterdã e um em Princeton. Com os cinco geradores prontos para registrar o momento do anúncio do veredicto, os cientistas aguardaram para ver o que aconteceria.

Colocamos os GEAs em operação, e de fato vimos um pico com uma probabilidade de mil para um, em dois pontos: o primeiro quando a câmera passou do exterior do fórum para dentro do tribunal, o que causou um grande aumento na atenção; o outro no momento em que o veredicto foi lido. Apareceu esse imenso pico de coerência nos cinco geradores ao mesmo tempo.

Sempre duvidei desse negócio de "só se pode mudar a própria percepção, não o mundo físico." Lembro que um pouco antes de entrar na puberdade gritei para mim mesmo em frente ao espelho. Provavelmente porque o cabelo não ficou como queria. Alguns segundos depois, olhando minha imagem com franca aversão, o espelho se estraçalhou. Foi como se os pedaços se jogassem. Eu me lembro de ter ficado lá, de pé, num estado de choque total. Era visível que minha raiva causara aquilo. Mais tarde, descartei as vibrações sonoras, as anomalias climáticas e a probabilidade de uma falha estrutural do espelho ter coincidido com minha manifestação de raiva. Só me resta a constatação retumbante de que minha mente e minhas emoções fizeram aquilo.

Muitas crianças fazem coisas assim até a puberdade, quando perdem essa habilidade. Será que a mudança de foco as impede de continuar a fazer isso? Será que essa habilidade se relaciona mais com um estado especial do que com uma lei sobre a realidade física? Talvez a razão de tão poucos adultos poderem fazer isso seja a ignorância de como alcançar aquele estado especial. E se pudessem?

— MARK

Um pico de coerência é ligado a uma representação gráfica do grau de aleatoriedade. Normalmente os GEA produzem 50% de números um e 50% de zeros. Portanto, o gráfico de uns e zeros é plano. Mas, quando milhões de pessoas se concentram na mesma coisa, o gráfico se desvia abruptamente dos 50/50. Isso contradiz a premissa da teoria quântica de que os eventos quânticos são puramente aleatórios.

Desde então, Radin e seus colegas lançaram o Projeto de Consciência Global. Nesse experimento, GEAs estão em operação 24 horas por dia pelo mundo afora, enviando a cada cinco minutos resultados para um servidor em Princeton. Houve picos significativos durante acontecimentos como a passagem do ano 2000, o 11 de setembro e o funeral da princesa Diana. As estatísticas estão se acumulando e, como Bill Tiller diz, "os resultados são poderosos".

Dispositivos Eletrônicos para Registro de Intenção (DERI)

Bill Tiller foi chefe do departamento de Ciências dos Materiais em Stanford, porém há várias décadas decidiu deixar o departamento, os comitês governamentais e os cargos de poder para se concentrar "nessa outra coisa". Ele se dedicou a verificar experimentalmente se as intenções humanas podem afetar os sistemas físicos. Não "somente" colapsar uma função de onda ou duas, ou "somente" virar de cabeça para baixo um evento quântico aleatório, mas afetar um atributo macroscópico da matéria.

Para isso, ele construiu um DERI. Trata-se de uma caixa simples com alguns diodos, um oscilador, uma memória programável, alguns resistores e capacitores. Então:

> Colocamos a caixa sobre uma mesa em torno da qual estão sentados quatro meditantes bem qualificados, indivíduos altamente capacitados para gerir o eu interior. Eles entram em um estado de meditação profunda; lim-

pam o ambiente, usando as próprias mentes tornando-o um espaço sagrado. E, então, um deles diz qual é a intenção específica daquele aparelho.

O objetivo é influenciar um experimento-alvo específico: aumentar ou diminuir, em uma unidade, o pH de uma água purificada; aumentar a atividade termodinâmica de uma enzima hepática, a fosfatase alcalina; ou influenciar um experimento *in vivo* com larvas de moscas-de-fruta para aumentar a proporção de moléculas de energia (de ATP para ADP) em seus corpos, de modo a torná-las mais viáveis e com um tempo de desenvolvimento larval menor. Usamos esses aparelhos com os quatro tipos de experimento e obtivemos um sucesso notável.[2]

As fotos de água de Emoto

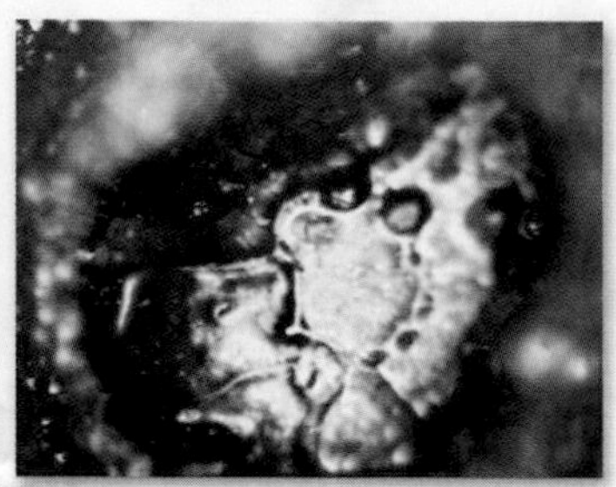

Água poluída da represa Fuiwara

Água da fonte Sanbu-Ichi Yasui

Água benta de uma fonte em Lourdes

Além das caixas "condicionadas", em que a intenção foi registrada, são preparadas caixas de "controle" (que não têm intenção registrada). Ambas são separadamente envolvidas em papel-alumínio e enviadas a um laboratório a milhares de quilômetros de distância. Então os dois tipos de caixa são colocados a mais ou menos 15cm do alvo e ligados. Leva de três a quatro meses para que elas "condicionem o espaço a um estado mais elevado de simetria". Ou seja, para que funcionem. O resultado: "Vemos um acentuado contraste dentro de cada par [e entre] todas elas [coletivamente]. Vemos grandes efeitos com probabilidades estatísticas superiores a uma parte em mil."

Para simplificar: quatro meditantes se concentram em uma caixa eletrônica simples e desejam algo — como mudar em uma unidade o pH da água. As caixas são colocadas junto a um pouco de água e poucos meses depois o pH mudou. A probabilidade de que a mudança tenha ocorrido naturalmente é de menos de um em mil, principalmente considerando que a mudança não aconteceu com as caixas de controle.

Qual a importância de uma unidade de pH? Tiller nos diz: "Se o pH do seu corpo mudar em uma unidade, você morre."

---

[2] Para uma descrição detalhada, ver *Conscious Acts of Creation*, de William Tiller.

Quanto à aceitação dessa experiência, o doutor Tiller comenta: "Os cientistas normais têm dificuldades (...) o efeito de turvação entra em cena. Os olhos deles ficam um pouco vidrados, eles preferem mudar de assunto."

As mensagens da água

O doutor Masaru Emoto fez um grande sucesso com seu livro *Mensagens ocultas na água*, que mostra fotografias surpreendentes de cristais de água congelada depois de submetidos a estímulos não-físicos. Ele começou por expor os cristais de água à música — de Beethoven a rock pesado — e fotografar os resultados. Depois de a música ter claramente afetado o tamanho e a forma dos cristais, ele passou a trabalhar com a consciência. Afinal, a música cria um objeto físico que pode afetar as ondas de matéria-som; mas, e os pensamentos?

O doutor Emoto põe nas garrafas de água rótulos que expressam emoções e idéias humanas. Algumas são positivas, como "Muito obrigado" e "Amor". Outras são negativas, como "Você me enoja, vou matá-lo." Contrariando a sabedoria dominante na ciência, a água respondeu a essas expressões, *embora as palavras não tivessem criado uma ação física mensurável.* A água com mensagens positivas formou belos cristais; a com mensagens negativas ficou feia e malformada.

A resposta a essas fotografias foi mundial. Depois de nosso filme, dos livros de Emoto e das incansáveis viagens dele por todo o mundo, dando palestras e participando de congressos, o público solicitou mais informações sobre esses experimentos. Como conseqüência, pesquisadores científicos estão em atividade, repetindo o experimento. A réplica independente é parte integrante do método científico.

O que une toda a humanidade, toda forma de vida, é a água. De 70% a 90% de nossos corpos são água. A superfície do planeta é principalmente água. Em sua brilhante inspiração, o doutor Emoto vai ao coração do elemento físico comum

A água reage à consciência

Você me enoja, vou matá-lo

Muito obrigado

Amor

a todas as formas de vida. Se a vida (nós) pode afetar o mundo físico, é natural que isso apareça na água.

Como se vê, há muito o que a comunidade científica deva considerar. As experiências não param. Os resultados estão sendo publicados. O que queremos saber é: quão real é o domínio da mente sobre a matéria? Se os pensamentos têm esse efeito sobre a água, imagine o que podem nos fazer.

Você sabe que todo mundo fala sobre o domínio da mente sobre a matéria. Mas isso ainda é um modo dualista de ver a realidade. O que aprendemos foi que, para dobrar o tempo e o espaço e viajar para outras galáxias, é preciso ver a mente COMO matéria.

—Ramtha

A mente *sobre* a matéria?

Se o domínio da mente sobre a matéria é um aspecto da realidade, e se com o exemplo do piano convencemos vocês de que o domínio da matéria sobre a mente também acontece, o que isso significa?

Mente sobre matéria, sobre mente, sobre matéria de novo — é outra hierarquia complexa, outro aspecto do universo, como o ovo e a galinha. Mas, como observa Ramtha, essa visão é intrinsecamente dualista. O dualismo está impregnado nesses conceitos: sujeito/objeto, dentro/fora, ciência/espírito, consciência/realidade. A visão do mundo apontada aqui mais uma vez se infiltra em nossa linguagem e pensamento. Que tal a mente como matéria e portanto a matéria como mente?

Que tal a matéria como informação ou a mente como informação?

Nesses momentos a atração sugestiva da física quântica é quase irresistível. O fato de que a matéria acabe parecendo informação *prova* que a mente é como a matéria? Bem, se não prova, parece *sugerir* que essa visão está indo na direção correta.

Ela sugere isso tanto quanto um piano cair sobre o seu pé sugere dor; assim como os observadores (conscientes ou não) afetam o que é observado; como as partículas conectadas em lados opostos do universo sugerem um mundo que não é dual. Aliás, não só sugerem como provam. O sonho de Newton de um universo dividido acabou, e, nesse espírito de ação afirmativa positiva, a pergunta é: o que vamos fazer com isso!?

Pense um pouco nisto...

- Que preconceitos você tem que o impedem de mudar para um novo paradigma?
- Como esses preconceitos se refletem nas coisas de sua realidade (suas coisas)?
- O que são as "suas coisas"?
- É possível que, por saber que essas coisas são uma manifestação de seus pensamentos, você possa facilmente manifestar novas coisas com base em seu novo paradigma?
- Enumere cinco diferenças entre a mente e a matéria.
- Você seria capaz de olhar essas diferenças de outra maneira e vê-las como a mesma coisa?
- Se os pensamentos podem afetar a estrutura molecular da água, o que os seus pensamentos estão fazendo à sua realidade?
- O que veio primeiro — a cadeira em que você está sentado ou a idéia de se sentar na cadeira e ler esse livro?

A CONSCIÊNCIA CRIA A REALIDADE

Os heróis escolhem o que desejam: estar em muitos lugares ao mesmo tempo ou experimentar muitas possibilidades ao mesmo tempo. E, então, colapsar em uma delas.

REGGIE

Todos os caminhos levam a Roma
Tudo tão emaranhado
Cidade Eterna

Eterna pergunta:
Eu faço a realidade
Ou ela me faz?

Todos os caminhos percorridos nos capítulos anteriores na verdade conduzem a este. E dessa pergunta eterna, todos os capítulos sairão. Ninguém pode escapar sem ter respondido de alguma forma: Eu crio minha própria realidade ou sou uma folha na tempestade? Sou a origem que determina os acontecimentos de minha vida, ou ela está no final de uma corrente, determinada em um instante pelo big bang?

Vimos como toda vez que saímos da cama ou interagimos com o que está "lá fora" respondemos a "O que é realidade?". Bem, será que a pergunta "Eu crio minha própria realidade?" é respondida em todos os nossos momentos "aqui dentro"? Se criamos nossa realidade, então os momentos "aqui dentro" são precursores dos momentos "lá fora". É por isso que este capítulo é o momento "aqui dentro" principal neste livro.

Essa idéia foi, e ainda é, um conceito fundamental nas tradições espirituais, metafísicas, ocultas e alquímicas. "Como é acima, é abaixo; como é dentro, é fora" é considerada a maneira fundamental e verdadeira de ver o mundo. Entretanto, se o bom senso diz que criamos alguns acontecimentos em nossa vida (o que vamos comer no café-da-manhã, com quem vamos nos casar, qual carro vamos comprar), parece um certo exagero dizer que você tem alguma coisa a ver com o fato de aquela árvore ter caído sobre aquele carro.

Na verdade, o conceito de que criamos a realidade (afinal, ela é criada de alguma maneira — ela está aí!) tem diversas nuanças. Ele suscita perguntas como:

- Eu crio, você também cria, e o que criamos é diferente — e aí?
- "Eu nunca teria criado esse (lacuna a ser preenchida) em minha vida!"
- As coincidências existem?
- Uma criança que passa fome criou essa situação?
- E os desastres naturais?
- Quem é o "eu" que está criando?

E essas perguntas por sua vez estão ligadas aos conceitos de carma, ser transcendental, ressonâncias de freqüências específicas, atitudes, responsabilidade pessoal, vitimização e poder.

Mas a questão final é: o lado do muro em que você se situa com relação a esse conceito tem o maior impacto isolado sobre a vida que você leva.

Toda fala, toda ação, todo comportamento são flutuações da consciência. Toda a vida emerge e é mantida na consciência. O universo inteiro é a expressão da consciência. A realidade do universo é um oceano ilimitado de consciência em movimento.

—Maharishi Mahesh Yogi

De volta ao laboratório (de novo!)

Em "O domínio da mente sobre a matéria" vimos como a intenção parece comandar os eventos no nível microscópico, como a suposta aleatoriedade dos eventos quânticos pode ser alterada e como a focalização de nossas mentes é capaz de produzir um estado físico diferente. "O observador" mencionou a forma pela qual uma nuvem de possibilidades dispersas colapsa em um estado único e definido. Em "A física quântica" mostramos como a realidade sólida e fixa não é assim tão sólida, fixa e estável, assim como a existência de uma conexão entre todas as coisas no universo. Os paralelos entre "Física quântica" e "A consciência cria a realidade" são mais uma vez irresistíveis.

Segundo John Wheeler, físico de Princeton e Prêmio Nobel: "Por mais útil que seja nas circunstâncias do dia-a-dia afirmar que o mundo existe "lá fora", independente de nós, essa visão não pode mais ser mantida." Para Wheeler, não somos somente "observadores de passagem no palco cósmico, [mas] formadores e criadores vivendo em um universo participativo."

Realmente temos que reconhecer que até o mundo material a nosso redor, as cadeiras, as mesas, as salas, o tapete, todas essas coisas são apenas movimentos possíveis da consciência.

—Amit Goswami, Ph.D.

De acordo com o físico e escritor Amit Goswani, "todos nós costumamos pensar que tudo o que nos cerca já é algo que existe sem nossa interferência ou escolha". Para sermos fiéis às descobertas da física quântica, diz ele, "temos de banir esse tipo de pensamento. Em vez disso, precisamos realmente reconhecer que até o mundo material a nosso redor, as cadeiras, as mesas, as salas, o tapete, tudo são apenas movimentos possíveis da consciência. *E eu escolho a cada momento entre esses movimentos para poder manifestar a minha experiência concreta*".

O que esses físicos e a nova física em geral estão expressando é a morte do dualismo. Não é a mente sobre a matéria; é mente = matéria. A consciência não cria a realidade, consciência = realidade.

Pense nos dois lados do muro:

consciência	***realidade física***
mente	***matéria***
espírito	***ciência***
ser transcendental	***natureza***
Deus	***coisas***

Em todos os capítulos anteriores examinamos o relacionamento entre os dois lados. Procuramos o relacionamento causal. Quem causa o quê? Há uma conexão? Existe uma divisão? Quem criou a divisão e quem está em cima do muro? Nós criamos, nós estamos.

Porém, com a morte do dualismo, não há conexão nem causa (nem muro). Tudo é a mesma coisa e tudo é interdependente — o que os exploradores da consciência sempre afirmaram. Goswami confessa que é difícil se ajustar a essa nova maneira de pensar, que parece contradizer nossa experiência diária. Assegura: "É o único pensamento radical que precisamos ter, mas é *tão* radical! É difícil, porque tendemos a pensar que o mundo já está aí, que independe da nossa experiência. Ele não está. A física quântica é muito clara quanto a isso."

Tudo isso levou Fred Alan Wolf a cunhar, nos anos 1970, a expressão "eu criei minha realidade". O então nascente movimento da Nova Era imediatamente tomou posse dessa frase e fez dela parte do *próprio* paradigma. Mas, como muitos cientistas declararam, não é um conceito fácil de se absorver integralmente. Retomando a citação de Wolf: "Você não está mudando a realidade exterior. Você não está alterando cadeiras e caminhões, tratores e mísseis que estão sendo lançados — você não está mudando essas coisas!"

Quem está criando o quê?

O doutor Wolf prossegue: "Uma das questões levantadas sobre criar realidades é o que acontece quando duas pessoas criam realidades diferentes. O que se passa então? Bem, a primeira coisa a entender sobre a idéia de que criamos nossa própria realidade é que, se você pensar que é seu eu egoísta que controla sua realidade, então possivelmente a idéia está errada. Provavelmente não é de forma alguma aquele você quem está criando a realidade."

Amit Goswami esclarece:

> Ficou claro que o lugar de onde eu opto por criar minha realidade, aquele lugar de consciência, é um estado de ser incomum em que o binômio sujeito/objetos se divide e desaparece. É a partir deste estado extraordinário que eu escolho — e conseqüentemente o júbilo do adepto da Nova Era desapareceu quando ele foi forçado a encarar a realidade de que nada é de graça. Temos de meditar e atingir estados incomuns de consciência, antes de nos tornarmos criadores de nossa própria realidade.

Meu filho Evan, o físico, diz que eu estar sustentando uma realidade e outra pessoa estar sustentando outra é uma coisa aditiva (...) Hoje à tarde é o torneio do Super Bowl, e a realidade que o time dos Eagles está sustentando é diferente da realidade que os Patriots estão sustentando, e somente uma dessas realidades vai se tornar real.

—Candace Pert, Ph.D.

Durante toda a filmagem de *Quem somos nós?* eu dizia a mim mesma: "Vai ser fantástico, tenho certeza" — de modo que, quando surgiam os problemas, eu não ficava muito perturbada. Porque eu sabia que estava criando um sucesso. Mas o maior teste veio bem no fim. Tínhamos um final muito complicado, já que precisávamos reunir vídeo de alta definição, filme 35mm e toneladas de animação por computador, e converter o resultado novamente para 35mm. E tínhamos um prazo. Eu tinha convencido um cinema a nos ceder uma semana, mas eles precisavam receber o filme acabado na segunda-feira, 3 de fevereiro. Se não fosse nesse dia, não poderíamos exibir o filme até maio e o Will não parava de falar sobre cronogramas e como iríamos perder a onda.

Para ir direto ao ponto, todo mundo dizia que seria impossível, mas mantivemos nossa o foco, e nosso supervisor de pós-produção levou a única cópia de avião para Washington e a entregou duas horas antes do final do prazo! Mais tarde, ele declarou claramente que se alguém tivesse dito que seria feito (agora que sabia o que estava envolvido), ele teria dito que era 100% impossível.

—BETSY

Portanto, o conceito de que "a consciência cria a realidade" suscita as seguintes questões: "Qual consciência? Que nível de consciência? Qual 'eu' está criando?"

Uma representação maravilhosa dessa questão está no filme *O planeta proibido*. Nele, os habitantes do planeta constroem uma máquina que transforma instantaneamente os pensamentos em realidade física. Chega o grande dia, eles ligam a máquina e UAU! Que grande dia! Eles criam mansões maravilhosas, uma Ferrari em cada garagem, belos parques, banquetes suntuosos, depois dos quais eles vão embora (nas Ferraris) para as mansões magníficas e dormem. E sonham.

E acordam na manhã seguinte em um planeta devastado.

De acordo com o doutor Dean Radin, há um bom motivo para não materializarmos imediatamente qualquer coisa: "Tudo o que fazemos, tudo o que pensamos, todos os nossos planos se propagam e afetam o universo. No entanto, a maior parte do universo não se incomoda com isso, razão pela qual nossos pequenos pensamentos individuais não têm ação imediata e não mudam o que vemos. Posso imaginar que, se cada um de nós fosse tão poderoso que nossos menores desejos se propagassem e afetassem o universo, nós nos destruiríamos quase instantaneamente."

Pense em todas as vezes que alguém na estrada fechou seu carro e você pensou (você sabe o que pensou), e aquilo imediatamente se tornou realidade. Ou quando o seu cônjuge fez __________________ e você disse __________________!

A ausência de gratificação imediata na criação de nossa realidade pode estar aí para nos proteger de nós mesmos.

Atitude é tudo

Duas idéias fundamentais ensinadas por Ramtha em sua escola são: a consciência e a energia criam a natureza da realidade, e atitude é tudo. A primeira estabelece a lei sobre *como* as coisas se tornaram o que são e a segunda o *porquê.*

Estudo recente de Ellen Langer e Rebecca Levy em Harvard comparou a perda de memória em idosos de culturas diferentes. Os americanos médios, cuja cultura teme a idade avançada e "sabe" que com ela as capacidades diminuem, tiveram uma perda de memória substancial. Já os chineses, cuja cultura valoriza muito a ancianidade, não só apresentaram uma perda de memória muito pequena, como se saíram quase tão bem quanto os mais jovens. Cada cultura produziu idosos compatíveis com a atitude predominante em relação ao envelhecimento.

Há ainda os franceses, cuja cultura aceita sem problemas os hábitos de beber vinho, fumar, comer doces, consumir molhos que aumentam o colesterol. Eles envelhecem com saúde, magros e felizes. Foram realizados muitos estudos na tentativa de descobrir qual o "segredo" deles, já que, de acordo com as teorias atuais, deveria haver uma ponte de safena para cada loja de doces. Não se trata de um segredo: é a atitude. Eles adoram o que comem e não sentem culpa por isso.

Quando é pessoal, nós chamamos de atitude; se é cultural, nós chamamos de paradigma; se é universal, nós chamamos de lei. "*Como é dentro, é fora.*"

Foi feita uma experiência na qual os pesquisados recebiam como tarefa comer uma iguaria sofisticada. Aqueles que comeram sentindo culpa e vergonha sofreram uma redução temporária da função imunológica, ao passo que aqueles que puderam desfrutar a experiência e saborear aquela coisa deliciosa tiveram aumento no status imunológico.

—Daniel Monti, médico

Como é acima, é abaixo

Lembra-se de que sugerimos que o capítulo "O que é realidade?" poderia estar em qualquer lugar? Pois bem, o presente capítulo está em todo lugar. "Visão e percepção" nos conta como o cérebro cria as imagens que julgamos ser o verdadeiro mundo lá fora. "A mudança de paradigma" examina como idéias e descobertas se transformaram em uma crença generalizada sobre o mundo. "A física quântica" e "O observador" oferecem paralelos tentadores entre o mundo subatômico e a forma como a consciência interage com criação. "O domínio da mente sobre a matéria" derruba o muro entre o visível e o invisível e sugere a existência de uma conexão entre esses dois reinos aparentemente diferentes. Em outras pala-

Não posso provar que você está aí na realidade e tem sua própria consciência, e você não pode provar que eu sou consciente.

—Stuart Hameroff, médico

vras, todos esses capítulos falam da consciência, da realidade e do relacionamento entre ambas.

Olhando para o futuro, o capítulo "Introdução ao cérebro" trata de como nossas atitudes estão codificadas nas estruturas neurais, e o que é criado a partir daí. "Emoções" e "Dependências" respondem a "por que crio a realidade em que me encontro?" O capítulo "Por que não somos mágicos?" analisa por que não criamos o que (achamos que) desejamos. "Desejo/intenção" trata de como usar conscientemente o machado da criação, enquanto "Escolhas/mudanças" acompanha o movimento do machado para ver o que acontece em nossa vida.

Entretanto, no tribunal cósmico da experiência, alguma coisa do que vimos prova que a consciência cria a realidade? O conceito parece estar refletido em todos os diferentes níveis da experiência ("Como é acima, é abaixo"), mas isso é uma prova ou são indícios circunstanciais? Nós ouvimos todo o mundo, desde os elétrons e pósitrons até físicos renomados e cineastas. Segundo Dean Radin, "provar é um verbo sem uso na ciência. Podemos apresentar indícios favoráveis, criar um certo grau de confiança de que um efeito é o que parece ser. Alguém já 'provou' a existência da gravidade? Newton a definiu como a força de atração entre as massas. Einstein afirmou que a massa faz a geometria do espaço/tempo se curvar, aproximando as massas. Mas eles não puderam provar que é assim. Na melhor das hipóteses, a descrição matemática não contém nenhuma indicação contrária".

Foi nesse ponto que nós, cineastas, levantamos as mãos para os céus e saímos de cima do muro.

Tivemos alguns grandes casos de aplicação de "A consciência cria a realidade" — como alguns profissionais da área de entretenimento declarando que ninguém distribuiria o filme e que ninguém o veria — mas houve centenas de "pequenas" coisas que fizemos. Na verdade contamos com isso para sair dos sufocos. Como quando tivemos que trocar uma música. Na transição para a cena da festa tínhamos a canção "Sweet Emotion", do Aerosmith. Na verdade, a cena foi escrita com essa música em mente. Mas não a conseguimos. Então procuramos e procuramos por outra coisa, mas nada chegava nem perto.

Um dia eu estava pensando sobre isso, fiquei frustrado e disse (com muita intenção): "Eu vou ouvir a canção no rádio, AGORA!" Começou a tocar "Hooked on a Feeling", do Boston. Não somente era uma ótima canção, mas, quando editei a música no filme, ela realmente ficou mais integrada com a cena! Isso é uma prova? Para mim, foi.

—WILL

A criação de *Quem somos nós?*

Fizemos um juramento: não seríamos hipócritas. Não seríamos filósofos de pijama. Na medida de nossa capacidade, não iríamos apenas falar, mas experimentar. Isso significa que viveríamos as idéias contidas no filme e, de todas as idéias, as duas mais importantes foram: as dependências emocionais e a criação da própria realidade. Durante a filmagem de *Quem somos nós?*, todos os envolvidos trabalharam para criar a realidade e lidar com as dependências emocionais.

Em outras palavras, decidimos ser "os cientistas em nossas próprias vidas", empregando o método científico e testando-o para ver se funcionava. E o resultado foi positivo, com um modo melhor de viver a vida.

Mas isso envolve apenas os três criadores. O filme recebeu originalmente o título de "What the Fuck Do We Know?!"[1] portanto não fica assim tão claro que você deva escutar o que dizemos. A quem você deve escutar? Àquela pessoa que na realidade você sempre escuta — você mesmo.

DE MASSA PARA MASSA

Eu estava dirigindo a cena que se passa no cinema Baghdad. Tínhamos de filmar entre meia-noite e o amanhecer, quando teríamos de sair do local. Estávamos atrasados. Eu me dei conta de que nunca iríamos "ganhar o dia", o que seria um desastre porque nesse caso a cena inteira não funcionaria. Ramtha sempre nos disse para trabalhar "de massa para massa." Em outras palavras, tudo o que criamos resulta de empurrar fisicamente coisas materiais, em vez de criarmos em um nível sutil e deixar as coisas acontecerem.

Percebi que estávamos ferrados e que não dava para continuar de massa para massa. Lembro que pensei "Está na hora de criar como um deus" e subi correndo a rampa do cinema, gritando "Chega de massa para massa." É tudo que me lembro depois disso, a não ser que pela madrugada tínhamos terminado tudo.

—MARK

[1] É isso aí! Nós falamos! É esse o verdadeiro título, afinal...

Pense um pouco nisto...

- Olhe para os dois pretensos lados do muro:

consciência	realidade física
mente	matéria
espírito	ciência
ser transcendental	natureza
Deus	coisas

Trace linhas entre todos eles, especificando qual a relação entre cada um. A seguir trace linhas com o conectivo "é" (mente é matéria, realidade é consciência). Qual visão faz mais sentido?

- Essas visões são mutuamente exclusivas?
- Essas duas visões são mais uma influência apavorante do dualismo? O sexo é uma tentativa de acabar com o dualismo?
- O tempo foi inventado para manter a distância o carma instantâneo?
- O tempo foi inventado para nos dar *tempo* para entender nosso poder e suas ramificações?

EU CRIO MINHA REALIDADE?

Levo a vida que amo e amo a vida que levo.

WILLIE DIXON

O capítulo anterior nos levou a considerar se a consciência criar a realidade é lei do universo ou fantasia, se existe alguma evidência de que isso é verdadeiro e como essa evidência pode se manifestar em nossas vidas.

A essa altura você já deve ter concluído o que pensa sobre "criar a própria realidade". Todos admitem que isso até certo ponto é verdadeiro. A questão é: até que ponto? Até decidir se vai ou não até a sorveteria, ou até acreditar que a folha que cai sobre a sua cabeça é criação sua?

As implicações desse princípio são consideráveis. Não somente para nós e para nossas vidas, mas também para vidas mais vastas: das cidades, dos estados, dos países e do planeta. Mas, em primeiro lugar – como você fica?

O que tem para o café? O que tem para a vida?

Você provavelmente concordará que, de muitas pequenas formas, cria a própria vida a cada dia. Você decide se vai ou não se levantar quando o despertador toca. Decide o que vestir, o que comer no café-da-manhã ou se vai tomá-lo. E quando encontra pessoas em casa, no trabalho ou na auto-estrada, decide como vai tratar cada uma delas. Suas intenções para o dia — ou sua decisão padrão de não formular intenções, apenas deixar rolar — afetam o que você faz e o que experimenta.

Num contexto mais amplo, a trajetória completa de nossas vidas é gerada por nossas escolhas. Você quer se casar? Quer ter filhos? Ir para a universidade? Estudar o quê? Seguir que carreira? Que proposta de emprego aceitar? Sua vida não se limita a "acontecer"; ela está baseada nas escolhas que você faz — ou deixa de fazer — a cada dia.

Mas a pergunta permanece: até onde se estende essa construção da vida? Até aquele encontro acidental com a garota dos seus sonhos? Até o patrão tirânico? O prêmio da loteria?[1] Afinal, de quem é a vida que VOCÊ está construindo? Parece uma pergunta idiota, mas o "eu" em "Eu crio minha realidade" é um grande ponto de interrogação. E a resposta traz alguma clareza a toda essa questão de criação.

Somos máquinas de produzir realidade. Criamos constantemente os efeitos da realidade. Se tiramos informação de uma base de conhecimentos pequena, temos uma realidade pequena. Se temos uma base de conhecimento ampla, temos uma realidade ampla.

—Joe Dispenza

Quem sou eu?

De volta às grandes perguntas. O sábio indiano Ramana Maharshi estruturou seus ensinamentos sobre essa exata questão. De acordo com ele, a investigação desse problema leva diretamente à iluminação. Mas vamos adiar a iluminação por enquanto e limitar nossa análise ao ato de criar...

Segundo Fred Alan Wolf, "o que precisamos entender primeiro é que na idéia de que *você* cria a própria realidade, se pela expressão *você* estamos pensando naquela pessoa egocêntrica que você acha ser quem dirige sua vida, isso provavelmente está errado. Provavelmente não é de jeito nenhum esse você quem está criando a realidade". Porém isso nos leva imediatamente a perguntar: "Então, quem está?" Quando você pede a primeira xícara de café pela manhã, certamente é muito claro que quem escolheu o cappuccino foi a "pessoa egocêntrica", ou a personalidade, e não o ser transcendental e imortal. E é claro que quando a árvore caiu sobre o seu brilhante carro novo, a personalidade não teve absolutamente nada a ver com isso.

Geralmente as pessoas rejeitam a idéia de que "eu crio a realidade" quando em suas vidas acontece algo que elas jamais

[1] Na prática, todo mundo reivindica o crédito por esse feito: "Depois de tudo o que já passei, eu merecia ganhar."

criariam. "Eu nunca teria criado *isso*!" É verdade: elas — a personalidade — nunca teriam. Mas, como afirmam todas as tradições espirituais, há mais do que um "você".

Estamos operando o holodeck. Ele é tão flexível que criará o que você imaginar. E você irá aprender. Uma vez que esteja suficientemente consciente. Sua intenção fará essa coisa se materializar e você aprenderá como usar sua intencionalidade.

—William Tiller, Ph.D.

Essa esquizofrenia divina é rotulada de: eu/ser verdadeiro, personalidade/divindade, filho do homem/filho de Deus, corpo mortal/alma imortal, mas no fundo afirma que existem níveis diferentes a partir dos quais nós criamos. E a meta da iluminação é eliminar essa fragmentação e criar a partir de uma única fonte. (Acho que o "Quem sou eu?" funciona por isso.) É expandir nossa consciência até percebermos todas as nossas criações.

E aceitar que "Eu crio..." é uma tremenda ferramenta para essa expansão. Porque, se for verdade, toda vez que alguém se recusar a cumprir seu papel na criação da realidade estará renegando uma parte de si mesmo. E assim a fragmentação persiste. De fato, segundo os iluminados, nossa metade espiritual cria essas realidades com o único propósito de se tornar completa. Para crescer, precisamos experimentar o que não é a primeira opção de nosso ego/personalidade.

Eles dão a isso o nome de carma: em algum momento do passado recente ou remoto, nós criamos todas as condições com as quais somos confrontados nessa vida. Mas como interagem os carmas de todos os habitantes do mundo? Como tudo isso se encaixa? Como ocorrem essas felizes (e infelizes) "coincidências" que com freqüência anunciam um novo mundo? Quem opera o computador que consegue manter tudo isso em ordem, para 6 bilhões de seres humanos?

Como isso pode funcionar?

O universo *é* o computador. Ausência de dualidade. E ele não precisa ser operado. Ele está conectado, entrelaçado de tal forma que se amarrou a tudo o que é criado por tudo. Ele não responde a nós — ele *é* nós.

O modelo dualístico de carma determina: eu bati em Bob, portanto alguém vai bater em mim. É uma forma muito causa → efeito (ou seja, newtoniana) de ver esses fenômenos. Porém o ponto de vista do modelo não dualista, emaranhado, é diferente. Ele diz que a ação ou o pensamento (que são a mesma "coisa") brotam de uma parte da nossa consciência. Existe uma certa freqüência ou vibração associada à ação ou pensamento. Quando agimos, endossamos aquela realidade, de modo que nos conectamos ao universo pela freqüência ou vibração associada. Tudo "lá fora" com a mesma freqüência responderá a ela,[2] e será refletido em nossa realidade.

De acordo com essa visão, tudo em nossas vidas — pessoas, lugares, coisas, tempos e acontecimentos — não são senão reflexos de nossas vibrações pessoais. De acordo com Ramtha: "Tudo em sua vida tem a *freqüência específica* de quem você é." Portanto, se você quiser a resposta para "Quem sou eu?", basta olhar em torno; o universo está sempre oferecendo a resposta.

O problema está nas nossas partes ocultas, reprimidas, que também são refletidas e que reprimimos porque não gostamos. São esses reflexos que nos fazem dizer: "Eu nunca teria criado *aquilo*." E *aquilo* volta a nós, repetidamente, até que o entendamos. Essa é a roda do carma: uma espiral de infelicidade. Ou como disse um filósofo de botequim: "A vida é uma merda e todo dia sobra um pouco pra você."

Falou como verdadeira vítima.

"A gravidade não existe; a Terra é um saco." Idem.

"A vida é horrorosa, e depois a gente morre."

Vitimização — A cura para a realidade atual

Possivelmente, a maior rejeição a "Eu crio minha realidade" é nos percebermos como vítimas. E isso acontece o tempo todo. A vítima diz: "Essa situação *me aconteceu*, é injusto e eu não merecia." Os corolários dessa atitude são: "Pobre de mim. O universo é injusto. O carma é traidor e volúvel."

[2] Esse é o princípio pelo qual funciona toda transmissão/recepção. O transmissor e o receptor estão sintonizados na mesma freqüência.

Para os puros, todas as coisas são puras, mas nada é puro para os contaminados e infiéis; deles, até a mente e a consciência estão contaminadas.

—Tito 1:15

Recentemente entendi que o próprio ato de negar nossa participação como agentes causais em nossas vidas equivale a tentar usar voluntariamente o pensamento turvo para não precisar lidar com algum aspecto da realidade à nossa frente. Acho que levei esse "truque" à perfeição na maior parte da minha vida. Sempre temos de perguntar a nós mesmos qual é o critério quando dizemos que criamos ou deixamos de criar algum aspecto da realidade. Meu critério sempre foi: criei o que era agradável e confortável, e tentei negar minha responsabilidade pelo que era incômodo. Consegui levar as coisas dessa maneira por um tempo (...) mas então a realidade me pegou. Ela sempre nos pega. Agora penso que sou a força causal e/ou participativa em todos os aspectos do que vejo em minha vida.

—MARK

Todos os dias criamos nossa própria realidade, embora achemos difícil aceitar isso — não há nada mais refinadamente agradável do que culpar alguém pelo que somos. É culpa dela ou dele; é o sistema; é Deus; são meus pais... A maneira pela qual observamos o mundo ao redor é o que volta para nós, e o motivo pelo qual minha vida, por exemplo, é tão parca de alegria, felicidade e realização é porque meu foco é deficiente exatamente nessas coisas.

—Miceal Ledwith

O ganho com essa atitude é: angariar simpatia, sentir-se bem consigo mesmo, porque a culpa não é sua, ignorar as experiências e não assumir sua participação nelas.

A perda é: você acabou de endossar a idéia de que não cria a própria realidade (perdendo assim o poder de criá-la), e terá de passar inúmeras vezes por essa lição, sem contar que essa atitude também é uma fragmentação da realidade. Isso afasta o criador da criação.

Uma olhada no reflexo dessa atitude sobre a sociedade em geral mostra como a vitimização é disseminada. A maior parte do noticiário da noite está centrada nas vítimas. Nos Estados Unidos, a mentalidade de vítima atingiu proporções épicas. Se alguma coisa acontece a alguém, a primeira coisa que essa pessoa faz é procurar alguém para processar.

Como disse don Juan a Carlos Castaneda em *Viagem a Ixtlan*: "Você passa a vida se queixando por não assumir a responsabilidade por suas decisões... olhe para mim. Não tenho dúvidas nem remorsos. Tudo o que faço é decisão e responsabilidade minha."

A grande virada

Assim como a vitimização é a maior rejeição à premissa desse capítulo, "Eu aceito a responsabilidade" é a mais expressiva aceitação dessa premissa. É uma monumental virada na maneira pela qual abordamos o mundo e nossas experiências nele. A vitimização e a perda de poder que ela causa desaparecem da vida. Em toda situação, as perguntas são: "Onde estou ou o que sou nessa situação? O que está sendo refletido de volta para mim? De qual nível do meu eu isso está vindo?

A grande virada é efetivamente aceitar que sua vida e os acontecimentos nela são criação sua e conseqüentemente procurar o significado deles, em vez de pedir ao universo que prove o fato de você criar a realidade e assim poder ficar em cima do muro e aceitar ou rejeitar o que vier. E não se trata de buscar um significado filosófico ou cósmico, mas sim o que os acontecimentos dizem que você é, cria ou nega em sua vida. Você está querendo mudança? Faça essa troca e veja sua vida se transformar diante dos seus diversos "eus".

George Bernard Shaw, grande dramaturgo inglês, disse: "As pessoas sempre culpam as circunstâncias pelo que elas mesmas são. Eu não acredito nas circunstâncias. Quem tem sucesso (...) é quem se levanta e procura as circunstâncias que deseja, e quando não consegue encontrá-las, trata de criá-las."

Como podemos *criar* as circunstâncias? Como criarmos aquelas coincidências que têm imenso efeito sobre o rumo de nossas vidas? Parece loucura alguém poder criar uma coincidência como: "Bem, esqueci o jornal, tive de voltar correndo para casa, mas no caminho meu pneu furou. Parei para trocar o pneu, mas quando me abaixei minha calça rasgou. Aí eu me enrolei num cobertor e passou uma mulher dirigindo, e o desenho do cobertor era criação dela, ela parou e no final nós nos casamos." Foi só uma coincidência. Mas também foi um co-incidente.

E aí, esse marido feliz criou o pneu furado? Ou ele criou o desejo de se casar e o universo elaborou os detalhes? (Esse é o tipo de pergunta que surge quando você entra no bonde do "Eu crio".) Sobre o experimento com o pH da água, William Tiller declara: "A pergunta é se fazemos uma declaração detalhada de intenções ou se agimos de forma a deixar o universo encontrar uma maneira de realizar aquilo? Geralmente, é o segundo caso."

Em outras palavras, em vez de ditar passo a passo o que deve acontecer com a água para mudar o pH, descrevendo o rearranjo das ligações químicas, as trocas iônicas, etc. (...), nos experimentos do doutor Tiller os meditantes apenas se concentram no resultado e deixam que o universo forneça os detalhes.

PRATO DO DIA OU À LA CARTE?

Quando estava me entendendo com as diversas implicações de "eu crio minha realidade", uma das implicações poderosas era: minha criação é um prato do dia ou é à la carte? Eu escolho cada uma das ocorrências, ou há "pacotes fechados"? Pensei sobre a Paixão de Cristo. Ele criou o sofrimento e a violência, ou decidiu trazer uma nova percepção ao mundo e a violência foi apenas uma parte do acordo?

—WILL

Quando a sílaba "co" vem antes de alguma coisa, ela indica algum tipo de relacionamento. Cooperar significa operar em conjunto. Assim, coincidente significa que os elementos do incidente estão interrelacionados. É estranho que agora a palavra tenha o significado oposto.

Possibilidades e tempo

Contudo, resta a pergunta: como é possível que isso tudo funcione? E como alguém pode se tornar mais consciente das possibilidades, de modo que a criação seja mais consciente? Segundo Amit Goswami:

Vá confiante em direção a seus sonhos. Viva a vida que imaginou.

—Henry David Thoreau

> Há uma hipótese de que a consciência é o fundamento do ser. Tudo são possibilidades de consciência. A consciência escolhe entre essas possibilidades qual a experiência que vai de fato se manifestar (...) Falar de quântica é falar de possibilidades, mas, quando olhamos para nós mesmos, quantas vezes nos perguntamos: "Quais possibilidades?" Essa dúvida (...) [pode] se limitar a coisas triviais como que sabor de sorvete vamos escolher dessa vez, baunilha ou chocolate, o que depende totalmente de suas experiências passadas. Assim você perde a física quântica da sua vida.

O doutor Goswami vê as possibilidades de nossa vida espalhadas como ondas de probabilidade de um elétron. Quer dizer que as opções em nossas vidas são tão "reais" como as ondas previstas pela equação de Schrödinger. Stuart Hameroff expande esse conceito:

> Cada pensamento consciente pode ser visto como uma escolha, uma superposição quântica entrando em colapso em uma escolha. Então digamos que você esteja olhando para o menu, tentando decidir se vai comer camarão, massa ou atum. Imagine que há uma superposição quântica com todas essas possibilidades coexistindo simultaneamente. Talvez você até avance um pouco no futuro e prove os diversos pratos. Então você decide: "Ah-ha, vou pedir o espaguete."

Ir ao futuro não é tão ficção científica quanto parece. Como define o doutor Hameroff: "Na teoria quântica, você também pode recuar no tempo e existe alguma sugestão de que os processos cerebrais relacionados com a consciência se projetam para trás no tempo."

Se todas essas teorias forem provadas, significa que uma consciência individual está constantemente conferindo as possibilidades futuras, talvez até indo ao futuro para "experimentar" se deve se casar ou não, para então focalizar ou fazer a possibilidade escolhida colapsar na realidade. O "como" é concretizado pelo universo imensamente interativo e superinteligente, que responde automaticamente à consciência porque ele é consciência. O universo *é* o computador que mantém o controle — por isso ele está aqui. E, se ele é capaz de criar formas de vida auto-replicantes e autoconscientes, também pode consertar um pneu furado.

E como essa visão torna a criação mais consciente? Bem, para muitos o futuro está atrás de um grande muro intransponível. Portanto, as possibilidades do outro lado não são vistas, e quando aparecem são um choque. Mas se você entender que elas são reais e podem ser desenvolvidas, manipuladas e colapsadas, poderá pular o muro e entrar no futuro em que um novo você o espera.

Como criar o seu dia

Seu estoque de realidade criada está à sua frente. Distribuídas pela paisagem do tempo, as possibilidades esperam "o movimento de consciência" para fazerem o evento propriamente dito ser experimentado. Mas digamos que você seja um pouco mais proativo — um paisagista ativista que não quer se sentar e deixar as ervas daninhas do universo crescerem, mas sim semear a paisagem de possibilidades com as próprias criações conscientes.

O conceito mais popular, mais cativante, sobre o qual mais informações foram solicitadas em *Quem somos nós?* foi a idéia de criar o seu dia. Essa técnica foi ensinada por Ramtha a seus alunos em 1992 e é um dos pilares da escola situada em Yelm, no estado de Washington: "Nenhum mestre digno desse título deixa que o dia lhe aconteça; pelo contrário, ele cria o seu dia."

UM PEQUENO ENSINAMENTO VIROU SUCESSO

O texto a seguir foi extraído do DVD *Ramtha: Create Your Day – An Invitation to Open Your Mind*: "Você já percebeu que assim que acorda você não sabe quem é; e você desperta e não sabe quem você é. Você já percebeu como olha em torno do quarto para se orientar, e o que é mesmo surpreendente é quando você vê a pessoa a seu lado e por um segundo não sabe quem ela é? Eu acho que você deveria pensar muito nisso. Nós passamos os primeiros momentos antes de sair da cama nos orientando, refazendo a ligação com uma identidade que por um instante nós nem mesmo tínhamos, e a identidade é aquela [coisa] que começamos a formar quando olhamos para a pessoa a nosso lado. Então, nos levantamos, começamos a coçar nossos corpos (...), então ficamos de pé e vamos ao banheiro e no caminho olhamos para nós mesmos. Por que fazemos isso? Por que olhamos para nós mesmos? Porque estamos tentando lembrar quem somos. Ainda é um mistério.

Mas se você precisa se lembrar de quem é e dos parâmetros de sua aceitação e do muro de sua dúvida, se tem de passar por esse ritual todo santo dia, qual a chance de seu dia ser especial? (...) Mas, e se (...) antes de tentar lembrar quem é, você se lembrasse do que *você quer ser*, e talvez isso viesse imediatamente antes de ver seu cônjuge, de se tocar, de sair da cama, de assustar o gato e de se olhar no espelho. Antes de fazer tudo isso você se lembrou de algo: 'Antes que eu me ligue no ritual da minha rede neural, vou criar um dia surpreendente, que vou acrescentar à minha rede neural, que vai acrescentar experiência à minha vida', e você cria seu dia. Aquele momento em que você ainda não é quem você é, esse é o momento mais sublime (...) Naquele momento você vê o extraordinário, você pode

Tudo isso parece ótimo na teoria. Mas é a prática que é complicada. Eu me lembro das primeiras vezes que comecei a criar meu dia. Naquele momento, antes de saber quem "eu" era, era impossível. Meu corpo inteiro ficava em choque. Eu ficava assustada e precisava fazer alguma coisa para me trazer de volta à "realidade". Era como se eu não pudesse suportar ficar longe de toda a minha identidade normal pelo tempo necessário para criar alguma coisa diferente. O medo e o pânico dominavam. Precisei de muito tempo só para me permitir sentir medo, mas continuar no desconhecido. Quando comecei a ver os efeitos e resultados, o medo virou expectativa.

—BETSY

esperar e aceitar o incomum, você pode aceitar um aumento de salário hoje. Se você se tornar você mesmo, sua expectativa de um aumento de salário diminui muito. Nós dois sabemos disso. Mas nesse estado de inconclusividade sobre sua identidade, você pode criar qualquer coisa.

Assim eu digo a meus alunos: antes de se levantar e lembrar quem você é, crie seu dia. Depois de você criar seu dia, sua rotina vai mudar. Vai ser uma pessoa ligeiramente diferente olhando para o vaso sanitário, olhando-se no espelho. Vai haver alguma coisa diferente em você, e isso vai ser maravilhoso."

A vida não é para nos encontrarmos. A vida é para criarmos a nós mesmos.

—George Bernard Shaw

Esse ensinamento magnífico se dirige ao "eu", que, afinal, foi o objeto do capítulo. Quem é o "eu" que está criando? Se é a personalidade, então as criações vêm das estruturas, hábitos, propensões, redes neurais e daquela mesma estrutura de personalidade de sempre, e tudo o que for criado será o mesmo de sempre. Criar o que já existe é praticamente não criar.

Ou a criação está vindo do ser mais elevado, do ser Deus, caso em que ela em geral é inconsciente e resulta de algum carma profundamente enterrado. Dessa maneira, embora as criações sejam maravilhosas para o espírito, para a personalidade isolada, elas parecem arbitrárias e injustas e dão origem a sentimentos de impotência e vitimização.

Essa técnica faz uso do momento do não ser ou do novo ser. De dentro desse eu, alguma coisa verdadeiramente nova pode se manifestar. Alguma coisa que você cria *conscientemente*. E criar assim desmonta para sempre a armadilha da vitimização e da impotência.

E cada dia estabelece, de forma muito real, que você cria sua realidade.

E, se isso for verdade, essa confirmação é como gasolina no fogo.

Pense um pouco nisto...

- Quais são os limites, se houver, da sua criatividade e do seu poder?
- Podemos mudar as leis da física? Se pudermos, elas serão leis? O que são leis?
- Quando aprendemos a criar com mais eficiência, que tipo de responsabilidade passamos a ter?
- Qual é a maneira mais construtiva de usar a criatividade?
- Como podemos saber se nossos objetivos individuais estão alinhados com os objetivos cósmicos?
- Qual o impacto de saber que estamos criando o tempo todo, conscientemente ou não?
- Qual a diferença entre a personalidade e o nível mais elevado de consciência?
- Como posso saber a diferença?
- Quando sei que é minha personalidade que está criando e quando sei que é minha consciência mais elevada?
- A minha personalidade é ruim?

POR QUE NÃO SOMOS MÁGICOS?

LUKE SKYWALKER, VENDO YODA RETIRAR DE DENTRO DO PÂNTANO O CAÇA X-WING USANDO APENAS A MENTE: *Não acredito!*

YODA: *É por isso que você fracassa.*

Mágicos.
Saltando para fora da página escrita
e da tela prateada...
Mestre Yoda, o diretor Dumbledore, Gandalf,
o Branco. Magos! Detentores do
fogo da criação — mágica!

Quem não gostaria de ser mágico?
Quem não gostaria de se transferir da sala
405 do ensino médio para Hogwarts?
Quem preferiria ser um trouxa?[1]
Quem? Obviamente — os trouxas!

Porque *se* criamos nossa realidade, e nela não há mágica, então fomos nós que criamos *aquilo*, não fomos? Parece estranho que a maioria adore a idéia de mágica e adoraria ser capaz de fazê-la, e, no entanto, o mais próximo disso que temos é o controle remoto da TV.

Isso suscita uma pergunta importante: o que é mágica em relação à ciência? Certamente um controle de TV (e a TV!) seriam alta mágica há duzentos anos. Os sumérios escreveram sobre deuses que se comunicavam por todo o planeta de modo mágico, instantaneamente, usando a voz. E hoje isso é tão simples quanto escolher um canal de TV. Portanto, onde está a diferença? A ciência é considerada muito dependente de procedimentos, mas a mágica não é diferente: livros de mágica têm procedimentos descritos passo a passo, como nos livros de

[1] Nos livros de Harry Potter, trouxa se refere àqueles que não têm poderes mágicos. Hogwarts é a escola onde se aprende mágica, dirigida por Dumbledore.

culinária, ensinando como produzir o desejado. Parece que a mágica é apenas ciência do outro lado do paradigma. E o que o doutor Tiller faz com suas caixas pretas é deslocar essa fronteira.

O manual dos antimagos

Em vez de se preocupar com o porquê de não sermos mágicos (já que só você pode responder a essa pergunta), vamos examinar um capítulo de *O manual dos antimagos*, intitulado "Como transformar um mágico em sapo." E se parte desse material começar a parecer familiar, isso lhe dará uma pista sobre quem mais andou lendo e usando o manual.

1. Convença as pessoas de que elas NÃO são mágicos.
2. Ensine as glórias de ser a vítima.
3. Confunda e embaralhe os sistemas de crenças.
4. Torne os novos conhecimentos assustadores e inacessíveis.
5. Faça os mágicos parecerem assustadores e torne perigoso ser mágico.
6. Obrigue-os a mentir.
7. E nunca olhe para dentro.

Se você por acaso é um mago que foi transformado em sapo, *O manual dos antimagos* também tem os antídotos para cada um desses procedimentos.

1. Convença as pessoas de que elas NÃO são mágicos.

Como todo mundo é mágico, se você convencer as pessoas de que elas não são, elas deixarão de ser. Nesse caso, não prossiga a leitura.

Antídoto: Lembre-se de sua grandeza: você já é mágico.

"Era uma época mágica, quando a magia pairava densa no ar. As árvores respiravam canções para os pássaros, que narravam contos de poder. Vales encantados guardavam segredos de que a palavra adequada faria o ouro brilhar do nada. A magia estava em toda parte. E eu estava lá. Imerso nos estilhaços cintilantes da criação que eu dizia ser real."

O parágrafo anterior faz parte de um livro que eu nunca vou escrever. Mas quantos de nós lemos livros com o desejo de ser teletransportados até lá? Em uma era de mágica, ela está em toda parte. Porque todo mundo SABE que é assim que o mundo é. Antes que os ocidentais chegassem ao Tibet, as histórias sobre "mágica" eram lugar-comum. Os lamas tinham a habilidade de dar saltos de 10m, de modo que podiam cobrir centenas de quilômetros em uma hora. Lugar-comum, hoje desaparecido. O que, então, nos leva a perguntar: "O que nós queremos para o amanhã?"

Talvez eu acabe escrevendo aquele livro...

—WILL

As obras que faço, ele também fará; e as fará maiores do que essas.

—João 14:12

Se lhe disserem que você é uma mutação acidental da matéria e sua percepção de si mesmo é uma propriedade *epifenomenológica* das partículas mortas, como você se sentirá mágico? Se seus momentos mágicos são chamados de coincidências, onde está a mágica em sua vida? Se a visão que você tem do mundo é morte, doença, guerra e sofrimento (ou seja, o noticiário da noite), e se você se sente impotente para mudar tudo isso, como poderá ser mágico?

E se disserem que você é um pecador desprezível, nascido em pecado e culpado aos olhos de Deus?

Você não pode acreditar em quem diz que nada disso é assim. Isso só vale para essas pessoas. O que você escolheria, que não é assim ou que é assim? Quem está com a verdade? Alguns dizem que algo é impossível e outros dizem que é assim mesmo? Quem está com a verdade? Nós estamos.

—JZ Knight

Há mais ou menos quarenta anos, um grupo de pensadores pioneiros, comandados pelo professor Abraham Maslow, da Universidade de Brandeis, percebeu que a psicologia praticamente só se preocupava com *problemas e doenças*: neuroses, psicoses, disfunções. Por que não estudar indivíduos saudáveis ou mesmo extremamente saudáveis? Por que não descobrir as mais altas possibilidades dos seres humanos — e criar maneiras de ajudar todo mundo a desenvolver os próprios poderes?

Cem anos antes, o grande escritor americano Henry David Thoreau escreveu: "As competências do homem nunca foram medidas; nem podemos julgar com base em qualquer precedente o que ele é capaz de fazer."

Norman Cousins, escritor e editor da *Saturday Review*, expressou a mesma idéia: "O cérebro humano é um espelho do infinito. Não há limite para a sua abrangência, escopo ou crescimento criativo. Ninguém sabe que grandes saltos de realização poderão estar ao alcance da espécie quando a total potencialidade da mente for desenvolvida." Isso foi o que os psicólogos do Movimento do Potencial Humano se dispuseram a descobrir.

Talvez o maior legado de Maslow e seus colegas tenha sido ajudar a trazer para o público a idéia de que todos possuímos um tremendo potencial latente, e que existem poderes e habilidades dentro de nós que nunca chegam à superfície, pelo menos por enquanto!

2. Ensine as glórias de ser a vítima.

Quando os mágicos aceitarem ser vítimas, eles terão abdicado do direito de criar a realidade. Para as vítimas, a realidade é algo que lhes acontece: é injusta e nunca é culpa delas. Logo, elas precisam olhar para dentro, onde verão a própria criação.

Antídoto: Aceite a responsabilidade por sua vida.

As glórias de ser vítima são muitas. Você nunca está "errado", portanto não precisa sentir culpa. As pessoas têm pena de você, se dedicam a você e o ajudam. O nome do jogo é culpa. Culpe os pais, a sociedade, o trabalho, os parceiros, a saúde, blablablá, pelas circunstâncias indesejadas em sua vida. Mas essa rede de desculpas se desmorona quando aceitamos que a *consciência cria a realidade* (CCR). Esse é o aspecto mais prático da CCR. Quer dizer que *você* criou *sua* vida e *seu* mundo. Você pode reclamar e gemer porque parece não ter o que quer, mas na verdade você *tem* o que quer. Você está vivendo a vida que escolheu, *a vida que acreditou poder viver.*

Para saber de fato onde sua consciência verdadeiramente está, basta observar cada coisa, cada pessoa, cada lugar e cada acontecimento em sua vida.

Aceitar que "eu crio minha realidade" não foi fácil nem divertido. Eu olhava em torno para o massacre e o caos que tinha criado e pensava: "Merda, isso está uma bagunça!" Mas, espera aí! Se eu posso criar isso, então posso criar uma coisa diferente.

—BETSY

3. Confunda e embaralhe os sistemas de crenças.

A fé é o motor da criação. O menor problema de fé em um ato mágico vai fazê-lo descarrilar. As "autoridades" são muito úteis neste processo.

Antídoto: Não atribua poder a autoridades, confie em sua própria experiência. Lembre-se: a fé é o motor da criação.

Jesus caminhou sobre a água?

É verdade que milhares de pessoas todo ano caminham sobre um canteiro de brasas e não sofrem queimaduras?

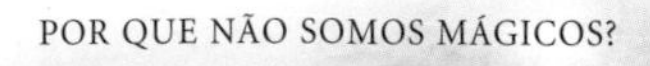

Por exemplo, quando um trouxa vê um dragão, o Ministério envia operadores chamados obliviadores para realizar feitiços de memória que farão o trouxa esquecer o que viu.

— Página na internet da The Harry Potter Lexicon

Gordie, o marido de Betsy, caminhou três vezes sobre as brasas sem nunca senti-las. Então ele perguntou a seu professor de fisiologia sobre isso. Foi dito a ele que aquilo não tinha realmente acontecido, e que os carvões em brasa não estavam quentes. Era o efeito "Leidenfrost"*. Na quarta caminhada, Gordie começou a se perguntar se era verdade o que o professor tinha afirmado e se as brasas estavam realmente quentes. Ele saiu do canteiro de brasas com queimaduras de terceiro grau.

O que Gordie fez então? Primeiro, ele aplicou o antídoto número 2 — em lugar de culpar o professor ou o orientador da caminhada, ele percebeu *como tinha criado aquele resultado* e então aplicou o antídoto 3. Não comprou o efeito Leidenfrost e confiou na própria experiência. A quinta caminhada ocorreu sem nenhum problema.

É complicada essa coisa de fé. Quem quer ser um alucinado, imaginando acontecimentos tão fora da realidade que o descompasso vai deixá-lo maluco? Mas por outro lado, quem quer se deixar limitar pela realidade mediana, comum, do dia-a-dia, a ponto de nunca ver mágica em nada? A idéia de caminhar sobre a água é maluca. Se não fosse por aquela famosa cena no mar da Galiléia, sem sombra de dúvida todo mundo diria que isso é impossível; se você acha possível — você é doido!

É complicado porque nossos sistemas de crenças em geral não são um todo integrado, bem pensado e consistente. Em outras palavras, pode acontecer um momento de euforia no qual você acredite que pode voar, mas você também acredita que tudo o que sobe tem de descer. De acordo com Miceal Ledwith:

> Se eu acreditar que posso caminhar sobre a água e gritar para mim mesmo que vou caminhar sobre a água, em geral o que estou fortalecendo é um disfarce da dúvida que estou sentindo. Logo, se for caminhar sobre a água com esse foco dividido em minha mente, vou afundar.

---

* O efeito Leidenfrost é um fenômeno que ocorre quando dois meios a temperaturas muito diferentes interagem. Forma-se entre eles uma camada de vapor que funciona como isolante. [N. da T.]

Mas se aceitarmos absoluta e totalmente aquilo, aí sim, vai acontecer, porque a realidade se acomoda à nossa intenção. Da mesma forma, se você puder se concentrar e se convencer de que está curado, isso acontecerá, mas *o que normalmente não aceitamos é o grau de dúvida* escondido por trás dessas afirmações.

E se você olhar bem, a dúvida é sempre resultado do sistema de crenças entrando em colisão com a fé que ampara sua ação. E, até que esses conflitos sejam eliminados, o caça X-wing permanecerá no pântano. Como diz Ramtha:

> Que amplitude, que profundidade, que altura tem o nível de sua aprovação? Porque a fé é isso. Você jamais poderá manifestar em sua vida aquilo com que não concorda. Você só manifesta aquilo que aprova. Portanto, qual é a amplitude da sua aprovação? É maior que a dúvida? Quais são as limitações da sua aprovação? É por essa razão que você está doente? É por isso que está envelhecido? É por isso que está infeliz, porque o nível de sua aprovação é a infelicidade? Isso é tudo o que você vai conseguir, você sabe. Você não vai conseguir nada maior.

Por que Donald Trump é rico? Porque ele aceitou ganhar 3 milhões de dólares por dia. Ele construiu um modelo de possibilidades que a maioria das pessoas não tem. A maioria das pessoas tem modelos que talvez lhes permitam ganhar duzentos dólares por dia. Trump apenas acrescentou um monte de zeros e aceitou o resultado. Ele não nasceu necessariamente com um dom especial. Trata-se apenas de aprovação. Como construir o nível de aprovação? Os atletas o constroem treinando e depois disputando uma corrida. Eles descobrem quais são as próprias limitações. Descobrem em que são bons. O treinador os ajuda, e é possível que eles cheguem a ganhar medalhas olímpicas. Por que seria diferente quando se trata da mente? Nós também não deveríamos estar treinando a mente? Não deveríamos estar dando informações a ela?

—MARK

4. Torne os novos conhecimentos assustadores e inacessíveis.

Os conhecimentos novos são a chave que destrava os velhos sistemas de crenças e abre a porta para realidades cada vez maiores. Além disso, o conhecimento fortalece nossa fé no verdadeiro mecanismo interno do universo e assim dá mais poder ao mágico. Portanto, faça uso da medida defensiva mais drástica: o medo.

Antídoto: "Pedi, e dar-se-vos-á; buscai e achareis; batei, e abrir-se-vos-á"—Mateus 7:8

Quando pensamos em um mágico, nos vêm à mente visões de alguém em um gabinete, com livros empilhados até o teto e com instrumentos científicos espalhados ao redor. O doutor Dispenza explica por quê: "Para tentar fazer algo que a humanidade considera insano é preciso ter conhecimento que permita sonhar grandes sonhos. É preciso ter vontade e paixão para ultrapassar a própria zona de conforto e superar a necessidade de ser como os outros. Contudo, fazer isso sem o conhecimento adequado é insanidade. Se for feito com o conhecimento adequado, é considerado heroísmo; é considerado brilhantismo; é considerado genialidade."

Ele [Gandalf] se levantou e não mais se apoiou no cajado (...):
— Os sábios só falam do que sabem, Grima, filho de Galmod. Um verme ignorante você se tornou. Portanto, fique em silêncio e guarde na boca a sua língua bifurcada. Eu não passei pelo fogo e pela morte para trocar palavras inúteis com um serviçal, até que caia o raio.
Ele ergueu o cajado. Ouviu-se o som do trovão...
Houve um clarão como se o trovão tivesse fendido o teto. Então tudo foi silêncio. Língua-de-Cobra se atirou ao chão.

— *O senhor dos anéis*

Amit Goswami completa: "Sempre que nossas fronteiras são expandidas, sentimos felicidade. Sempre que nossas fronteiras são contraídas e nos sentimos dentro de um pequeno casulo, ficamos infelizes. Portanto, a idéia é expandir nossas fronteiras."

O que mais os magos têm em comum? O cajado. Tanto Gandalf quanto Yoda tinham um cajado.

"E ordenou-lhes que nada tomassem para o caminho, senão somente um bordão; nem alforje, nem pão, nem dinheiro no cinto." — Marcos 6:8

Por que um cajado? Ele era considerado o apoio do conhecimento. Amparava o artífice da mágica e o guiava na viagem. E também dava grande poder. É por isso que, em todos os séculos, se quisermos transformar seres imortais em sapos, queimamos livros. De acordo com John Hagelin:

> O conhecimento é o maior motivador. Se as pessoas tivessem noção do potencial da vida, do que os estados de consciência mais elevados, fora da vigília, do sonho e do sono, oferecem à vida, e como será o mundo quando as pessoas viverem em consciência de unidade, elas se sentiriam motivadas. A única razão pela qual não estamos motivados é porque não estamos expostos ao conhecimento.
>
> Que tipo de conhecimento a mídia de hoje apresenta às pessoas? Só o necessário para que saiam e comprem um hambúrguer. Nunca o suficiente, de fato. Nunca o bastante para inspirar e mostrar o que é possível na vida.

5. Faça os mágicos parecerem assustadores e torne perigoso ser mágico.

Os seres iluminados são magneticamente radiantes e procuram instruir todo mundo. Livrar-se deles de uma forma ou de outra elimina o problema e deixa os outros com medo de seguir-lhes os passos.

Antídoto: Encontre aqueles com quem você pode aprender a sabedoria e se instrua.

Trazer a iluminação ao planeta tem sido uma ocupação perigosa há milênios. E não só para os instrutores espirituais. Os cientistas também tiveram problemas. Mas agora, sendo mais difícil simplesmente exterminar os instrutores incômodos, o recurso é fazê-los parecer estranhos, assustadores ou ameaçadores. Se isso não funcionar, um palavrão — líder de culto — é imputado a eles. Existem muitas pessoas com as quais podemos aprender e a única forma de saber é ver por nós mesmos. Lembre-se do antídoto número 3 — não acredite em autoridades; confie em sua própria experiência.

Quanto a ser perigoso, certamente é, mas não tanto quanto costumava ser. Os tempos mudaram. Infelizmente, a lembrança permanece na consciência coletiva. O maior exemplo disso não são os milhares de instrutores eliminados, mas a estimativa de 50 mil a 100 mil bruxos queimados em um período de quinhentos anos. É triste que todos os exemplos de mágicos sejam homens, principalmente quando, segundo muitos instrutores, as mulheres são naturalmente mais propensas a essa arte. De acordo com o professor de Carlos Castaneda, o índio bruxo don Juan, quando se apresenta aos homens uma nova idéia mágica, eles pensam sobre ela, falam dela e a discutem, ao passo que as mulheres simplesmente põem a idéia em prática.

Como transformamos um dia comum em um dia super-extraordinário? Tendo o conhecimento para pensar sobre o extraordinário. Assim o dia se tornará extraordinário.

—JZ Knight

6. Obrigue-os a mentir.

Uma mentira é uma incoerência com a realidade. Ela fragmenta o mentiroso, fazendo dele uma casa dividida. Também fragmenta a integridade do sistema de crenças do mentiroso, desvalorizando dessa forma qualquer mágica que ele faça. Portanto, torne a mentira aceitável.

Antídoto: Quando estiver à beira de uma mentira, pergunte a si mesmo: O que de pior pode acontecer se eu disser a verdade? Vale a pena sacrificar minha herança mágica por causa disso?

Buscai, pois, em primeiro lugar, o Seu Reino e a sua justiça, e todas estas coisas vos serão acrescentadas.

—Mateus 6:33

Hoje em dia parece que todo mundo mente. Os patrões mentem, os repórteres mentem, os políticos mentem, os amantes mentem, os líderes religiosos mentem. Parece aceitável mentir porque ninguém se incomoda muito com isso.[3] Porém, os verdadeiros mágicos conhecem as conseqüências. Um dos votos de um monge budista é nunca mentir. Diz-se que como Jesus nunca mentia, absolutamente jamais mentia, quando ele dizia alguma coisa, o universo era obrigado a apoiá-lo. Assim, quando ele disse "Ergue-te, pega a tua cama e vai para casa", isso foi uma lei do universo. "E ele se ergueu e foi para casa." O doutor Ledwith acrescenta:

> Se em nossas vidas não tivéssemos tempo para mentiras ou enganos, se tivéssemos a impecabilidade absoluta de um mestre espiritual, então faríamos sem esforço essas coisas (miraculosas). Mas, você sabe, não chegamos a isso ficando sentados e ouvindo música maravilhosa, queimando incenso e essas coisas todas. Chegamos de uma forma muito prática: confrontando as mentiras, a ausência da verdade e as atitudes de vítima que fazem de

---

[3] Por exemplo: os líderes dos EUA produziram uma série de mentiras para manipular o país e fazê-los aceitar uma guerra que matou dezenas de milhares de pessoas. No entanto, em geral, os americanos não deram a mínima.

nós o que somos. Se extirparmos essas coisas, o resto forçosamente virá. Se nunca arrancarmos essas coisas, se as acobertarmos sob a fachada de espiritualidade, então a ciência e a religião podem se unir até o fim dos tempos e não vai fazer a menor diferença.

Porque o reino de Deus está dentro de vós.

—Lucas 17:21

7. E nunca olhe para dentro.

Embora essa seja a última regra, ela sustenta tudo o que veio antes. Se as pessoas nunca olharem para dentro, nunca descobrirão a verdade sobre quem e o que elas realmente são. Portanto, convença-as de que a verdadeira felicidade está fora delas.

Antídoto: Não aceite — olhe para dentro.

O bombardeio diário da publicidade procura dar ênfase à idéia de que a realização é alcançada quando obtemos alguma coisa no mundo exterior. Mas o fato é que depois de conseguir mais automóveis, casas, dinheiro e fama, o que resta é você mesmo.

Contudo, é importante lembrar que os publicitários, os mentirosos e a mídia não são responsáveis por ninguém estar na condição de sapo. Isso equivaleria a ser uma vítima. No fim das contas, é sempre cada indivíduo quem decide em que vai prestar atenção. Em que vai se focalizar. O que vai deixar entrar. Isso é sempre nossa escolha pessoal. Jogar a culpa em qualquer coisa externa é diminuir nosso interior.

Imagine a seguinte situação: andar por aí com o Reino de Deus, o paraíso, a iluminação, o nirvana dentro de você. Eu quero dizer, imagine literalmente:

Mantenha essa imagem em mente — ir para o trabalho, para a escola, para o mercado com tudo aquilo dentro de você. Onde quer que vá, você carrega o eterno consigo...

Se isso não é a cara de um mágico, então eu não sei o que é.

Uma matriz de palavras

Estivemos discutindo e investigando uma porção de conceitos. Já é hora de começar a amarrá-los...

Escreva o que você pensa ser a relação entre essas palavras. Por exemplo, "A mágica está fora do paradigma." Analise todas as relações.

Como é acima, é abaixo

O símbolo milenar para isso é a estrela de seis pontas composta de dois triângulos superpostos, também conhecida como estrela de Davi.

Da lista de palavras a seguir, veja quantos relacionamentos do tipo acima/abaixo você consegue construir. Depois de ter feito isso, fique à vontade para criar sua própria lista.

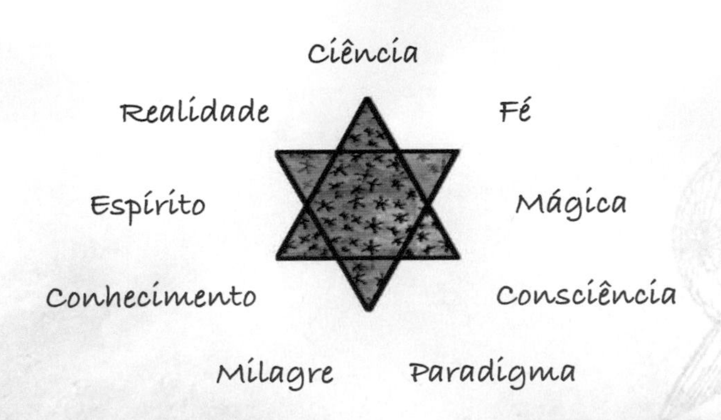

O CÉREBRO QUÂNTICO

Já ouvi algumas pessoas dizerem que a consciência
é essa propriedade maravilhosa do universo
que tem predileção pelo cérebro humano.
Se isso for verdade, então a consciência pesa
mais ou menos um quilo e meio e se parece um pouco com
uma couve-flor cinzenta.

ANDREW NEWBERG

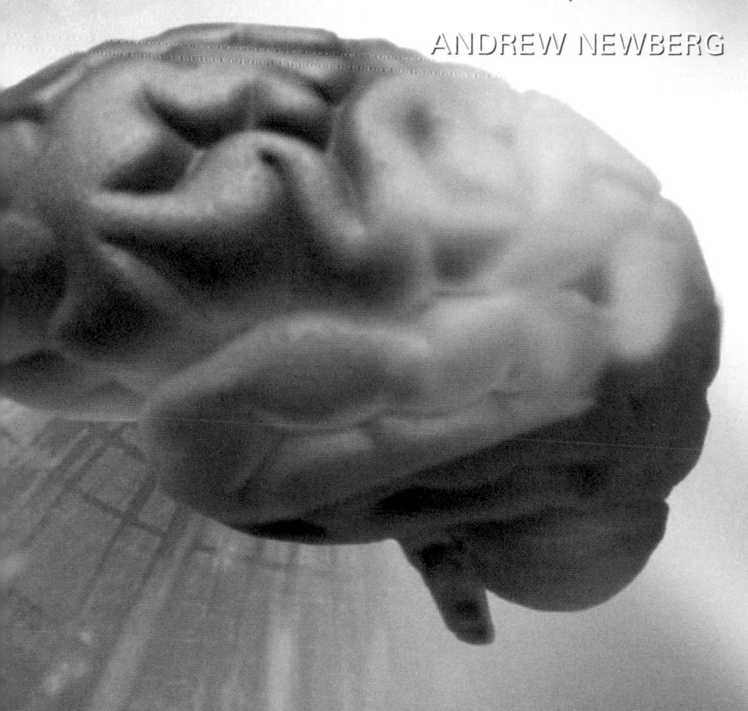

Jeff: "Hoje em dia você pode colocar em qualquer coisa o rótulo de quântico. Há alguns anos a palavra era criativo: divórcio criativo, culinária criativa. Agora é quântico: divórcio quântico, culinária quântica, cura quântica..."

Betsy: "O que é culinária quântica?" (risos)

Jeff: "Eu não sei, mas soa bem, não soa?"

Ver o conceito de quântico aplicado em toda parte o surpreende? É uma forma diferente de ver o universo físico sobre o qual o resto é construído. Ela parece abrir a porta a várias possibilidades e resolver enigmas que vêm desafiando a humanidade há milênios.

Uma das aplicações mais interessantes da teoria quântica, isto é, fora da cozinha, é examinar alguns aspectos intangíveis de nossas vidas: a consciência (ela, de novo!), o livre-arbítrio, a intenção, a experiência; e, especificamente neste capítulo, o encontro da quântica com o cérebro!

A consciência, o cérebro, o corpo

Será a consciência um produto do cérebro, um "epifenômeno" ou uma "propriedade emergente" da atividade bioelétrica cerebral? Será o que ocorre quando alguns neurônios disparam juntos, produzindo um nível suficiente de complexidade computacional? Logo, o cérebro é apenas um computador biológico? Em que divergimos das máquinas? É possível haver inteligência artificial igual ou superior à humana? Essas máquinas seriam "conscientes"? Elas teriam a capacidade de aprender? Teriam livre-arbítrio?

Ou a consciência é um componente fundamental do universo, independente do cérebro, podendo ser experimentada mesmo sem o corpo, como em milhares de experiências extracorpóreas ou de quase-morte documentadas? Naqueles casos, o corpo do indivíduo é temporariamente desligado e deixa de funcionar (numa mesa de cirurgia, por exemplo) e, no entanto, a consciência permanece desperta para experimentar.

Historicamente, as respostas a essas perguntas se enquadram em uma das três categorias a seguir:

- **Materialismo:** A matéria é primária; a consciência, seja ela o que for, é secundária. Ela é apenas um resultado da atividade cerebral. Não existe "consciência" propriamente dita; ela não tem realidade própria, é meramente um produto de nossa biologia, de redes neurais e das interações eletroquímicas.
- **Dualismo:** Consciência e matéria são realidades existentes. Contudo, elas são tão diferentes (uma é sólida e tangível, a outra é abstrata e intangível) que operam em domínios inteiramente distintos. Descartes, no século XVII, dividiu o mundo em *res cogitans* e *res extensa* — o reino do espírito e do pensamento, e o da matéria e dos objetos. O mundo material, que inclui os minerais, as plantas, os animais e os seres humanos, é composto de máquinas governadas pelas leis absolutas da causalidade. Não há ação recíproca entre o reino livre e abstrato do pensamento puro e o reino denso e localizado da matéria. São duas substâncias radicalmente diferentes.
- **Idealismo:** a consciência é a realidade fundamental. Tudo são expressões dela. Sendo viva, fluida e perpetuamente auto-renovadora, ela se expressa num continuum de níveis ou camadas da mais "etérea" e abstrata, a consciência pura, passando por todos os níveis sutis e mais "substanciais" (funções de ondas quânticas e partículas,

A diferença entre nós e uma pedra é que o comportamento humano, se comparado ao comportamento da pedra, tem as raízes profundamente inseridas no nível mecânico quântico, a partir das moléculas individuais de DNA de cada célula no cérebro.

—John Hagelin, Ph.D.

fótons, átomos, moléculas, células, etc.) até a matéria mais sólida. Nesse continuum, tudo está conectado e relacionado. É tudo o mesmo material, manifestando-se em freqüências, níveis vibratórios ou densidades diferentes.

Nas duas primeiras categorias, a consciência não proporciona identidade nem dignidade, e está eternamente isolada de qualquer interação com o mundo material. Na terceira visão, o problema do relacionamento entre consciência e corpo desaparece: eles sempre estarão relacionados e conectados; são dois aspectos da mesma "coisa". Essa estrutura de pensamento, embora considerada "extremada" por muitos, é aceita não só no budismo, na tradição védica indiana, no cristianismo, no judaísmo e no islamismo, mas é preferida por alguns dos físicos que mencionamos anteriormente. E a consciência bem poderia ser o "monismo neutro" do matemático e filósofo Bertrand Russell, segundo o qual uma mesma entidade subjacente dá origem tanto às qualidades físicas quanto às mentais.

Mas quais os mecanismos pelos quais a consciência perde sua abstração pura e se torna pensamento, percepção e sentimento, e aparece no cérebro como atividade elétrica ou química? Veja algumas tentativas teóricas de explicar isso.

Há um debate em andamento sobre os efeitos quânticos microscópicos e se eles realmente aparecem em nosso mundo grande, macroscópico. Muitos dos questionamentos sobre o uso da quântica para falar de coisas como mente/matéria surgem dessas considerações e elas definitivamente precisam ser examinadas e levadas em conta. Mas eu acho que, se vamos encontrar efeitos quânticos em qualquer lugar de nosso grande mundo, vai ser no pedaço mais sofisticado de estrutura física já encontrado — nossos cérebros.

—WILL

Aviso: As visões a seguir não são aceitas pela maioria dos cientistas tradicionais. A leitura desse material pode fazer o cérebro ser reestruturado. Por favor, consulte o seu eu superior quanto à validade.

A visão de Stuart Hameroff — O cérebro quântico

Como a matéria viva produz pensamentos e emoções subjetivos? — pergunta Hameroff, professor emérito de anestesiologia e psicologia e diretor do Centro de Estudos da Consciência da Universidade do Arizona. — Como o nosso cérebro responde à "experiência" fenomenológica — ao cheiro do jasmim, ao vermelho da rosa ou à alegria do amor?

Apesar de questões como essas terem ocupado os filósofos e pensadores durante séculos, Hameroff indica que "o estudo da consciência passou por maus momentos durante a maior parte do século XX, enquanto os comportamentalistas dominaram a psicologia. Por que estudar o que não pode ser medido? A consciência se tornou um palavrão nos meios científicos, encoberta por paradigmas de condicionamento operante, reflexos pavlovianos e outros parâmetros quantificáveis".

Nos anos 1970, ressurgiu o interesse pela consciência. Um grande número de pessoas, especialmente a geração dos anos 1960, experimentou ativamente a transformação da consciência por meio da meditação, de terapias e de compostos químicos alucinógenos. Além disso, os computadores permitiram trabalhar intensivamente com a inteligência artificial (IA) e analisar rapidamente os dados obtidos por meio de leituras elétricas do cérebro (eletroencefalogramas e outras medições).

Nos anos 1980 e 1990, cientistas proeminentes entraram nessa caravana e produziram livros e teorias defendendo a idéia do cérebro como um computador magnífico e a visão de que, como diz Hameroff: "a consciência tinha alguma coisa a ver com os mistérios da mecânica quântica".

Então, Hameroff tomou conhecimento do trabalho de *sir* Roger Penrose, renomado matemático e físico inglês.

A MEMÓRIA FICA REALMENTE NO CÉREBRO?

Atualmente há cientistas analisando a proposição de que as lembranças não estão realmente armazenadas no cérebro. Descobriu-se que se for removida uma parte do cérebro onde parecia estar localizada uma lembrança, ela ainda pode persistir! Onde ela está armazenada? Talvez em algum lugar na escala de Planck, ou no que algumas pessoas chamariam de "registros akáshicos". O cérebro pode ser apenas um instrumento para buscar essas lembranças dentro do universo. Ele pode ser o armazenamento local, o disco local em relação ao disco rígido cósmico onde todas as lembranças estão armazenadas.

Penrose-Hameroff ou a teoria da consciência

Penrose propôs que a percepção consciente acontece quando superposições de neurônios alcançam um certo limiar e, então, espontaneamente colapsam. (De forma similar ao colapso da função de onda causado pela observação, reduzindo um vasto conjunto de possibilidades a um valor pontual localizado. A diferença é que, na consciência, a superposição colapsa por si mesma, como conseqüência da gravidade quântica.) De acordo com Penrose, as "reduções objetivas" (RO), como chamava, eram intrínsecas à forma como a consciência opera. Essas

"ROs" convertem múltiplas possibilidades no nível pré-consciente, inconsciente ou subconsciente em percepções e escolhas definidas conscientes. É como avaliar pizza, sushi e comida tailandesa (em superposição), e, então, selecionar uma opção (colapso ou redução). Hameroff sugeriu o *mecanismo* em que isso poderia acontecer, e ele e Penrose formularam uma teoria.

Comecei a olhar para os microtúbulos e como eles poderiam estar processando informações, e a estrutura deles parecia sugerir que eram algum tipo de computador, algum tipo de dispositivo computacional. As paredes dos microtúbulos são retículos hexagonais interessantes, com uma bela simetria matemática que parece bem adequada a operações computacionais.

—Stuart Hameroff, médico

No centro da forma como esse colapso ou RO acontece, estão os minúsculos *microtúbulos*, estruturas ocas, cilíndricas, que existem dentro das células, incluindo os neurônios. Os microtúbulos já foram considerados mero *citoesqueleto*, ou andaime de sustentação da célula, mas verificou-se que eles mostram inteligência e capacidade de auto-organização extraordinárias. Atuam como sistema nervoso e circulatório da *célula*, transportando materiais e organizando a forma e o movimento. Interagem com as células vizinhas para processar e repassar informações, organizando-as num todo unificado e coerente. Nos neurônios, os microtúbulos também estabelecem e regulam as conexões sinápticas e estão envolvidos na liberação de neurotransmissores. Como diz o doutor Hameroff: "Eles estão em toda parte e parecem organizar quase tudo."

As mudanças estruturais, o processamento de informação e a comunicação entre os microtúbulos nos neurônios cerebrais exercem influência direta sobre a organização dos neurônios nas "redes neurais." Entretanto, os próprios microtúbulos, dentro de sua estrutura, são afetados por um fenômeno quântico: as proteínas de que são feitos respondem aos sinais de um computador quântico interno composto de elétrons isolados. O doutor Hameroff explica: "Essas forças quânticas dentro das proteínas controlam a forma da proteína, e essa forma, por sua vez, controla as ações dos neurônios e dos músculos e nosso comportamento. A mudança de forma das proteínas é o ponto de amplificação entre o mundo quântico e nossa interferência no mundo clássico, em tudo o que a humanidade faz, de bom ou de mau."

Hameroff prossegue informando que é o colapso espontâneo (RO) desses microtúbulos, que acontece mais ou menos quarenta vezes por segundo, o que provoca um "momento de consciência". Nossa consciência não é contínua, mas uma seqüência de momentos de "ah-ha". Ele diz: "A consciência é como uma engrenagem no espaço-tempo, e é uma seqüência de momentos decisivos: agora, agora, agora (...)"

O cérebro é quântico? Não faço idéia. Mas não consigo encontrar outra maneira de explicar como sei que alguma coisa está para acontecer ou que alguém está pensando em mim, ou que essa pessoa tem consciência de que estou fazendo o mesmo. Isso teria de significar que alguma coisa dentro da minha cabeça está conectada a uma superauto-estrada de informações independente do tempo e do espaço. Para mim, parece suspeitosamente quântico.

—MARK

Onde acontece a consciência?

Onde se cruzam o reino intangível do pensamento e da percepção, nossa experiência subjetiva interna, e a sopa[1] bioquímica eletricamente carregada do cérebro?

"Não sou idealista, como Bishop Berkeley ou as abordagens indianas", declara o doutor Hameroff, "nas quais a consciência é tudo. Também não sou um 'copenhaguista', achando que a consciência causa o colapso e escolhe a realidade entre múltiplas possibilidades. Estou em algum ponto entre as duas abordagens. A consciência existe no fulcro entre os mundos quântico e clássico. Penso mais como um budista quântico, acredito que existe uma mente universal protoconsciente à qual temos acesso e que pode nos influenciar, existente no nível fundamental do universo, no nível da escala de Planck."

A escala de Planck (referência ao físico Max Planck) ainda não foi apresentada, mas é um aspecto importante da teoria Penrose-Hameroff. Ela é a menor distância definível. Medindo 10^{-33}cm, ela é 10 trilhões de trilhões de vezes menor que um átomo de hidrogênio! Segundo Hameroff, esse nível fundamental do universo...

> é um vasto reservatório de verdade, de valores éticos e estéticos e de precursores da experiência consciente, pronto a influenciar cada uma de nossas percepções e escolhas conscientes. Estamos conectados ao universo e emaranhados com todos os outros indivíduos por meio

---

[1] Aí está ela: a culinária quântica.

dessa onipresença onisciente, um mar de subjetividade. Se formos cuidadosos e não agirmos por reflexo, nossas escolhas poderão ser divinamente guiadas. Penrose evita implicação espiritual em suas idéias, mas elas são inevitáveis. As computações quânticas em nossos cérebros conectam nossa consciência ao universo "fundamental".

Não há lugar para real aleatoriedade na dinâmica clássica determinística, e sem alguma forma de aleatoriedade não há opções (...) A única fonte conhecida de perfeita liberdade de ação reside na natureza quântica da matéria.

—Jeffrey Satinover, médico

O livre-arbítrio e as caixas chinesas

Tal como Stuart Hameroff, o doutor Satinover, médico impregnado de mecânica quântica, escreveu um livro chamado *The Quantum Brain: The Search for Freedom and the Next Generation of Man.* Embora relute em usar a palavra quântica associada à arte culinária, Satinover produziu um arrazoado matemático rigoroso para demonstrar que "a atividade do sistema nervoso e o modo pelo qual ele implementa efeitos quânticos — formas muito distintas, específicas, não generalizadas, não nebulosas, não imprecisas — abre a porta para o livre-arbítrio ser uma possibilidade que não viola a doutrina científica moderna". O tema de Satinover está relacionado com a estrutura em camadas descrita anteriormente: o que nos dá a única possibilidade de livre-arbítrio é o não determinismo do nível quântico da existência, o fato de a realidade quântica ser governada pela probabilidade e não pela certeza.

No nível macroscópico, a larga escala da física clássica, todos os eventos, da órbita dos planetas ao movimento das moléculas, são mecânicos e determinados por leis matemáticas precisas. Portanto, a possibilidade de escolha e o livre-arbítrio só serão possíveis se a aleatoriedade do nível quântico puder de alguma forma ser relevante no nível macroscópico.

"No nível do cérebro", declara Satinover, as redes neurais "produzem uma inteligência global, associada ao cérebro como um todo. Contudo, ao examinar os neurônios individuais, o interior deles é uma implementação física diferente desse princípio. Abaixo de cada escala, cada elemento processador individual é composto de inumeráveis elementos processadores menores, tal qual caixas chinesas, uma dentro da outra."

Partindo da escala "mais baixa" ou menor, o dobramento das proteínas — que Stuart Hameroff descreveu e que ocorre dentro dos microtúbulos — "obedece à mesma dinâmica matematicamente auto-organizável de uma rede neural processando informação. Portanto, o dobramento da proteína é matematicamente idêntico à geração de um pensamento, ou ao processo de resolver um problema. É daí que surge a idéia do cérebro quântico. Não é que o cérebro como um todo seja uma entidade quântica, mas os efeitos quânticos do nível mais baixo não só são capazes de ser, mas necessariamente são amplificados por causa desse arranjo semelhante a caixas chinesas aninhadas, característico do sistema nervoso (...) É por meio de um tipo muito especial de interação entre vizinhos promovida pelos neurônios que emerge a inteligência global, no nível do cérebro como um todo."

De acordo com essa teoria, o cérebro foi projetado para amplificar esses efeitos quânticos e projetá-los "para cima", para elementos processadores cada vez maiores, até chegar ao nível do cérebro.

Satinover explica: "A mecânica quântica abre espaço para o fenômeno intangível da liberdade e da estruturação da natureza humana (...) As operações do cérebro humano se justificam pela incerteza quântica porque em cada escala, do córtex às proteínas individuais, o cérebro é como um processador paralelo (...) Os processos formam uma hierarquia encadeada em que cada computador paralelo de uma escala é apenas elemento processador na escala imediatamente maior."

No fim das contas, o que gostaríamos de [determinar] é a física da consciência. O que é consciência? De onde ela vem? Quais são as suas origens? Quais são os limites do potencial humano? Estamos de fato em posição de responder a essas perguntas agora, acredito, embora certamente ainda não haja consenso na comunidade científica quanto a isso. Vocês fizeram as perguntas no primeiro filme; agora estamos à beira de poder responder a essas perguntas.

—John Hagelin, Ph.D.

A intenção e o efeito Zenão quântico

Finalmente as investigações sobre mente e matéria foram centradas do lado da mente, em torno do papel da intenção — aquele ato permitido pelo livre-arbítrio que escolhe qual efeito será observado no mundo exterior. Embora haja indícios de que a intenção é a chave, *como* a chave é girada é uma questão em aberto.

O efeito Zenão é aquele velho paradoxo: se o coelho que apostou corrida com a tartaruga reduzir constantemente à metade sua distância para a tartaruga, ele nunca irá alcançá-la.

Henry Stapp, físico teórico, trouxe para essa área de estudo o formalismo matemático da teoria da mecânica quântica de von Neumann. Na teoria de von Neumann há três processos na observação (ver "O observador"). O primeiro é formular a pergunta. É aqui que a coisa fica interessante...

Como diz o doutor Stapp:

> Um aspecto importante das regras dinâmicas da teoria quântica é o seguinte: imagine um evento do processo 1 que dá como resultado "Sim", seguido por eventos do processo 1 muito semelhantes. Ou seja, suponha que seja realizada uma seqüência de atos intencionais semelhantes cujos eventos ocorram em rápida sucessão.
>
> Então, as regras dinâmicas acarretam uma seqüência de resultados muito provavelmente toda composta de "Sim": o estado "Sim " deverá ser mantido no lugar pela rápida sucessão de atos intencionais. *Por força das leis quânticas do movimento, uma forte intenção manifestada por meio da alta velocidade de atos intencionais semelhantes tenderá a sustentar o respectivo modelo de ação.*
>
> O momento em que ocorrem as ações do processo 1 é controlado pelas "escolhas livres" do agente. Se às regras de von Neumann acrescentarmos o pressuposto de que a velocidade dessas ações similares do processo 1 pode ser aumentada por meio do esforço mental, então obtemos, como conseqüência matemática rigorosa das leis dinâmicas básicas da mecânica quântica, um efeito potencialmente poderoso do esforço mental sobre a atividade cerebral!
>
> Esse efeito de "sustentação" é chamado de efeito Zenão quântico. O nome foi atribuído pelos físicos E. C. G. Sudarshan e R. Misra.

Isso significa que, mantendo a mesma intenção, propondo a mesma pergunta ao universo vezes sem conta, faremos a probabilidade quântica deixar de ser aleatória. Foi isso o que aconteceu quando 100 milhões de pessoas sustentaram a pergunta culpado/inocente no julgamento de O. J.? Ou quando alguém mantém na mente "mais uns do que zeros"?

Mas o doutor Stapp pensa que esse fenômeno pode mostrar como a "mente" insubstancial controla o cérebro muito substancial: "A mecânica quântica contém um mecanismo específico que, em princípio, permite ao esforço mental controlar as forças poderosas que vêm do lado mecânico da natureza e permite que a intenção mental influencie os processos cerebrais."

Culinária quânica, afinal

Até agora temos a experiência de que a consciência no cérebro é causada pelo colapso espontâneo das funções de onda nos microtúbulos. Dentro dessa consciência existe a opção do livre-arbítrio, ou escolha, decorrente do arranjo dos eventos quânticos amplificados para os níveis mais amplos, como nas caixas chinesas. Apoiando-nos no exercício do livre-arbítrio, mantemos em nossos cérebros um dado resultado e repetimos aquela pergunta de forma arbitrariamente veloz (que parece contínua como se fosse "sustentada", mas na realidade é uma seqüência de agoras) para efetivar as probabilidades do mundo quântico.

Então, se quisesse olhar a questão de modo poético, diria que os seres humanos parecem ter sido projetados para maximizar a liberdade disponível em sua estrutura material a um grau que imite a criação do próprio universo.

—Jeffrey Satinover, médico

Com certeza esse é um verdadeiro cozido de idéias quânticas, todas misturadas para produzir uma fatia de realidade.

Ou, segundo o livro de receitas quânticas:

- Pegue alguns trilhões de microtúbulos, deixe que colapsem em um molho (objetivamente) reduzido.
- Quando a incerteza quântica borbulhar no fundo da caçarola (o cérebro), separe uma bolha do conjunto de bolhas (possíveis).
- Sustente repetidamente essa bolha sobre a chama da consciência até ficar sólida (realidade colapsada).
- Perceba para provar. Opa! É prove para perceber...

Pense um pouco nisto...

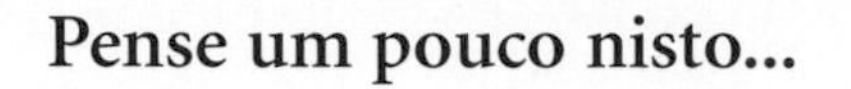

- Partindo da idéia de que as perguntas (processo 1) são um elemento importante no colapso (processo 3), isso lhe diz alguma coisa sobre a importância das grandes perguntas?
- Por que você acha que perguntamos tanto?

INTRODUÇÃO AO CÉREBRO

O cérebro funciona como um laboratório. Ele é um arquiteto. Ele projeta modelos e junta as peças.

JOE DISPENZA

É curioso que os homens tenham explorado o fundo dos oceanos e os satélites dos planetas e desenvolvido todo tipo de tecnologias, mas ainda estejam no escuro quanto ao cérebro. Os cientistas são obrigados a introduzir em seus modelos teóricos os efeitos quânticos, a teoria da complexidade e os modelos holográficos para explicar atributos básicos como a percepção, a consciência e a memória.

Isso não causa surpresa. Calcula-se que o número de conexões possíveis em um cérebro humano ultrapasse o número de átomos do universo inteiro. Mesmo em cérebro pequeno, o mecanismo de funcionamento é incrível. Para resolver o problema do pouso de um pássaro em um galho em movimento, um supercomputador levaria dias, *se* fosse capaz. Esse problema pode ser impossível de calcular. No entanto, o cérebro dos pássaros o faz o tempo todo, instantaneamente.

Os modelos tradicionais comparam o cérebro a uma central telefônica ou a um supercomputador. Mas essas comparações suscitam imagens de uma coisa desajeitada e semelhante a uma máquina, e o cérebro não é nada disso; é um órgão muito vivo, plástico e flexível, capaz de aprender, compreender e se reorganizar dinamicamente em função de nossas demandas.

Embora a ciência esteja longe de conhecer a completa extensão das capacidades do cérebro, muito já se sabe. Ele é a estrutura mais complexa do nosso planeta. Ele dirige e controla todas as atividades do nosso corpo, desde os batimentos cardíacos, a temperatura, a digestão e o funcionamento sexual até a aprendizagem, a memória e as emoções. E apesar de não sabermos muito sobre seu funcionamento, o que já sabemos responde a muitas perguntas sobre o porquê de fazermos o que fazemos.

Como diz o pesquisador do cérebro Andrew Newberg:

> O cérebro é capaz de milhões de coisas diferentes, e as pessoas realmente deveriam saber como suas mentes são incríveis. Temos dentro de nossas cabeças essa coisa inacreditável que pode não só fazer tantas coisas por nós e nos ajudar a aprender, como também mudar e se adaptar e nos transformar em algo melhor do que somos. Ele pode nos ajudar a transcender a nós mesmos.
>
> E talvez de alguma forma ele possa nos conduzir a um nível mais elevado de nossa existência, no qual entendamos mais a fundo o mundo e nosso relacionamento com as coisas e as pessoas, e no fim das contas possamos ser mais significativos para nós mesmos e nosso mundo. Há uma parte espiritual no nosso cérebro; e é uma parte à qual todos podemos ter acesso; é algo que todos podemos fazer.

A seguir vamos mostrar uma versão bem simplificada da estrutura e do processamento cerebral. O estudo do cérebro é uma área extremamente fascinante. Discutiremos apenas o necessário para vermos como essas estruturas interagem com nossa experiência do dia-a-dia sobre o mundo e nós mesmos. Estamos abastecendo uma caixa de ferramentas de transformação com o conhecimento e as idéias sobre a forma como somos construídos e reconstruídos, e tornados dependentes.

Fatos surpreendentes sobre o cérebro

- O cérebro é pelo menos mil vezes mais rápido que o supercomputador mais rápido do mundo.
- O cérebro contém tantos neurônios quantas são as estrelas na Via-Láctea — em torno de 100 bilhões.

- O córtex cerebral tem 60 trilhões de sinapses.
- Um pedaço de cérebro do tamanho de um grão de areia contém 100 mil neurônios e 1 bilhão de sinapses.
- O cérebro está sempre ligado — ele nunca desliga ou sequer descansa durante a nossa vida inteira.
- O cérebro se reestrutura continuamente durante a vida.

Neurônios e redes neurais

Toda vez que sinto necessidade de mudar algum padrão ou hábito, eu me sento e visualizo o cérebro e depois as redes neurais. Encontro as redes que estão conectadas àquele hábito em particular e as vejo ir embora, desaparecer. Observo meu cérebro se reconstruir como algo novo.

—BETSY

O cérebro é feito de aproximadamente 100 bilhões de minúsculas células nervosas chamadas neurônios. Cada neurônio tem de mil a 10 mil sinapses, ou pontos em que se conecta a outros neurônios. Os neurônios usam essas conexões para formar redes. As células nervosas integradas ou conectadas formam as redes neurais. Um modo simples de pensar sobre isso é que cada rede neural representa um pensamento, uma lembrança, uma habilidade, um fragmento de informação, etc.

No entanto, essas redes neurais não são isoladas. Todas estão conectadas, e é essa interconexão que constrói idéias, lembranças e emoções complexas. Por exemplo, a rede neural que representa "maçã" não é só uma rede de neurônios. É muito maior, e se conecta a outras redes, como as neurais que contêm "vermelho", "fruta", "redonda", "delícia", etc. Essa rede neural por sua vez está ligada a muitas outras, de modo que, quando vemos uma maçã, o córtex visual, que também está conectado, aciona aquela rede para nos dar a imagem de uma maçã.

Todos temos nossas próprias coleções de experiências e habilidades, representadas em nossas redes neurais. Como comenta o doutor Joe Dispenza, "se fomos criados somente por um dos pais, se crescemos com muitos irmãos, se fomos à universidade, quais são as nossas crenças religiosas, qual é a nossa cultura, onde vivemos, se fomos amados e estimulados quando crianças ou se sofremos agressões físicas — tudo isso forma redes neurais".

Todas essas experiências dão forma, neurologicamente, à trama do que está acontecendo em nossa percepção e em nosso mundo, declara o doutor Dispenza, e quando nos vêm os estímulos do ambiente, "alguns aspectos dessas redes neurais vão emergir ou se ligar e causarão mudanças químicas no cérebro". Essas mudanças, por sua vez, produzem reações emocionais, colorem nossas percepções e condicionam as respostas que damos às pessoas e aos acontecimentos em nossas vidas.

Nervos acionados juntos permanecem juntos

Uma regra fundamental da neurociência diz que células nervosas acionadas juntas permanecem juntas. Se fizermos algo uma única vez, uma coleção de neurônios livres formará uma rede, mas não "entalhará uma trilha" no cérebro. Quando alguma ação ocorre seguidamente, células nervosas desenvolvem uma conexão cada vez mais forte, e se torna progressivamente mais fácil acionar aquela rede.

Se acionarmos repetidamente as redes neurais, os hábitos ficam cada vez mais estruturados no cérebro e se tornam difíceis de mudar. À medida que uma conexão é usada muitas vezes, ela fica mais forte, mais estabelecida. Isso pode ser uma vantagem — uma aprendizagem —, mas também pode tornar mais difícil a mudança de comportamentos indesejáveis.

Se fazemos alguma coisa vezes e vezes seguidas, pelo mero fato de estarmos repetindo aquilo, o processo de aprender o que estivermos aprendendo começa a se tornar simples e se tornar automático. Começa a ser familiar, a ficar fácil. Começa a ficar natural e a ficar subconsciente.

—Joe Dispenza

Felizmente, existe o reverso: células nervosas que não são acionadas juntas, não permanecem juntas. Perdem o relacionamento de longo prazo. Toda vez que interrompemos o processo físico ou mental habitual refletido por uma rede neural, as células nervosas ou grupos de células ligados uns aos outros começam a desfazer seus relacionamentos. O doutor Dispenza compara isso a uma experiência comum: quando você muda de endereço e se afasta dos vizinhos, promete mandar cartões-postais para manter a amizade e contar o que anda fazendo. Com o passar do tempo, passa a mandar somente no Natal, e o relacionamento vai enfraquecendo:

Esse efeito é um reflexo exato do que se passa dentro do cérebro. À medida que você pensa cada vez menos nos vizinhos, as conexões das redes neurais diminuem até não haver mais nenhuma conexão. Acontece que os *dendritos* muito finos que se propagam do corpo da célula e se conectam com as outras células são liberados e ficam disponíveis para formar novas ligações, causando a perda dos padrões antigos e podendo formar outros, novos.

A tradição védica se fundamenta na premissa da unidade suprema da vida e na capacidade do cérebro humano — um instrumento muito precioso do universo — de experimentar diretamente essa unidade essencial e vivê-la. E se examinarmos em detalhes a estrutura do cérebro humano, veremos que ele foi específica e cuidadosamente construído para experimentar o campo unificado, para experimentar a unidade da vida.

—John Hagelin, Ph.D.

Aprendizagem

O cérebro aprende por dois mecanismos principais. O primeiro é a compreensão ou memorização de dados concretos ou intelectuais. Se você estuda história e decora nomes e datas, ou lê Platão e tira suas conclusões sobre o conceito de governo ideal, está acrescentando mais redes neurais ao cérebro. Quanto mais você estuda o material, mais firmemente memorizado ele ficará — porque as redes neurais ficam mais fortes.

O segundo mecanismo, em geral mais poderoso, é a experiência. É possível ler um livro que descreva como andar de bicicleta e ter uma idéia do que é isso processando intelectualmente toda a informação sobre como mudar marchas para subir ou descer ladeiras, como se equilibrar ou qual a tensão necessária nos raios da roda. Mas toda essa informação não ficará integrada enquanto você não subir na bicicleta e começar a pedalar.

Seja qual for o método, aprender é essencialmente integrar redes neurais para formar novas redes. No exemplo da maçã, não tínhamos apenas uma única rede neural para "maçã", mas todas as outras de redondo, vermelho, etc. Na verdade, aprender é construir novas estruturas com base em outras previamente existentes. Observe um bebê e verá esses conceitos básicos sendo formados, geralmente por meio da experiência.

Você se lembra da seção **Uma matriz de palavras** no capítulo "Por que não somos mágicos?" (Veja, formou-se uma rede sobre isso!) Nela havia o exercício de ligar uma série de palavras, formando relações diversas. Cada uma dava significado aos conceitos ligados. E quanto mais relações eram verificadas, maior a compreensão sobre cada conceito. É assim que o cérebro aprende e é assim que ele se estrutura. É por isso que uma revisão das idéias fundamentais e das convicções muda a vida. Ao fazer uma revisão, repassamos por todas as ligações e encontramos os pressupostos enterrados que disparam nossas reações por meio do processo chamado memória associativa.

UMA HISTÓRIA DESCEREBRADA, DE JEFFREY SATINOVER

Há uma história famosa, ocorrida nos primórdios da tomografia computadorizada, na Faculdade Baylor de Medicina, sobre um residente de radiologia que fez uma tomografia da própria cabeça, como parte do seu aprendizado. E o resultado foi: *faltava uma metade completa do cérebro dele.* É uma condição rara, mas acontece...

E ele era um residente de medicina e um médico tão bom quanto qualquer outro. Isso pode dar aos advogados excelente oportunidade de fazer piadas sobre médicos, mas ele não precisava do cérebro inteiro. Isso não quer dizer que as pessoas possam ou devam funcionar com apenas metade do cérebro. Isso é possível porque as funções são distribuídas pela parte disponível do cérebro. É natural a uma rede neural funcionar assim.

Uma vez escrevi todos os meus pensamentos durante quase uma hora. E fiquei assombrado de ver como cada pensamento levava a outro nessa longa cadeia de idéias aparentemente dissociadas. *Oh, preciso ligar para o Barry hoje — você sabe, eu gosto desse restaurante, o cozinheiro faz um filé com salada maravilhoso — e então uma noite aquela atriz linda e muito doida entrou no restaurante, cheia de cachinhos — me lembrou daquela estranha modelo de mãos com quem trabalhei na África do Sul há 15 anos — nossa, o pôr-do-sol era um espanto — e aquele rinoceronte branco que seguimos pela selva do cair da noite até a madrugada.* E tudo isso veio de querer lembrar que precisava telefonar para o Barry. Foi então que percebi por que meus pensamentos demoram tanto a se manifestar, e por que o resultado das minhas criações é tão cíclico.

—MARK

Memória associativa

Com um número de possíveis ligações neurais maior do que o número de átomos do universo, o cérebro tem um grande problema: encontrar uma lembrança. Se um tigre selvagem vier

Isso significa que as emoções são boas, ou que as emoções são ruins? Não. As emoções são projetadas de tal modo que reforçam quimicamente alguma coisa na memória de longo prazo. É por isso que nós as temos.

—Joe Dispenza

em sua direção, ou sua tia Rosinha, que bebeu demais, avançar em sua direção, como o seu cérebro encontrará a lembrança certa rapidamente? As emoções ajudam.

Portanto, as emoções, que pelo menos em parte são redes neurais, estão ligadas a todas as outras redes neurais. Essas conexões permitem ao cérebro encontrar primeiro as lembranças mais importantes. Elas também garantem que não esqueçamos rapidamente que não podemos colocar a mão no fogo. É por isso que todo mundo se lembra onde estava e o que estava fazendo quando ouviu a notícia do 11 de setembro ou do tiro que matou o presidente Kennedy.

O próximo capítulo, "Emoções", mostra como a memória associativa afeta nosso comportamento e nossa reação ao mundo, mas ainda há uma importante função relacionada ao cérebro que devemos examinar. Dissemos que as emoções são, em parte, redes neurais. A outra parte são as redes neurais das emoções conectadas a um pequeno órgão no cérebro — o hipotálamo, que processa as proteínas e sintetiza os neuropeptídeos ou neurormônios. E todos nós sabemos do que os hormônios são capazes — pelo menos todo mundo que já passou da puberdade. Eles preparam o corpo para a ação!

Se aparecer um tigre, um tigre faminto, o hipotálamo vai secretar compostos químicos que preparam o corpo para correr. O sangue abandona o cérebro e a parte central do corpo, e vai para as extremidades — "luta ou fuga".

Na verdade, as emoções avaliam a situação rapidamente, sem que você sequer pense sobre aquilo, e enviam os mensageiros químicos que indicam a luta ou a fuga, o sorriso ou a cara feia.

O lado negativo da memória associativa é que temos dificuldade de perceber imediatamente o que de fato está acontecendo, porque percebemos a realidade e tratamos novas experiências levando em conta a nossa base de dados mental/neuronal do passado. Em vez de perceber o momento, a tendência é nos referenciarmos apenas às experiências do passado. Isso parece criar um eterno *Feitiço do tempo*, no qual o mesmo de sempre acontece dia após dia.

E a quem estaria acontecendo o mesmo de sempre? Quem estaria reagindo às situações com base no passado? Aquele vasto aglomerado integrado de redes neurais que estivemos chamando de "personalidade". Tal como todas as células do corpo se inter-relacionam para produzir um organismo funcional, também as redes neurais se associam para produzir aquela entidade que pensamos ser nossa personalidade. Todas as emoções, lembranças, conceitos e atitudes estão neurologicamente codificados e interconectados, resultando no que se chama ego, filho do homem, eu inferior, o humano, a personalidade.

Nos casos de múltiplas personalidades, existem vários aglomerados integrados, em geral não conectados entre si. Por isso, quando a personalidade muda, não há lembrança do "outro". O conjunto de redes sobre o qual uma personalidade está operando não está conectado a essa recordação.

Isso explica por que um cérebro com ligações fortes resulta em uma personalidade rígida. E embora possamos passar a preferir café com leite a cappuccino, isso não cria uma nova personalidade. Há um milhão de outras redes que ainda permanecem iguais; portanto o agregado continua a ser "você". Embora isso pareça inflexível, felizmente o cérebro foi criado para levar um espírito encarnado por todo o caminho até a iluminação, razão pela qual ele foi dotado de neuroplasticidade.

Neuroplasticidade

Assim como o personagem de Bill Murray no filme *Feitiço do tempo* finalmente muda o comportamento que o está mantendo preso no tempo, todo mundo tem essa opção. É possível quebrar as ligações das redes neurais no cérebro, mudar hábitos e ganhar liberdade. A chave está na capacidade natural do cérebro de formar novas conexões. Neuroplasticidade é o nome dado a essa capacidade — em outras palavras, à capacidade de os neurônios se conectarem a outros neurônios.

O cérebro gosta de surpresas. Depois de uma surpresa, a neuroplasticidade do cérebro aumenta muito. É fácil ver por que: imagine que você está caminhando pelo meio da selva e a tia Rosinha pula à sua frente vestindo uma malha justa. Surpresa! Seu cérebro tem de acelerar imediatamente para descobrir uma forma de lidar com a situação nova. As conexões têm de ser acionadas instantaneamente para conectar todas as soluções possíveis e ajudá-lo a escolher entre elas. Para sobreviver, você tem de processar a informação depressa. A neuroplasticidade também aumenta depois que rimos. E como a neuroplasticidade é um ingrediente fundamental da aprendizagem, você aprende melhor depois de uma boa risada.

Apesar de no passado se ter acreditado que na adolescência o cérebro já está formado para toda a vida, pesquisas mais recentes confirmaram que ele, além de ser muito plástico e maleável, mesmo na idade avançada, também *cria novas células.* Como explica o doutor Daniel Monti:

> A boa notícia é que existe um imenso potencial para mudarmos os comportamentos e padrões característicos em que caímos. O potencial de mudança em nosso sistema nervoso, em toda a nossa fisiologia, é imenso.
>
> Se você tiver escutado e conseguir recordar tudo o que eu disse, a sua fisiologia já será diferente. Essa lembrança foi codificada; e sua estrutura genética, alterada. E embora falássemos do sistema nervoso como algo rígido, sem muita capacidade de mudança, agora sabemos que em muitos níveis isso não é verdade. Há dentro do sistema nervoso uma tremenda quantidade de plasticidade, que basicamente significa capacidade de mudar.

Quando fizemos a pesquisa sobre o cérebro para o filme, tropeçamos nesse tópico sobre surpresas e risos aumentarem o aprendizado. Ah-ha! Então foi por isso que fizemos a cena com Marlee e o espelho (quando a heroína, Amanda, vivencia uma perda do sentimento de autoaversão, seguida de uma revelação), logo depois da hilária festa de casamento. A festa era para brindar a audiência com boas risadas e uma folga de toda a informação intelectual séria. Nadando em neuroplasticidade, a platéia então reestrutura o cérebro para aceitar toda aquela informação, apagando o quadro, de modo que fica mais fácil aceitar como própria a experiência de Marlee.

—WILL

A afirmação do doutor Monti guarda uma relação direta com o Movimento do Potencial Humano, que sempre disse que somos mais ilimitados do que pensávamos. Para John Hagelin, pensar que nosso crescimento pára na adolescência é "uma visão selvagem do potencial humano".

> A tradição védica não se limita a mencionar o campo unificado, ela o descreve com muita precisão e fornece técnicas experimentais, técnicas de meditação para vivenciá-lo. E os benefícios práticos de viver a unidade da vida são imensos. Eu poderia citar centenas de estudos sobre os profundos benefícios para a saúde, para a mente, quando se desenvolve sistematicamente a ordem no funcionamento cerebral.
>
> Quando experimentamos a unidade interior, ocorre o funcionamento coerente do cérebro, que acarreta o aumento do QI, maior criatividade e capacidade de apren-

dizagem e melhor desempenho acadêmico, argumentação moral, estabilidade psicológica, maturidade emocional, reações mais rápidas, mais atenção. O melhor para o cérebro depende de seu funcionamento organizado.

E agora a ordem no funcionamento cerebral pode ser desenvolvida longitudinalmente, sistematicamente nos estudantes de todas as idades, mesmo após os 16 anos, quando costumava-se supor que o QI começava a declinar. Acreditava-se que "a partir daí é ladeira abaixo", mas não é verdade. É uma visão selvagem do potencial humano. *Somos preparados, projetados, construídos para evoluir em criatividade e inteligência por toda a vida* — mas para tanto é preciso ter acesso à capacidade inata do cérebro e às ferramentas, à chave; desenvolver efetivamente o cérebro de forma holística é experimentar a realidade holística, o estado de meditação, a dita experiência espiritual, a experiência do campo unificado na fonte do pensamento.

O lobo frontal e a livre escolha

O principal fator que diferencia os seres humanos de todas as outras espécies é o grande lobo frontal e a proporção entre ele e o restante do cérebro. O lobo frontal é a área do cérebro que nos dá a capacidade de nos concentrarmos. Ele é fundamental para uma tomada de decisão e para manter uma intenção firme. Ele nos permite recolher informações do ambiente e de nosso estoque de recordações, processá-las e chegar a decisões ou escolhas diferentes das que fizemos no passado.

No entanto, há escolhas dificilmente livres. Muito do comportamento consiste em respostas condicionadas, aprendidas ou automáticas. O doutor Joe Dispenza exemplifica: "Se você estivesse num beco escuro e eu o ameaçasse, sua reação teria por base uma resposta psicológica de medo, ou seja, seu mecanismo corporal enviaria sinais para fugir ou ficar e lutar." Um processo semelhante ocorre quando outras redes neurais disparam e produzem respostas automáticas, como reagir a alguém conhecido, acender um cigarro ou ir até a geladeira quando estamos estressados. Essas respostas habituais, automáticas, dificilmente serão consideradas "escolhas".

É claro que temos livre-arbítrio. O livre-arbítrio reside em nosso córtex frontal (lobo), e podemos treinar para fazer escolhas mais inteligentes e ser conscientes das escolhas que estamos fazendo.

—Candace Pert, Ph.D.

Uma segunda forma de escolher ocorre quando conscientemente nos isolamos do ambiente e de seus estímulos, nos afastamos de nosso comportamento habitual ou biológico, e nos tornamos o observador. Deste ponto de observação silencioso, afirma o doutor Dispenza, podemos "pensar cuidadosamente, com base no que sabemos (...) O lobo frontal busca informação que acumulamos durante a vida, por meio de experiências ou dados intelectuais concretos, e diz: eu entendo essa rede neural e essa outra, mas e se eu integrar esses dois conceitos e construir um novo modelo, um novo ideal, um novo projeto?"

Estamos de volta ao observador. O doutor Wolf comenta:

> Parece espantoso que um observador tenha qualquer poder nesse mundo. Em certo sentido, o observador não tem poder. Em outro, ele tem uma tremenda quantidade de poder. No sentido de não ter poder, diríamos que as observações são conduzidas da mesma forma como antes, constantemente, num sentido repetitivo. Então, chegamos a um ponto em que não percebemos mais o papel de nossas observações porque elas se tornam habituais. É como ser dependente de alguma coisa. Perde-se o poder de observação. Quando é recuperado, pode-se ver que por suas escolhas você consegue de fato alterar, restringir ou mudar o que vê "lá fora".

Na primeira situação, as redes neurais biológicas fazem a escolha. O cérebro reage ao ambiente e alguns aspectos do cérebro ligam centros automáticos que fazem o corpo responder, como piscar o olho quando um objeto chega muito perto ou ter aquela clássica reação de chutar quando o médico bate no seu joelho. Na segunda, como diz o doutor Dispenza, "a consciência está se movendo pelo cérebro e usando-o para examinar suas opções e possibilidades". Em vez de o cérebro ligar o piloto automático e nos dirigir, nós começamos a usá-lo. A consciência começa a ter domínio sobre o corpo.

A consciência, o observador, a intenção e o livre-arbítrio

Já passamos por esses conceitos antes. E aqui estamos, outra vez, dentro da estrutura mais complexa do universo conhecido, o cérebro, examinando-os novamente.

Lembra como no mundo quântico: tínhamos a intenção de fazer uma pergunta sobre a realidade (processo 1); surgiam as possibilidades (processo 2); e, então, a observação as fazia colapsar em uma escolha definida (processo 3)? O que o doutor Dispenza afirma é que é possível colapsar a escolha de uma nova vida: "Talvez sejamos apenas maus observadores. Talvez não tenhamos dominado a habilidade de observação e talvez isso seja uma habilidade. E talvez sejamos tão dependentes do estímulo e da resposta do mundo exterior que o cérebro esteja começando a ser reativo, em vez de criativo. Se recebermos o conhecimento adequado, a compreensão adequada e a instrução adequada, devemos começar a perceber retroalimentações mensuráveis em nossas vidas."

Parece lógico que o aparelho físico mais maleável, complexo e sofisticado seja a interface entre o mundo espiritual "intangível" e o mundo material "tangível". E que ele espelhe processos nos dois mundos. "Como é acima, é abaixo; como é dentro, é fora."

Porém como traduzir isso em uma ação que promova a mudança e a transformação? Com base na pesquisa sobre os dispositivos eletrônicos para registro de intenção (DERI), o doutor Tiller descobriu que "é extremamente importante manter o pensamento e a intenção para provocar a transformação (...) Quando se quer focalizar a intenção, é preciso manter a unidade da mente". E o reflexo disso no cérebro é o lobo frontal.

As ferramentas para a mudança e a transformação estão se acumulando...

E a maneira como nos *sentimos* em relação a isso determina, em última análise, quais ferramentas utilizamos e quais deixamos na caixa de ferramentas. Mas esse é o tema do próximo capítulo.

Pense um pouco nisto...

- Liste três conceitos ou redes neurais que você associa à felicidade.
- Agora liste três redes neurais associadas às anteriores. Quantos níveis você precisa descer antes de chegar de volta à felicidade?
- Você consegue pensar em uma maçã sem pensar em redondez?
- Dispare sua rede neural para *lápis.* Agora dispare a rede neural para seu alimento favorito. Sua percepção é diferente?
- Acabamos de passar vinte minutos tentando localizar alguma imagem com a qual seja possível não ter associações. A melhor que conseguimos foi *lápis.* Você pode pensar em alguma coisa com a qual não tenha associações?

Não existe o bom ou o mau, é o pensamento que os faz assim.

WILLIAM SHAKESPEARE

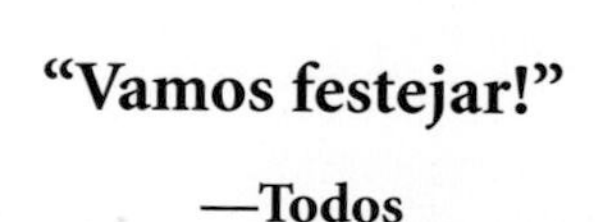

"Vamos festejar!"

—Todos

Aqui estamos nós, nas emoções. Finalmente, podemos nos divertir um pouco! Chega de queimar os neurônios com "Pense um pouco...". Saímos da aula sobre o cérebro e agora, bem, é só alegria! Emoções! Alegria, tristeza, esperança, desespero, paixão, saudade, ganho, perda, e assim vai.

Haveria rock'n'roll se não houvesse emoções? Haveria você? Vamos pensar em tudo o que não existiria se não houvesse emoções:

- Concurso de beleza
- Guerra
- Poesia
- Lingerie sensual
- Jogo de futebol

Ou seja, poderíamos continuar por muito tempo falando sobre os aspectos bons, maus e feios, maravilhosos, surpreendentes e enriquecedores da vida humana. Será que você alguma vez gargalharia ou sorriria se não houvesse emoções? Provavelmente não. E isso nem lhe incomodaria!

Uma das grandes coisas de trabalhar com Will e Mark foi poder ver eu mesma e as minhas emoções refletidas de volta para mim. Sempre que me aborrecia com alguma atitude ou comportamento do Mark ou do Will, ficava assombrada ao perceber que eles eram um reflexo do meu estado emocional. Quando Will teve seu momento de "ah-ha" sobre estar criando situações nas quais ele pudesse experimentar a sensação de "Eu te disse", percebi que tinha os mesmos problemas. Descobri que se não conseguir identificar meu estado emocional – basta olhar a meu redor –, ele será refletido diretamente de volta para mim.

—BETSY

Emoções — misticismo ou bioquímica?

O que exatamente são as emoções? Alguma propriedade mística indefinível da experiência ou algo mais concreto e tangível?

No início de 1970, a doutora Candace Pert sofreu uma queda de cavalo. Durante a recuperação, deram-lhe morfina. Sendo cientista, ela começou a se perguntar como as drogas produziam os efeitos que estava experimentando. Por isso, quando apareceu uma oportunidade de investigar de que maneira as drogas funcionavam, ela não deixou passar.

As emoções são a química para reforçar neurologicamente a experiência. Nós nos recordamos das coisas mais destacadas e mais emocionais, e é dessa forma que deve ser.

—Joe Dispenza

Já se imaginava que as células tinham "receptores" em torno da parede celular externa, nos quais os compostos químicos podiam "estacionar". Segundo a teoria, a estrutura química da droga permitia-lhe se encaixar nesses receptores, mas ninguém tinha conseguido encontrá-los até então. A doutora Pert encontrou os receptores opióides que revestem a parede celular. Essa descoberta mudou a biologia.

"Uma vez encontrados esses receptores, começamos a pensar: por que Deus os teria colocado no cérebro se não fosse para algum outro propósito? Então, depois de dois segundos pensando, diversas pessoas em todo o mundo começaram a achar que tinha de haver alguma substância natural fabricada em nossos próprios cérebros. Bem, mais ou menos três anos depois da descoberta dos receptores opióides, uma equipe escocesa descobriu que o cérebro produz neuropeptídeos chamados *endorfinas*."

Já ouviu falar nas endorfinas? Também conhecidas como o barato da corrida? Elas são nossos opiáceos gerados internamente. Vieram mais pesquisas e os peptídeos começaram a surgir em toda a parte. Diz a doutora Pert: "Em meu laboratório nos Institutos Nacionais de Saúde comecei a mapear receptores para todos os peptídeos descobertos em qualquer sistema biológico. E, sempre que procurava esses receptores, encontrava-os (...) Fizemos muitos mapeamentos detalhados de receptores e verificamos que havia não somente receptores opióides, mas também para todos esses outros peptídeos nas partes do cérebro tidas como mediadoras da emoção."

Depois dessa descoberta, os cientistas passaram a ter uma visão completamente nova dos receptores e dos peptídeos. Segundo a doutora Pert, "começamos a pensar nesses neuropeptídeos e seus receptores como *moléculas de emoção*".

Ficou evidente que o que sentimos produz um composto químico ou uma coleção de compostos químicos específicos. Esses compostos, neuropeptídeos ou moléculas de emoção (MDEs) são cadeias de aminoácidos, feitos de proteínas, e fabricados no hipotálamo. "O hipotálamo", explica o doutor Dispenza, "é como uma minúscula fábrica de compostos químicos que correspondem a determinadas emoções que experimentamos". Isso significa que cada emoção tem um composto químico associado, e é a absorção dele pelas células em nossos corpos que dá origem ao *sentimento* daquela emoção.

Prazer/dor

Além de combinar MDEs correspondentes às emoções, os pesquisadores as encontraram até em criaturas unicelulares. Para a doutora Pert, a prova de que as MDEs têm essa função é que "encontramos moléculas idênticas nas criaturas unicelulares mais simples. Dessa forma as emoções são preservadas ao longo da evolução. As endorfinas estão nas leveduras, organismos unicelulares simples; portanto o prazer é básico. E fomos projetados para funcionar com base nele. Somos viciados em prazer, e nosso cérebro é programado para registrá-lo e buscá-lo. Esse é o objetivo final — encontrar prazer e evitar a dor. É o que dirige a evolução humana".

A ligação entre MDEs e o que percebemos e experimentamos é muito direta. Por exemplo, a parte do cérebro que controla o que nossos olhos vão focalizar é coberta de receptores opióides. Do ponto de vista evolutivo, isso faz sentido. Prestamos atenção ao que é importante e o mais significativo é levado ao corpo quimicamente, com rapidez, por essas moléculas de emoção.

Com o tempo, esse botão de prazer/dor foi encoberto por outras idéias, atitudes e lembranças. Apesar do longo caminho da evolução entre a ameba em busca de alimento e as rendas francesas, as emoções tinham de ser estruturadas no corpo da forma mais irresistível para resolver rapidamente o famoso problema do "tigre na selva".

Para ilustrar o que ocorre dentro de nós e manter a sintonia com o tema do nosso capítulo divertido, o "experimento intelectual" a seguir investiga o funcionamento da interface memória/emoções/reações.

Portanto, na realidade não podemos afirmar que estamos vendo o mundo objetivamente como ele é. Não existe essa avaliação completamente objetiva de nada porque nossa avaliação de tudo está relacionada com experiências prévias e emoções. Tudo tem um peso emocional associado.

—Daniel Monti, médico

ROBOTOMUS

Imagine que você é um pequeno ser que vive dentro de um "robô biogênico" — o Robotomus. Você vive numa pequena sala de controle na cabeça do Robotomus e vê o exterior pelos olhos dele. Usando um sistema complexo de alavancas, botões e um computador, você fornece a ele informações vitais.

E você tem uma tarefa — reconhecer e interpretar o que o Robotomus vê, para que ele saiba o que fazer. Agora, interpretar o significado do "lá fora" não tem nada a ver com movimentar componentes; é uma abstração do reino da mente — que os robôs são incapazes de computar. Por isso você conseguiu esse emprego.

Bem, felizmente há atrás de você uma parede cheia de arquivos que se abrem e fecham de acordo com o que o Robotomus vê "lá fora". Pelas janelas dos olhos, você vê alguma coisa! Subitamente, várias gavetas de arquivos se abrem e uma porção de pastas estão iluminadas. Certo! Parece um humanóide bípede. Em seguida, você vê que é uma forma um tanto cheia de curvas. Ah-ha! É uma mulher! Você volta aos arquivos e as pastas relativas aos homens são fechadas. Bom, você reduziu o número de opções.

Você observa com mais atenção para ver qual o tipo da mulher (...) Ela está apresentando uma expressão facial estranha. Atrás de você todas as gavetas de arquivos, menos uma, estão fechadas. Apenas uma pasta está

brilhando. Você estica a mão e pega a pasta. Está escrito: "tia Rosinha". Você abre a pasta e lê a história dela — algo a respeito de ela ser agressiva, cruel e violenta.

Você olha para o computador e a palavra: SIGNIFICADO? está na tela. Um cursor pisca embaixo dela. O Robotomus está congelado. Você digita (...) DEFENDER-SE, INIMIGO À VISTA. Imediatamente, o Robotomus começa a tremer e você olha pela janela e percebe que a pessoa "lá fora" não é tia Rosinha, mas está mostrando uma breve expressão vagamente similar à foto da tia Rosinha no arquivo. Você avança freneticamente para o computador e digita: SIGNIFICADO ERRADO... SIGNIFICADO DESCONHECIDO! Mas já é tarde; compostos químicos estão sendo liberados por toda parte e fica extremamente quente na sala de controle. Sangue e adrenalina são bombeados para as pernas do Robotomus, mas agora ele treme porque recebeu significados conflitantes, além de ter recebido uma tonelada de compostos químicos. Você suspira, aperta o cinto de segurança e decide que mais tarde vai ser preciso levar o Robotomus para correr...

Quando experimentamos continuamente as mesmas emoções e não elaboramos algo sobre elas, então estamos presos no mesmo padrão de estímulo/resposta.

—Joe Dispenza

Parece familiar? Primeiro ocorre o reconhecimento de um estímulo, em seguida a localização de um significado ou a interpretação dele, então ocorre a instrução ao hipotálamo para que injete neuropeptídeos na corrente sanguínea e cabum! Lá está a sensação. Que belo sistema. Então, as emoções são boas, certo? Totalmente. Elas são vitais.

Ótimo, então qual é o problema?

Como explica o doutor Dispenza, "fazemos uma análise de qualquer situação para determinar se ela é familiar e aquele sentimento conhecido se torna o meio pelo qual prevemos um acontecimento futuro. Automaticamente descartamos ou rejeitamos qualquer coisa que não venha com um sentimento porque não podemos relacioná-la com um sentimento".

Qual é o problema com as emoções?

A beleza do atalho entre o estímulo e a resposta é o que parece nos aprisionar. Em vez de usar uma perspectiva renovada para avaliar uma experiência nova, tendemos a pressupor que se trata de uma que já tivemos.

Quando os mesmos eventos químicos se repetem seguidamente, o resultado é uma história emocional cumulativa. Essa história vem com padrões identificáveis e respostas previsíveis que ficam embutidas ou "construídas" em nossos cérebros.

Isso significa que nossos padrões e respostas se repetem sem que precisemos pensar sobre eles: estímulo-resposta-estímulo-resposta-estímulo-resposta. O mecanismo de atalho para a sobrevivência torna-se uma armadilha que nos prende na mesma situação vezes sem conta.

Outra armadilha são as emoções ocultas, enterradas e/ou reprimidas. A tia Rosinha talvez não seja sempre cruel; talvez estivesse com uma dor de dente terrível no dia que lhe agrediu. No entanto, aquela rede neural ainda está lá e ainda é disparada, embora você já não esteja consciente dela.

Ou então, o patrão chega, joga na mesa o relatório que você fez e comenta: "Não está bom." Você entra em pânico e as emoções se seguem: patrão insatisfeito → perda do emprego → família desprotegida → bárbaros invadem a aldeia → matar patrão. Embora você provavelmente não vá atrás do patrão com seu mouse, seu corpo já reagiu a situações do passado e os compostos químicos estão fazendo a festa.

Uma das coisas que estive praticando recentemente é entrar e sair de uma emoção. Em outras palavras, se consigo me apanhar antes de reagir a alguma coisa e me precipitar numa cascata química irreprimível, faço essa coisa predeterminada. Sem muito envolvimento, entro no sentimento emocional e então me retiro quase como se estivesse fora de mim, observando. Faço isso muitas vezes para praticar a capacidade de me mover entre esses dois estados. Isso ajuda a me treinar na compreensão de que na verdade tenho escolha. Ficar à margem é como ser um observador silencioso. Entrar naquilo é como cair dentro de um sonho sobre o qual não tenho controle.

—MARK

E qual é a boa notícia?

Para começar, a sobrevivência. As emoções nos ajudam a sobreviver, dando-nos uma referência relâmpago que resolve o quebra-cabeça antes que ao menos conheçamos as peças. E, quando se tem um corpo, isso é realmente uma boa notícia. Viver a vida com emoções nos dá uma experiência genuína de

estar vivo, sentir, amar, odiar, viver. Sem essas emoções, a vida seria chata. Elas são o tempero na sopa (quântica); a cor no pôr-do-sol.

Elas nos dão muito mais do que a mera sobrevivência. Elas contribuem para a permanente evolução. Isso é evolução, não no sentido corporal, mas no sentido espiritual, não-físico. Joe Dispenza diz:

> Bem, eu não tenho uma definição científica para alma, mas diria que ela é um registro de todas as experiências de que tomamos posse emocionalmente. As coisas de que não tomamos posse emocionalmente, tornamos a experimentar nessa realidade, em todas as outras realidades, nessa vida, em todas as outras vidas. Portanto, não conseguimos evoluir. Se continuarmos a experimentar a mesma emoção e nunca a aposentarmos, tornando-a sabedoria, não evoluiremos. Não seremos pessoas inspiradas. Não teremos a ambição de ser nada senão o mero produto dos compostos químicos no corpo, que nos mantém presos no círculo em que vivemos nosso destino genético.
>
> Uma pessoa nobre supera o destino genético, a realimentação que vem do corpo, o meio ambiente, as próprias tendências emocionais. Pense nisso. Se você deseja evoluir como pessoa, escolha uma limitação que você sabe que tem e aja conscientemente para alterá-la. Você vai ganhar alguma coisa (...) Sabedoria.

Em outras palavras, aquelas emoções podem estar nos mostrando algo além do tigre. Podem estar indicando a pérola. Ou podem ser o grão de areia que vira pérola dentro da ostra; aquele pedacinho de irritação que a ostra reveste e reveste até ser obtida uma pérola de sabedoria. É razoável que a irritação, a dor nos mobilizem para a mudança. Emoções felizes, prazerosas não são irritantes. As outras é que são reprimidas, toleradas ou transformadas em sabedoria — aquela compreensão mais ampla da vida e de quem somos nós.

COMO TOMAR POSSE DE UMA EMOÇÃO

Um dia eu estava ao telefone com a Betsy revendo um material de animação. Eu reclamava porque alguns dos técnicos de animação classificaram o que eu queria que eles fizessem como doideira e afirmaram que eu nunca ia conseguir. Comecei um discurso sobre como as pessoas sempre me dizem o que não posso fazer e como isso acontece sempre, desde o início do segundo grau. Comecei a recuar no tempo, relacionando todos os "você não vai conseguir", quando subitamente parei. Alguém disse "emoção repetida"? Percebi que vinha criando essa situação há décadas! Por quê? Para que eu pudesse ter a emoção do tipo "Eu disse, sei mais do que você, vá se catar". Usei isso como motivador, para poder ser melhor do que alguém. E embaixo disso estava a insegurança! Eu projetava minha própria dúvida. No lugar de todo esse drama e dessa motivação e satisfação de baixo nível, eu podia simplesmente criar.

Foi nesse momento que finalmente entendi o significado de "tomar posse de uma emoção". E essa emoção foi "aposentada". Já se passaram três anos e ninguém me disse o que não posso fazer.

—WILL

E mais além. Ramtha freqüentemente pergunta a seus alunos quando foi a última vez que eles experimentaram um êxtase, um orgasmo, no sétimo selo.[1] Todo mundo conhece êxtases relacionados a sexo (primeiro selo), sobrevivência (segundo selo) e poder (terceiro selo), mas e essas experiências nos centros mais elevados? Um êxtase no sexto selo é uma compreensão nova e profunda; um "ah-ha" revelatório que também libera endorfinas no corpo é um êxtase no sexto selo. A experiência de consciência cósmica, a conexão suprema e íntima com Deus, é um orgasmo no sétimo selo. O amor completo e incondicional é um dos aspectos do quarto selo.

De acordo com esse ensinamento, nunca alcançamos aquelas dimensões porque a maior parte do tempo a humanidade está presa aos três primeiros selos: sexo, sobrevivência e poder. E o caminho para sair do "porão da humanidade" é tomar posse das emoções dos selos inferiores na forma de sabedoria. Ou como o doutor Dispenza descreve: "aposentá-las como sabedoria". Ou, como a ostra, lidar com o elemento irritante até ele se transformar numa pérola.

Certamente a vida sem emoções é como iogurte natural com mingau de aveia (sem mel) no café-da-manhã, no almoço e no jantar. Repetir a mesma emoção vezes sem conta é como iogurte com frutas vermelhas, açúcar mascavo e granola no café-da-manhã, no almoço e no jantar. Nossa evolução completa está estruturada sobre emoções — elas são inevitáveis. Então a pergunta na verdade é: como usá-las? Em que direção nós as estamos desenvolvendo? Em que estamos nos transformando?

Paixão, amor divino, sentimento de unidade com o todo, bem-aventurança e experiências místicas são emoções — elas geram aqueles neuropeptídeos que inundam o corpo e alteram a própria consciência. Uma realização profunda, sem nenhuma relação com o corpo — em outras palavras, com

---

[1] Um chacra ou centro de energia sutil. Os chacras são pontos de convergência de energia não-física no corpo. Eles estão alinhados com as glândulas endócrinas do corpo físico e são vistos como uma chave para alcançar dimensões mais elevadas.

poder, sexo ou sobrevivência —, pode reestruturar de forma tão significativa o cérebro a ponto de mudar as pessoas, e o mundo nunca mais ser o mesmo. Andrew Newberg diz:

> Uma das coisas que nossa pesquisa está tentando mostrar é que, quando alguém tem uma experiência mística, algo está realmente acontecendo em seu cérebro.
>
> Não se trata necessariamente de uma experiência delirante ou alucinação, mas de algo bem real, pois neurologicamente alguma coisa está acontecendo. Ela nos afeta. Afeta nossos corpos, nossas mentes; e a maneira como respondemos, como incorporamos aquela informação em nossas vidas afeta nosso comportamento e nos modifica como pessoas. Obviamente, ela tem conseqüências reais para nós como seres humanos.

Ramtha descreve esse tipo de realização como um pensamento abstrato: "Você é um deus em construção (...), porém algum dia você terá de amar o abstrato mais do que ama a condição de dependência. E se você o amar em primeiro lugar, a realidade se manifestará e seu corpo [o] experimentará, e teremos emoções totalmente novas, como você nunca experimentou antes."

Emoções totalmente novas. Todas as nossas emoções foram totalmente novas em algum momento. E a razão pela qual continuamos a revisitá-las é por elas serem tão deliciosas. A atração da evolução é a possibilidade de um novo conjunto de emoções. Mais cativantes ainda, mais inspiradoras. Remover as camadas de lembranças e de hábitos para interagir com um mundo que agora é uma revelação em explosão. Essa sim é uma festa a que vale a pena comparecer.

Pense um pouco nisto...

- Quando foi a última vez que você teve um orgasmo em nível mais elevado?
- Que emoções você experimenta com mais freqüência?
- Elas evoluem cada vez que são experimentadas?
- Você evolui cada vez que as experimenta?
- Está na hora de "tomar posse" delas?
- Para você, o que seria uma emoção nova?

Esta página não tem emoção.

DEPENDÊNCIAS

*A única diferença entre um sulco de pneu na estrada
e uma sepultura é a profundidade.*

CHARLES GARFIELD

Uma dependência é uma repressão. Você sabe o que isso quer dizer? Quer dizer que ela reprime você dentro da sua própria caixa.

—Ramtha

Vamos usar como exemplo uma das drogas que mais causam dependência, a heroína, para ver como as dependências atuam dentro das células do corpo. Depois de injetada, a heroína se fixa nos receptores opióides das células. São os mesmos receptores que foram biologicamente preparados para receber as endorfinas, os neuropeptídeos produzidos pelo hipotálamo. Em vez de receber a endorfina, a célula recebe a heroína e se torna dependente.

Agora vamos analisar o mesmo cenário na presença de emoções. As emoções produzem os peptídeos ou moléculas de emoção (MDEs), que se ligam aos receptores da célula. O que acontece com o uso repetido da heroína também acontece com o uso repetido da mesma emoção: os receptores opióides do corpo começam a esperar — e mesmo ansiar — por aquele peptídeo específico. O corpo fica dependente daquela emoção.

Assustador, não? E "você gosta de pensar que é imune a isso". Quando passa por bêbados nas sarjetas ou dependentes de drogas em frente às clínicas de reabilitação, ou um fumante inveterado com os dedos amarelos e os pulmões negros, talvez você pense: "Comigo, não!" Pense de novo; é com você, sim!

Assustador. Mas isso explica tanta coisa! Alguma das idéias a seguir parece familiar?

- Estados emocionais destrutivos
- As mesmas situações repetidas constantemente

- Incapacidade de mudar
- Sentimento de impotência para criar algo novo
- Profundo anseio por certas respostas emocionais
- Vozes interiores dizendo: “Eu quero. Me dá, me dá.”
- A promessa de nunca mais fazer alguma coisa que é novamente feita três horas depois

Por todas as vezes que você passou por alguma dessas experiências, este capítulo é uma terapia de choque. Ele se aplica a todos nós que temos neuropeptídeos circulando pelas veias.

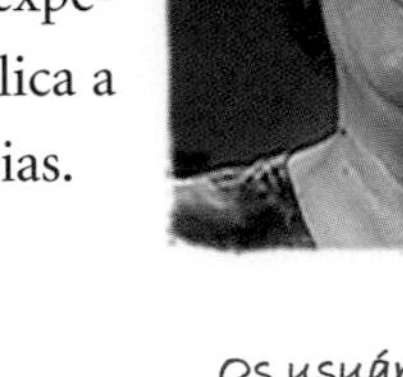

Os usuários de heroína têm receptores para a heroína e, quando eles consomem mais da droga, basicamente começa a declinar a capacidade deles para fazer as próprias endorfinas internas, a própria heroína interna. Então os receptores começam a se tornar menos sensíveis e na realidade há menos deles, portanto ocorrem essas mudanças reais. E agora há essa nova informação de que menos células cerebrais são feitas, de modo que em todas as dependências as pessoas ficam (...) presas aos velhos padrões. Elas pensam apenas os mesmos pensamentos o tempo todo, e não são capazes de pensar nada novo.

—Candace Pert, Ph.D.

Humanóide (substantivo): organismo autoconsciente, auto-estimulante

Em sua pesquisa, a doutora Pert descobriu que temos receptores específicos para a maconha. Por que os temos? Porque nosso corpo produz internamente compostos químicos que nos dão a mesma sensação causada pela maconha. O mesmo acontece com qualquer droga à qual fiquemos fisicamente dependentes — existe dentro do corpo um composto químico análogo a cada uma delas e um receptor no qual ele pode se ligar. Ela explica: “Temos receptores para a maconha e temos uma maconha natural chamada endocanabinóide. Toda vez que alguém dá um tapinha, a maconha exógena[1] se liga aos receptores cuja função normal é fazer uma regulagem fina interna. Assim, as drogas exógenas se ligam na mesma rede projetada para fazer auto-regulação endógena da fisiologia. Tal rede constitui-se de MDEs. Já há dados suficientes para sugerir que as drogas psicoativas não funcionam sem estarem ligadas a um receptor normalmente utilizado para secreções internas.”

Em outras palavras, para qualquer droga externa que tenha efeito em nosso corpo existe uma contrapartida interna — é por essa razão que nosso corpo reconhece, responde e se torna

[1] *Compostos químicos exógenos* são externos ao corpo. Compostos químicos endógenos são manufaturados pelo corpo e são “internos”.

dependente dessas drogas. As drogas externas usam os receptores internos feitos para receber produtos químicos internos.

O capítulo "Introdução ao cérebro" mostrou como as emoções e as lembranças de experiências emocionais estão codificadas em redes neurais conectadas ao hipotálamo. É assim que nos tornamos organismos auto-estimulantes. É acionar a rede neural certa, e os compostos químicos começam a fluir internamente. Como diz Ramtha:

Dependências? Não tenho nenhuma. Bem, o.k., sou viciado em algumas coisas. Como o quê? Insegurança, estresse, preocupação, mania de estar certo, farisaísmo, controle, raiva, inflexibilidade, imposição, medo... já mencionei o estresse?

—MARK

> A dependência é a sensação de estimulação química que se precipitou em cascata pelo corpo graças a uma completa coleção de glândulas e às glândulas endócrinas. Uma sensação que alguns chamariam de fantasia sexual. Só é preciso uma para que um homem tenha ereção, ou seja, basta um pensamento aqui [no cérebro] para que um homem tenha ereção.

Para muitos, isso é o exemplo mais direto de que se concentrar num pensamento produz os neuropeptídeos adequados. Há muitos outros: lembrar aquele glorioso momento na escola quando você marcou o gol da vitória; lembrar a primeira vez que percebeu estar apaixonado; ter sucesso; sonhar com o momento em que a mídia o chamou de artista inspirado ou de tremendo sucesso. Em todos esses casos o lobo frontal mantém aquele pensamento em particular, ativando a rede neural específica que envia seu sinal à nossa farmácia interna.

Quer dizer que toda vez que alguém dispara esse mecanismo há dependência? Você é um alcoólatra toda vez que bebe? Claro que não. Se uma vez ao ano você recorda aquele gol glorioso, isso não é uma dependência. Se todo dia sonha com aqueles tempos — adivinhe? Você tem um hábito.

Efeitos biológicos

Todo mundo sabe que a longo prazo as dependências têm sérios efeitos sobre o corpo. Com a descoberta do mecanismo peptídeo-receptor, a base biológica do efeito da dependência se tornou óbvia, como explica a doutora Pert:

> Se determinado receptor para uma droga ou fluido interno é intensamente bombardeado há tempos, ele encolhe; haverá menos deles ou eles serão dessensibilizados ou regulados, e a mesma quantidade de droga ou fluido interno produzirá uma resposta menor. Um bom exemplo disso é a tolerância. Sabemos que um dependente de opiáceos precisa de doses cada vez maiores para ter o mesmo barato.

Todo mundo é dependente. Não importa quem é a pessoa. E todos são dependentes porque nunca tiveram nada melhor para substituir aquilo em que são viciados e nunca tiveram uma razão pela qual acordar toda manhã e uma razão para viver. O homem que é dependente de poder se levanta toda manhã e faz as coisas que mostram o seu poder. Ele precisa ter uma porção de pessoas que lhe sirvam de alimento, a quem oprimir, a quem comandar, para sentir que tem valor. Porque ele sente que não tem valor. Ele precisa daquelas emoções para se sentir valorizado.

—Ramtha

Tal efeito também pode ser visto no caso das emoções: no indivíduo que busca a excitação do *bungee jumping* para ter o barato da adrenalina, no dependente sexual que procura sensações cada vez mais estranhas, ou no político que concorre a cargos cada vez mais altos, não pelo desejo de servir, mas pelo poder. Se começarmos a procurar situações assim nas pessoas que conhecemos, ou em nossas próprias vidas, veremos exemplos em toda parte.

Enquanto isso, aquelas pobres células estão passando fome. O abuso constante dos compostos químicos que produzem emoções cria sítios receptores dessensibilizados para a adaptação de todos aqueles neuropeptídeos. As células não estão recebendo uma refeição "equilibrada", já que recebem mais da emoção de que são dependentes do que de outras, e acabam tendo uma menor nutrição. Quanto mais raiva a personalidade criar, mais saciada a célula se sentirá. Essa é a história daquele cara que sai na sexta-feira à noite "procurando confusão". Ele não está com raiva por uma razão qualquer — só saiu para alimentar suas amigas células. Essas criaturinhas são capazes de fazer muito barulho quando precisam de algo. Lembra da vozinha em sua cabeça dizendo "estou com fome" ou "estou com sede"?

Já parou para pensar em quem falou aquilo? Bem, de acordo com Ramtha, isso é a voz coletiva de nossas células. Elas estão dizendo "*Me alimente*". E quando a emoção é de um tipo que você considera social ou moralmente incorreto, você não ouvirá "Vamos fazer alguém de idiota para nos sentirmos superiores". Em vez disso, desejará inconscientemente fazer com que aquilo aconteça. Ou seja, você criará aquela situação.

As dependências emocionais explicam tantas coisas — porque alguém rejeita constantemente os outros, recai no mesmo relacionamento agressivo ou repete constantemente a mesma horrenda situação de vida. Em outras palavras, as dependências emocionais são o motivo de as pessoas continuarem a criar determinada realidade, embora digam "Eu nunca teria criado *aquilo*". A única maneira de deixar para trás esses comportamentos repetitivos e dependências é dizer: "Bem, eu crio *aquilo* constantemente, portanto devo ser dependente *daquilo*."

Quando fazemos uma dieta daquelas emoções, as vozes que se levantam, as células estão literalmente mandando impulsos nervosos para o cérebro para dizer a ele que estão com fome, que o corpo está faminto daquilo de que é quimicamente dependente. E os compostos químicos são veículos de informação poderosos.

—Joe Dispenza

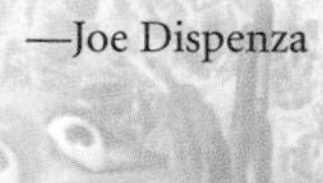

Para muita gente, todas as criações de suas vidas são emocionalmente condicionadas, pela dependência. A título de exemplo da criação de algo "mau" na vida, vamos examinar a "mentalidade de vítima". Inicialmente aconteceu algo de mau, você contou a alguém, ele ou ela *se sentiu mal por sua causa* (passando a sofrer também) e dessa forma o problema foi fixado. Alívio. Você talvez pense: *"Ei, nada mau, vamos ver se consigo fazer isso funcionar novamente."*

Subitamente, as pessoas passam a cuidar de você. Dão dinheiro, apoio emocional e são simpáticas sempre que precisa delas. O problema é que há uma validade para a relação vítima/salvador. Todo salvador precisa se sentir tão especial quanto a vítima, portanto tende a ir em frente depois que o "barato" inicial se desgasta. Se nenhum dos dois mudar, ambos seguirão para redescobrir a dependência com outras pessoas. E, na descrição de uma verdadeira vítima, continuar "tendo situações ruins e injustas acontecendo comigo" é muito diferente de "crio situações que me permitam obter a simpatia e o apoio dos outros".

O doutor Joe Dispenza é eloqüente quando declara: "Minha definição de dependência é simples: é uma coisa que você não consegue evitar. Se você não consegue controlar seu estado emocional, deve estar dependente dele."

Emocionólatras anônimos

Em alguns aspectos é uma situação bem triste. Eu sou dependente; você é dependente — vamos nos reunir e somar nossas dependências. Na verdade, isso não é tão ruim quanto parece; é o que todo mundo faz. Emitimos freqüências específicas para aquelas emoções e assim trazemos para nossa esfera seres com a mesma mentalidade. Segundo Ramtha, "as pessoas que realmente amamos são as que desejam compartilhar nossas necessidades emocionais". O doutor Dispenza descreve essa situação da seguinte forma: "Quebramos quimicamente as dependências para todos aqueles pactos. Essa é uma situação desconfortável para o ser humano (...) porque você procura indícios de que está fazendo a coisa certa e o lugar em que você os busca é com as pessoas com as quais tem todos esses acordos."

Ainda assim é triste, porque dependências são difíceis de serem rompidas. É isso o que as torna dependências. Essas emoções se tornam hábitos porque tentamos continuamente recriar a experiência inicial. A tentativa de recuperar a primeira experiência de sexo, de solidariedade ou de poder é que as transforma em dependência. Segundo Ramtha:

> Agora, e os que são dependentes de sexo, de heroína, de maconha? Bem, cada um deles tem uma química cerebral diferente. Eles estão procurando tocar o centro de prazer no cérebro. *Não foi para isso que o cérebro foi feito.* Portanto as pessoas reinventam as experiências cerebrais espalhando os mesmos compostos químicos, os mesmos sentimentos.

E para que o cérebro foi feito? Para sonhar novas fantasias, novas realidades, e, então, manifestá-las e experimentar aquele primeiro momento emocional incrível, um momento com uma emoção nova.

Parece fantástico — novas emoções, novos baratos —, então por que é tão difícil romper o hábito?

VICIADOS EM UM SENTIMENTO

A ciência agora já sabe que o hipotálamo produz neuropeptídeos, compostos químicos poderosos. Por exemplo, cientistas pegaram alguns animais de laboratório e colocaram eletrodos em certas partes do cérebro deles que produzem aqueles neuropeptídeos. Então, ensinaram as cobaias a pressionar uma alavanca para terem aquela liberação química.

O animal preferia liberar os neuropeptídeos a matar a fome e a sede, fazer sexo ou dormir. Chegava à exaustão e entrava em colapso antes de cuidar de si mesmo fisicamente. E é isso o que o estresse faz aos nossos corpos. Ficamos tão viciados nele que somos incapazes de pedir demissão do emprego, mesmo que não seja bom. Não conseguimos sair de um relacionamento que não nos serve mais. Não conseguimos fazer escolhas porque estímulo e resposta produzem os compostos químicos que os obliteram. E não somos diferentes do cachorro que não é capaz de fazer escolhas porque tem um lobo frontal menor.

—Joe Dispenza

Você não consegue curar um dependente até ter dado a ele tudo o que ele quer, e então ele não pede mais nada. É dessa forma que tomamos posse de uma experiência. E é aí que somos sábios. Junte isso a novas receitas para a mente. E a receita para a mente é o conhecimento. Pois o conhecimento é como blocos de construção; construímos novos hologramas; e criamos realidades.

—Ramtha

E ainda estamos perguntando como romper com aquelas dependências!

Possivelmente o programa de maior sucesso em lidar com dependências é o Alcoólicos Anônimos (A.A.). Milhões largaram o álcool "um dia de cada vez", usando o programa de 12 passos do A.A. Seria um desserviço tentar explicá-lo aqui, e interessados devem procurá-lo.

No entanto, vamos analisar uma parte do programa — o alcoólatra é ensinado a reafirmar repetidamente "Eu sou um alcoólatra". E embora no início isso seja necessário para encarar a realidade da situação, essa repetição prende o indivíduo naquela personalidade. Dessa forma, isso nunca termina.

A dependência nunca é assumida e aposentada. O indivíduo continuamente se identifica com aquilo. No fim das contas, isso tira dele a possibilidade de uma transformação completa e radical, que é o motivo de estarmos aqui.

Por que *estamos* aqui?

Ah, de volta às grandes perguntas. E por que elas são grandes? Por não serem óbvias ou fáceis de responder? Ou porque parecem significativas? Ou ainda por que elas caem muito bem como assunto em um coquetel e você causa uma impressão nas pessoas quando faz uma das grandes perguntas? É por serem a resposta que nos tira das grandes dificuldades.

Estamos aqui para ser criadores. Estamos aqui para preencher o espaço com idéias e mansões de pensamento. Estamos aqui para fazer alguma coisa dessa vida.

—Ramtha

Nosso objetivo aqui é desenvolver nossos dons de intencionalidade. E aprender como ser criadores eficazes.

—William Tiller, Ph.D.

A questão é que estamos aqui para fazer alguma coisa de nós mesmos. Estamos aqui para explorar os limites totais da criação; estamos aqui para tornar conhecido o desconhecido.

—Miceal Ledwith

O objetivo único desse jogo é preparar quimicamente o nosso corpo, por meio de um pensamento, para ter uma experiência. Contudo, se ficarmos preparando quimicamente nosso corpo para ter os mesmos pensamentos, para ter as mesmas experiências, não evoluiremos como seres humanos.

—Joe Dispenza

As emoções, das quais fomos dependentes por tanto tempo, agora não estão mais sendo dadas para a célula e a célula degenera dentro de nós. Se persistirmos e superarmos isso, assim como persistimos e superamos qualquer dependência, quebraremos a resposta porque não estaremos mais respondendo à voz em nossa cabeça. Ao mesmo tempo estaremos quebrando quimicamente a resposta porque agora a célula não está tendo suas necessidades químicas atendidas. A célula finalmente estará liberada de sua dependência química e agora, quando se reproduzir, ela vai "se otimizar". Ela abandona todos aqueles receptores que eram responsáveis por aqueles estados emocionais e agora a célula está em um estado melhor de harmonia, e o corpo experimenta alegria.

—Joe Dispenza

De 60% a 80% dos crimes estão relacionados a drogas e dependência. Imagine as possibilidades de mudança não somente no nível pessoal, mas também no nível social.

Criar, evoluir, romper os velhos padrões, ser mágicos — o fato de sermos criadores, de criarmos nossa experiência de vida, nossa realidade, o fato de termos essa habilidade indica por que estamos aqui. Resumindo: para usá-la ou perdê-la.

Se, como diz o doutor Ledwith, estamos aqui "para tornar conhecido o desconhecido", isso significa experimentar algo que nunca provamos antes. O mesmo de sempre se transforma em o sempre novo.

As dependências são quebradas por meio da mudança, da evolução.

E se é por essa razão que estamos aqui, as emoções novas serão tão maravilhosas, enriquecedoras e deliciosas que as antigas se parecerão com o velho anuário da escola — muito importante na época, mas agora relegado a uma prateleira esquecida da estante. A doutora Pert relata e a biologia comprova essa transformação em suas descobertas mais recentes. Já existe indício de que, quando pessoas ou cobaias como os ratos são dependentes de uma droga (nicotina, álcool, cocaína, heroína), todos os sujeitos da pesquisa têm algo em comum: o crescimento de novas células cerebrais fica bloqueado. Porém, quando o sujeito pára de utilizar a droga, novas células cerebrais continuam a crescer. Como diz a doutora Pert: "A pessoa pode se recuperar completamente e pode tomar a decisão de criar uma nova visão para si mesma, um novo cérebro." Há esperança de um novo começo para muitos, das menores às maiores dependências.

Ramtha resume a saída: "Temos de buscar o conhecimento sem nenhuma interferência de nossas dependências. E se conseguirmos fazer isso, manifestaremos o conhecimento na realidade e nossos corpos experimentarão de novas maneiras, com nova química, em novos hologramas, outros lugares de pensamento, *ultrapassando nossos sonhos mais fantásticos.*"

Pense um pouco nisto...

- Por que parece *tão* gostoso se sentir *tão* mal?
- Liste algumas de suas dependências emocionais.
- O.k., qual foi a dependência que você não incluiu na lista?
- Liste as dependências das pessoas mais próximas a você.
- Como você foi capaz de reconhecer as dependências delas?
- Todas as dependências são ruins?

E este é o objetivo final:
encontrar o prazer e evitar a dor.
É isso o que move a evolução humana.

—Candace Pert, Ph.D.

DESEJO → ESCOLHA → INTENÇÃO → MUDANÇA

É realmente uma questão de desejo, desejo, desejo e apenas desejo. Não tem nada a ver com habilidade, talento, inteligência ou qualquer outra coisa.

FRED ALAN WOLF

Quando apresentamos a palavra *escolha*, como o fato de a consciência escolher entre os eventos possíveis, surge o fato concreto da experiência. E assim, pela primeira vez, a ciência encontra o livre-arbítrio.

—Amit Goswami

Portanto, para todos os fins, quando se quer focalizar a *intenção*, é preciso manter uniformidade da mente.

—William Tiller

O bom é que há enorme potencial de *mudança*.

—Daniel Monti

O desejo tem uma reputação ruim nos círculos espirituais. Frases como "eliminar o desejo" dão a impressão de que, se uma criatura estiver livre de desejos, a iluminação acontecerá em seguida. A segunda das quatro nobres verdades de Buda é:

> A origem do sofrimento é o apego às coisas transitórias e a conseqüente ignorância. As coisas transitórias incluem não somente os objetos físicos que nos cercam, mas também as idéias e, em sentido mais amplo, todos os objetos de nossa percepção. A ignorância é a falta de entendimento da maneira como a nossa mente está apegada às coisas mutáveis. As razões do sofrimento são o desejo, a paixão, o fervor, a busca da riqueza e do

prestígio, a luta pela fama e pela popularidade ou, para resumir: o *desejo* e *o apego.*

Com relação às emoções, o sábio indiano Ramakrishna disse: "A fumaça ainda surge, mas, na parte iluminada, ela não se deposita nas paredes." Em todos esses ensinamentos, não é a emoção, mas o apego (dependência) o que traz sofrimento e dor a todas as pessoas.

Em uma leitura rápida, esse texto parece incluir o desejo, a paixão, o fervor, etc., na relação dos vilões. Assim, os aspirantes à evolução lutam por remover essas emoções de suas mentes e viver uma vida sem desejo e sem paixão. Entretanto, as palavras *desejo e apego* nos dão a pista do verdadeiro malfeitor — não é o desejo, mas o apego a ele. (Note que isso não é mau, "apenas a falta de entendimento da maneira como a nossa mente está apegada".)

"Apego ao desejo" lembra muito "dependência emocional". De fato, é a mesma coisa. Tente intercambiar essas duas expressões para verificar isso por si mesmo.

Essa é uma daquelas situações em que a ciência cruzou o caminho dos grandes ensinamentos espirituais e redescobriu os mesmos fenômenos. De acordo com a tradição budista, esse apego é o que nos mantém para sempre na roda da vida, de morte e renascimento, girando sempre, continuamente. Como diz a doutora Pert, "em todas as dependências ficamos presos aos velhos padrões. Você fica tendo os mesmos pensamentos repetidamente, e não consegue pensar nada novo".

Desejo e paixão — amigo ou inimigo?

Desejo e paixão são combustíveis da evolução e da mudança. O doutor Dispenza afirma: "É preciso ter vontade e paixão para ultrapassar a própria zona de conforto." A seguinte cena de Jesus revela paixão: "E, fazendo de cordas um açoite, expulsou-os todos do templo, com as ovelhas e os bois, e derramou o dinheiro dos cambistas e derrubou as mesas" (João 2:15).

Se os teus olhos forem bons, todo o teu corpo será luminoso.

—Mateus 6:22

Quando analisamos um certo desejo, é importante ter duas atitudes: não julgar e ter honestidade sobre o real objeto do desejo. Não pode haver julgamento, pois quando julgamos que um desejo é mau nós o enviamos para o porão da repressão.

O desejo é um mecanismo para eu me examinar e refletir sobre minha compreensão da realidade, para experimentar. Por meio de qualquer desejo que eu esteja tendo, posso examinar por que o tenho. Faço perguntas como: realizar aquele desejo vai preencher que parte de mim? É por causa de uma dependência emocional? Realizar esse desejo vai me dar uma experiência nova? Ou vou repetir uma experiência antiga? Quando posso examinar meus desejos dessa maneira para chegar a um acordo, consigo ver por que os tenho e isso me ajuda a ter clareza na minha intenção. Se meu desejo for de poder e eu admitir que quero passar por uma experiência de poder em uma nova perspectiva e por que quero experimentar poder, então posso ter a experiência e seguir adiante, porque sei realmente o que quero e o porquê. A clareza e a honestidade trazem a experiência de uma forma pela qual sei que posso ganhar conhecimento.

—BETSY

Os desejos surgem. Alguém dá uma fechada em seu carro — seu desejo é ter um canhão de laser para varrer da estrada essa pessoa. Se você se sentir horrível e envergonhado, é provável que a causa dessa raiva jamais seja descoberta.

Quanto ao que o desejo realmente é, vejamos um exemplo: Alguém se candidata a um cargo público. Essa pessoa deseja o poder. Porém é comum as pessoas sentirem culpa (julgamento) quando afirmam ousadamente seu verdadeiro desejo e, então, elas encenam o desejo de ajudar os cidadãos, quando o que realmente querem é experimentar o poder. E quem pode afirmar que esse não é o próximo degrau que eles precisam subir na escada da evolução? Ou talvez eles queiram o poder para encobrir um profundo sentimento de insegurança e de desvalorização. Nesse caso, conseguir o poder não lhes vai fazer nenhum bem.

Existe ainda uma razão prática pela qual é imperativo chegar à raiz do desejo. A manifestação! Como mencionou Bill Tiller, você quer ter uma uniformidade de mente. Se o verdadeiro desejo está sendo encoberto por outro politicamente correto, ou se aquele desejo tem outro subjacente, isso significa que estão sendo ativadas duas redes neurais. É uma casa dividida e isso simplesmente não funciona com a intenção. Mas, anterior a isso, sobre os desejos infindáveis (pelo menos assim parecem) que borbulham de todos os cantos do ser, a grande pergunta é: para qual deles devemos pressionar o botão de "avançar"?

Escolha

Alguém tem de escolher. E quem escolhe? Para simplificar, digamos que é uma de duas entidades: a primeira é a personalidade e a outra é o ser transcendental. Essa maneira de organizar os dois seres dentro de nós nos leva de volta à dualidade ego/Deus, matéria/espírito. Sabemos que, se quem escolhe é a personalidade, a decisão vem de redes neurais preexistentes, ou seja, de experiências e emoções do passado, e das decorrentes dependências. Nesse caso, o botão de "avançar" pode ser chamado de botão de "repetir". E essa escolha quase sempre vem de uma decisão inconsciente, como a das cobaias que continuam a pressionar a alavanca dos peptídeos.

O verdadeiro botão de "avançar" vem do lado espiritual. Nesse caso, a escolha não é motivada por elementos do passado, mas para evoluir. Contudo, se é assim, uma pergunta interessante é: dos desejos que surgem, como saber quais vêm do ego e quais vêm da alma? Especialmente quando consideramos que os vindos do lado espiritual freqüentemente são um tanto estranhos, inusitados, quando comparados às nossas rotinas normais.

Há alguns grandes exemplos disso nas histórias sobre discípulos e mestres espirituais. Em muitos desses relacionamentos, o mestre é a voz da natureza espiritual adormecida do estudante. Sozinho o discípulo levaria milênios para ouvir a própria voz interior; então o mestre a verbaliza por ele. Em geral achamos que a guerra é má, certo? No entanto, no exemplo de Krishna, ele está conduzindo o carro de combate de Arjuna e dizendo-lhe que é seu dever espiritual lutar contra os kurus.

Outro exemplo é a história budista sobre Marpa e Milarepa. Milarepa construiu uma grande casa de pedra. Quando ela ficou pronta, Marpa o fez devolver cada pedra ao local de origem, desfazendo a casa inteira. Pode parecer loucura, mas eles ainda repetiram essa dança mais quatro vezes.

Don Juan mandou seu discípulo Carlos Castaneda, já um escritor de sucesso, passar meses preparando hambúrgueres numa lanchonete. Don Juan estava propondo a iluminação por meio de bifes e batatas fritas? Aconteceu que depois de alguns meses apareceu uma bela jovem procurando por ele, que ficou quieto até a limusine estacionar. A mulher disse: "É o Carlos", e ele percebeu o quanto ainda ansiava por fama e naquele momento entendeu a verdade sobre si mesmo.

Com freqüência é essa voz que vem do lado transcendental, esse desejo louco por sabedoria, que opera a transformação

O COMPLEXO INDUSTRIAL DO ENTRETENIMENTO

Nos anos 1960, todos falávamos do Complexo Industrial Militar (CIM). E embora, ainda seja uma força em vigor, foi silenciosa e firmemente suplantado ao longo dos anos pelo Complexo Industrial do Entretenimento (CIE). O CIE causa a cada momento um impacto cem vezes maior que o causado pelo CIM. Veja bem, o CIE domina duas coisas importantes: manipula o desejo e a escolha e rouba poder das pessoas. Eles usam o "entretenimento" para criar o desejo e o vazio que nos fazem comprar o que eles produzem. Embora em princípio isso não seja tão diferente do coliseu romano, com o alcance da atual tecnologia ele se torna esmagador. Basta ver como todo noticiário, revista, filme, show de televisão cria desejos e faz com que nos sintamos impotentes e vazios — sentimentos que só os produtos podem satisfazer.

—WILL

A melhor maneira de um ser humano se tornar observador é, antes de mais nada, ter a percepção ou a compreensão intelectual de que não temos de fazer sempre as mesmas escolhas, repetidamente. E em segundo lugar, colocar-se experimentalmente em certas situações na própria vida pessoal em que aqueles mecanismos do corpo sejam superados, e isso requer prática.

—Joe Dispenza

que ninguém teria sido capaz de imaginar. Essa é a razão pela qual é importante não julgar os desejos, mas examiná-los detalhadamente antes de escolher. E então temos a escolha.

"O livre-arbítrio está localizado em nosso córtex frontal e podemos nos treinar para fazermos escolhas mais inteligentes e sermos conscientes delas. Penso que é preciso haver diferentes tipos de prática. Podemos ir à academia e trabalhar os bíceps, ou malhar o córtex frontal por meio da ioga, da meditação e de outras práticas", informa a doutora Pert.

Portanto, *quem* escolhe? É claro que é *você*, mas então voltamos ainda uma vez à pergunta: "Quem sou eu?" Qual "você" (personalidade/ego ou ser transcendental/espírito) faz as escolhas? Neurologicamente, parece que a pergunta é: a escolha está vindo de uma rede neural já existente ou do córtex frontal? Estamos nos aproveitando da aleatoriedade quântica que borbulha nas caixas chinesas[2] para nos deixar escolher algo novo ou somos a máquina mecanicista que faz tudo com base em condições preexistentes?

E mais uma vez voltamos à pergunta: em que mundo vivemos? No universo vivo, orgânico, desperto, interconectado ou no universo dividido, brinquedo de corda, de tique-taque?

A escolha é sua.

A intenção

E do outro lado da escolha está a ação! Quando o doutor Tiller realizou sua pesquisa sobre como a intenção afeta os sistemas físicos, ele usou "quatro meditantes muito qualificados, indivíduos com alta capacidade de gerir o eu interior." Como sugere a doutora Pert, a capacidade de manejar a intenção é uma habilidade que pode ser desenvolvida. O doutor Tiller acrescenta, com relação à capacidade de ter como foco a intenção: "É por isso que alguns dos ensinamentos ocultos antigos

[2] Da teoria do cérebro quântico sobre o livre-arbítrio, de Jeffrey Satinover.

orientam as pessoas a direcionar a atenção em uma chama. Você aprende a centralizar a atenção em um canal restrito, de modo que a densidade de energia fica maior."

Até aqui *ainda* falamos sobre criar a realidade. Mas agora estamos falando de por que criamos o que somos, em que níveis e como tornar essas criações mais conscientes e mais poderosas. Parece que nosso cérebro tem no lobo frontal a estrutura exata para esse propósito. Diz o doutor Dispenza:

> O que nos torna diferentes de todas as outras espécies é a proporção entre o nosso lobo frontal e o resto do cérebro. O lobo frontal é a área do cérebro responsável pela intenção firme, pela tomada de decisão, pelo comportamento regulador, pela inspiração. E, quando desenvolvemos essa habilidade como seres humanos, fazemos outras escolhas que, de fato, afetam nosso potencial ou afetam a nossa evolução.
>
> Enquanto um cachorro pode precisar de literalmente milhares de anos para fazer uma escolha diferente, o ser humano, por causa do seu grande lobo frontal, é capaz de fazer a mesma escolha em instantes.

Então vimos por que o desejo é necessário e nem sempre "mau". Por isso você precisa tomar a decisão e alinhá-la com a intenção para transformar em realidade a saúde, a riqueza e a felicidade. Se você ainda estiver sentindo uma disparidade, Ledwith adianta: "Vejamos, por que não posso alcançar essas coisas? Fundamentalmente, por causa da falta de foco. Não conseguimos permanecer concentrados; a mente fica vagando por toda parte, por muito tempo, e estamos sintonizados demais nas vibrações do plano material." Esse é o obstáculo. Para que a intenção realmente funcione, ela precisa estar focalizada — mas o mundo em que vivemos está sempre demandando nossa atenção. Bilhões de dólares são gastos para prestarmos atenção em alguma coisa. (E a palavra-chave é *pagar.*) É um dilema real, observa o doutor Dispenza, já que "muitas pessoas param depois de um pequeno esforço, porque procuram os resultados no

Estamos operando o holodeck. Ele tem imensa flexibilidade; qualquer coisa que você imaginar ele criará para você. Sua intenção faz aquilo se materializar assim que você estiver suficientemente consciente e aprender a usar sua intencionalidade. Você aprende a controlar as intenções. E tudo está compreendido nesse processo de construção, mais e mais e mais e mais, de modo que você, então, experimenta esses sinais mais profundos que vêm das várias camadas da vestimenta biológica, e você percebe a realidade maior.

—William Tiller, Ph.D.

A única constante é a mudança.

—I Ching

mundo e, quando não os vêem, imediatamente duvidam que sejam possíveis. E no entanto, do outro lado, logo depois do ponto em que elas pararam, o potencial ainda existe. Somos seres humanos preguiçosos. Vivemos em um mundo de comodidade, e se não conseguirmos realizar nosso desejo rapidamente, imediatamente, ficamos impacientes."

Mas certamente não podemos culpar o mundo por nossa falta de foco. É a mentalidade de vítima. Pelo contrário, para nos aperfeiçoarmos no exercício da *intenção*, precisamos *desejar* isso e *escolher* desenvolver essa habilidade. É uma reação em cadeia com resultados extraordinários.

No capítulo "O cérebro quântico" falamos sobre o efeito Zenão quântico — quando continuamente mantemos a mesma intenção (temos como foco a mente) dirigida para o mundo quântico, a realidade é afetada. Citando novamente Henry Stapp: "Por força das leis quânticas do movimento, uma forte intenção manifestada por meio da alta velocidade dos atos intencionais semelhantes tenderá a sustentar o respectivo modelo de ação." Portanto, não se trata de simplesmente ter uma intenção e ir ao cinema. É manter repetido o desejo, desejo, desejo, foco, foco, foco, o que faz a mágica acontecer.

Se a realidade é a minha possibilidade, a possibilidade da própria consciência, então imediatamente surge a questão: como se pode mudá-la? Como melhorá-la? Como fazê-la mais feliz? Na maneira antiga de pensar, não posso mudar nada porque não tenho nenhum papel a desempenhar na realidade. A realidade já está lá. São objetos materiais se movendo por si mesmos, de dentro de vidas determinísticas. Eu, o experimentador, não tenho nenhum papel. Na nova visão, sim, a matemática pode nos dar alguma coisa; ela nos dá as possibilidades que todo esse movimento pode assumir. Mas ela não pode nos dar a experiência real que terei na minha consciência. Eu escolho aquela experiência e portanto, literalmente, crio minha própria realidade.

—Amit Goswami, Ph.D.

A mudança observável

Falamos há vários capítulos sobre as glórias da mudança e o beco sem saída (literalmente) de nunca se aventurar pelo desconhecido. Portanto, a essa altura ou você está se coçando de vontade de ter alguma experiência sensacional, ou está na hora de ir para cama.

Para encerrar essa longa cadeia de fatores factíveis e inter-relacionados, pedimos ao doutor Dispenza que resumisse como fazer tudo isso acontecer para todo mundo. Como ele nos disse em um capítulo anterior, "o mundo subatômico responde à nossa observação, mas a pessoa comum perde o foco da atenção entre seis e dez segundos". Como superar isso?

QUANTUM: DO MINÚSCULO AO HUMANO

Portanto, como coisas muito grandes poderão responder a quem não tem nem mesmo a capacidade de focalizar e se concentrar? Talvez sejamos apenas maus observadores. Talvez não tenhamos dominado a habilidade de observação e talvez isso seja uma habilidade. E talvez sejamos tão dependentes do estímulo e resposta do mundo exterior que o cérebro esteja começando a ser reativo, em vez de ser criativo.

Se recebermos o conhecimento adequado, a compreensão adequada e a instrução adequada, devemos começar a perceber retroalimentações mensuráveis em nossas vidas. Se você se esforçar para projetar uma nova vida e se fizer disso a coisa mais importante e alimentar esse projeto todos os dias, como um jardineiro rega uma semente, você produzirá frutos. Pode demorar um pouco no início; pode levar algum tempo para ser desenvolvida a arte de controlar a mente contra tudo o que ela precisa fazer.

Mas deveríamos estar dispostos a reservar uma parte do dia para agradecer por estarmos vivos e pela vida que temos. E então começar a observar, com pura sinceridade, como construir um novo futuro possível para nós mesmos. Se fizermos isso, se observarmos corretamente, começaremos a ver oportunidades surgindo em nossas vidas — não à altura do que podemos prever, mas fora da nossa previsão. É preciso que seja fora da nossa previsão, porque quando é assim sabemos que aquilo veio de uma mente maior.

Se ocorrer o que prevemos, então estaremos criando mais da mesma coisa. Como podemos criar um mundo novo se o resultado for previsível? Não criamos nada novo [quando] procuramos uma retroalimentação em nosso mundo. O cérebro adora uma retroalimentação. Ele gosta de saber quando agiu bem ou quando realizou uma

Você não pode simplesmente mudar a si mesmo pelo pensamento. Não pode simplesmente usar o mesmo cérebro que colocou você na roubada para sair dela e fazer uma mudança na própria vida. Você tem de sair de si mesmo para adquirir uma perspectiva mais ampla. Para algumas pessoas pode ser simplesmente uma questão de tomar um banho e contemplar coisas, ou estar na natureza, ou focalizar, ou meditar, ou caminhar sobre brasas... o que quer que leve cada pessoa a um estado diferente.

— MARK

Já vi pessoas realmente idiotas se transformarem em excelentes cientistas e até ganharem o Prêmio Nobel. Já vi pessoas visivelmente inteligentes e talentosas pedindo esmolas nas ruas de São Francisco. É uma questão de desejo, desejo, desejo.

—Fred Alan Wolf, Ph.D.

tarefa; então fará aquilo novamente. A sinceridade, neste nível da mente, dá às pessoas a oportunidade de aplicar um princípio ao escolher uma realidade potencial e observá-la. Fazendo isso, elas estão dispostas a dizer que sabem que a física quântica funciona para as coisas muito pequenas.

Mas quando você sairá completamente dos trilhos e dizer [o que] disseram todos os grandes que já viveram? Tudo começa sempre pelo pensamento e pelo sonho. E por que não aplicar isso à sua própria vida pessoal? Não é que o campo quântico não responda; é que temos que elevar nosso nível de vontade e sinceridade; e, quando isso acontecer, veremos resultados mensuráveis em nossas vidas.

—JOE DISPENZA

Portanto, para ver o que é necessário à mudança, temos simplesmente de voltar no caminho por onde viemos. Para mudar, precisamos ter a intenção de mudar. A intenção é o resultado da decisão (livre-arbítrio) de mudar, e essa decisão emerge do desejo de mudar.

Você precisa querer mudar. Estamos dizendo *querer* mudar, desejar isso da mesma forma como desejou seu primeiro... qualquer coisa. Pois o mundo material, o mundo da matéria, move-se como um relógio e oferece resistência à mudança, enquanto o mundo invisível do espírito clama por ela. A escolha é em qual deles viver.

Pense um pouco nisto...

- O que você deseja intensamente que seja verdade?
- Por que você deseja isso?
- De onde vem esse desejo?
- A realização desse desejo vai preencher o quê em você?
- Seu paradigma também vai mudar?
- Você está disposto a abrir mão de tudo em seu paradigma atual para realizar esse desejo? Isso é necessário?

Intervalo com Betsy

"O que isso tudo realmente significa para mim?"

Quando estava fazendo o filme *Quem somos nós?*, deixei todo mundo louco repetindo constantemente essa pergunta. Como integrar toda essa informação nova em minha vida para efetivamente realizar uma mudança? Como levar todas essas coisas do campo da filosofia para a experiência? Quando comecei o filme, não sabia nem mesmo como se escrevia física quântica e não ligava muito para "espiritualidade". Estava vivendo feliz em minha rasa consciência, quicando contra a realidade. Penso em mim mesma como "criadora acidental".

Nos últimos quatro anos, trabalhando no filme, neste livro e viajando pelo mundo para falar sobre eles, cheguei à seguinte compreensão: as dependências emocionais (ou apegos) parecem estar conectadas ao início de tudo. Crio minha realidade com base no meu estado emocional, estado que escolhi porque meu corpo se tornou dependente das mesmas experiências/emoções/compostos químicos. Essas experiências são integradas no meu cérebro com base em experiências antigas, dados antigos.

Sendo assim, como sair do meu estado emocionalmente dependente para um estado mais elevado de mim mesma e daí criar novas emoções? Como "tomo posse" de uma emoção? O que significa isso?

Para mim, "tomar posse" de uma emoção significa que ela não tem mais poder sobre mim ou sobre minhas decisões. Eu escolho meu estado emocional; ele não me escolhe. Uma vez que eu tenha "tomado posse" de uma emoção, isso não quer dizer que nunca mais vou tornar a senti-la. Quando ela aparecer, não vou entrar em pânico e tentar reprimir. Não vou deixar que ela bagunce meu sistema. Eu observo.

"Como começar — por onde começar?" Bem, se estive criando minha realidade com base nas minhas dependências emocionais, então vou examiná-las. Trabalho apenas uma, mas geralmente descubro que muitas estão interconectadas e podem ser relacionadas com uma ou duas experiências que tive em minha vida.

Portanto, primeiro tomo conhecimento delas.

O próximo passo é superar o julgamento. Descobri que, quando localizava uma dependência, gastava tempo me sentindo mal em relação a ela, julgando-me, e o engraçado é que julgava a mim mesma de dentro desse estado de dependência. Aqui está um exemplo: sou viciada no fracasso. Acho que não sou suficientemente boa para superar o fracasso (o que é um fracasso!). Argh! Lembro a mim mesma que não sou a única a ter esse problema. Todo mundo é dependente de alguma coisa e todo mundo, inclusive eu, tem a habilidade de mudar essa dependência. Mas o julgamento é uma dessas questões de raízes profundas. A culpa e o julgamento parecem ter sido embutidos em nós por séculos de "moralidade" que nos foi imposta. Por conseguinte, mesmo que você não se considere pessoa crítica, isso está lá em algum lugar.

Então, o que faço?

Passo alguns dias anotando cada emoção que sinto, toda vez que a tenho, e o acontecimento ao qual a emoção está associada. Isso é um exercício para abrir os olhos. Não que eu me sinta qualificada para ensinar exercícios (opa, fracasso!), mas isso realmente me ajuda a ver minhas dependências. Faço esse exercício a cada dois meses.

Uma vez tendo a lista, comecei a interromper meu padrão. Toda vez que começava a sentir uma emoção da qual era dependente, parava e fazia as seguintes perguntas:

- Eu realmente preciso prosseguir com isso?
- A quem (ou a que) isso ajuda?
- Isso vai resolver o problema?
- Por que eu vejo isso como problema?
- Isso vai me ajudar a evoluir?

Responder a essas perguntas me permitiu passar um tempo em observação para começar a ver como posso escolher meu estado emocional — afetar minha realidade de tal forma que me leve para a frente. Outra coisa que percebi é que há muitas camadas em minhas dependências emocionais. A raiva é um subproduto do res-

Intervalo com Betsy

sentimento, que é um subproduto do fracasso, que é um subproduto da vitimização, e assim por que diante.

Depois de superar a emoção do "isso é impossível, nunca vou resolver isso", comecei a ver prazer naquilo. Era uma experiência nova. Reconstruir a mim mesma de dentro para fora em vez de sentir que o exterior estava me construindo.

Nem sempre são as grandes coisas ou as coisas óbvias. Você tem de procurar nas profundezas e olhar para as coisas muito pequenas e elas conduzirão às grandes (soa um pouco quântico). Eu olho meu meio-ambiente — minha realidade —, pessoas, lugares, coisas, tempo e acontecimentos. Observando essas coisas posso ver como minhas dependências criaram minha realidade. Posso também ver como essas dependências continuam a me manipular em certas situações.

Exemplo: num determinado ponto da minha vida, todo dia chegava tarde ao trabalho. Por mais cedo que acordasse, fizesse o que fizesse para chegar a tempo, estava sempre atrasada. Sempre ficava presa atrás do ônibus escolar. Todo dia a mesma droga de ônibus, o que me fazia ficar estressada, afobada e assoberbada no trabalho. Sentia como se nunca pudesse fazer nada. Ficava irritada, e todo mundo pisava em ovos ao meu redor. Estava com vinte e poucos anos e fazia um trabalho que a maioria consideraria adequado a alguém mais velho. Eu tinha um complexo: *não mereço esse emprego; não sou capaz de fazer isso; ninguém me respeita. Quer dizer, se nem sou capaz de chegar na hora, não devia estar aqui!* Agora vejo que o ônibus era minha própria criação para me ajudar a atender às minhas necessidades químicas de fracasso! Essa me fez dar boas risadas.

Como disse, faço isso a cada mês ou um pouco mais para ver meu progresso. Para fazer uma auto-avaliação. Quando estou consciente dos meus pensamentos, das minhas emoções e faço minhas perguntas, é como se pudesse parar o tempo — ir até o futuro e experimentar as escolhas possíveis, e, então, selecionar aquela que vai me desenvolver mais. Talvez seja meu verdadeiro desejo ter aquela experiência.

Também reservo tempo para me sentar todo dia e conscientemente criar minha realidade. Mas não me sento e digo: "Hoje quero que um milhão de dólares caia do céu." Concentro-me na abundância e deixo que meu deus traga a abundância para mim de maneira que me faça evoluir. Porque é disso que se trata — evoluir para um nível mais elevado de consciência. O que significa que tenho as emoções e experiências do que preciso tomar posse. Ao reservar tempo para observar a mim, à minha realidade, ao meu estado emocional, posso fazer escolhas que me levarão ao longo de um caminho maior, em vez de apenas ricochetear nas paredes e comprar sapatos.

Recebemos tantas cartas de pessoas de todo o mundo que levaram esse conhecimento da filosofia para a experiência. Há histórias fabulosas para inspirar você! Eis algumas:

> Há mais ou menos quatro anos, meu marido faleceu. Ele deixou para trás um pássaro profundamente amargurado, para não mencionar a mulher. Por mais que eu tentasse, o pássaro continuava a bicar, gritar, arrancar as plumas e ser autodestrutivo. Finalmente, depois de ver o filme, pensei que se mudasse meus pensamentos e ações, rezasse por ele e acreditasse, as coisas seriam diferentes. Comecei há mais ou menos duas semanas. Ele me deixa pegá-lo, banhá-lo, brincar com ele e não me bica mais. Isso é maravilhoso [porque] esse pássaro sempre me bicou. Ele está mais feliz. Estou maravilhada de, por ter mudado meus pensamentos e minhas ações, ter impactado os dele. Antes estava desesperada porque não sabia o que fazer com o bichinho. Agora ele tem um futuro mais feliz.
>
> —**JEAN**

> Tenho um problema muito sério: sofro da febre do feno. Meu pai e meu irmão também. É uma doença tão séria que para passar o verão usamos muitos remédios para tratá-la, tais como Pseudoefedrina e Claritin D. Isso é um problema com que sempre convivemos. Então, um dia, lendo *A força da intenção*, tive um [momento de] "ah-ha". Relembrei as imagens do filme mostrando o cérebro produzindo todos esses compostos químicos e

do doutor Joe Dispenza, creio, dizendo que o cérebro humano tem sua própria minifarmácia. Então decidi aplicar minha intenção para, toda vez que percebesse os efeitos da febre do feno começando, eu visualizar meu cérebro produzindo o necessário para neutralizar os efeitos da doença em meu corpo (como comerciais de antialérgicos que mostram a droga bloqueando as partículas que causam a alergia). Não usei nenhuma droga externa para tratar minha febre do feno nos últimos dois meses. E sinto os efeitos começarem quase diariamente, mas aprendi a contê-los por mim mesmo. No começo acontecia com mais freqüência do que agora. Não sei se sou eu que estou fazendo isso ou se há a possibilidade de o que causa minha febre do feno não estar presente com tanta intensidade, mas sei que essas ocorrências estão desaparecendo.

—NICK

Uma série de eventos sincronizados me levou a ver o filme *Quem somos nós?* aqui em Cardiff, no País de Gales. Estive nos últimos dois anos lendo livros sobre mecânica quântica (não sou matemática) e não sabia por que havia sido atraída por eles. Também tive experiências maravilhosas no último ano, depois de visitar um grupo na plantação em Silbury Hills, Wilts. Três meses depois daquela experiência, tive uma cura espontânea. Diagnosticou-se em meus olhos uma degeneração macular — doença progressiva que acaba por destruir a visão. Eu já estava percebendo a visão distorcida. Acordei uma manhã com a visão restaurada. O especialista no meu hospital ficou surpreso e queria fazer um estudo de caso especial a meu respeito, já que ele afirmou nunca ter visto aquela doença curar-se sozinha. Depois de assistir ao *Quem somos nós?*, entendi o potencial maravilhoso dentro de mim e parecia uma confirmação de alguma coisa que soube por toda a minha vida. Desde então minha visão continuou a melhorar e já não preciso de lentes tão fortes para ler. Dia após dia sei que estou criando minhas próprias circunstâncias.

—JENNIFER

O OUTRO LADO DOS PARADIGMAS

Um paradigma é um conjunto de premissas implícitas que não se pretende testar; na verdade, eles são essencialmente inconscientes. Fazem parte do nosso *modus operandi* como indivíduos, como cientistas ou como sociedade.

—Vários capítulos antes...

Falamos muito sobre o paradigma científico e como ele determinou nossas atitudes e a maneira como vemos o mundo. "Mudança de paradigma" é uma frase bastante empregada que sugere um admirável mundo novo no qual não estão presentes as velhas premissas da visão newtoniana.

Entretanto, no mundo dos paradigmas há um gorila de meia tonelada parado bem no meio da sala.

Diga alô para a religião.

Embora muitas pessoas queiram dizer adeus, a religião em todas as suas diversas formas é a nau capitânia dos paradigmas.

"*...que não se pretende testar...*"

"*...essencialmente inconsciente...*"

Na verdade, como logo veremos, ela foi o *modus operandi* que deu o pontapé inicial na cisão newtoniana entre espírito e ciência. Não foi a ciência que fez isso; foi a Igreja.

Um mundo de religião

Sem dúvida, a maior linha divisória entre as civilizações ocidental e oriental é fruto das crenças sobre Deus. Essas crenças não só definiram as culturas, mas elas mesmas se diferenciaram radicalmente. Enquanto as principais religiões ocidentais são construídas sobre um único Deus todo-poderoso, as religiões orientais em geral têm muitos deuses, e em algumas, como o budismo e o taoísmo, a palavra deus nunca chega a ser usada.

As tradições religiosas orientais ensinam que Deus (ou Tao, Brahman, a consciência pura, o Nada, etc.) está em toda parte, e a melhor forma de experimentá-lo é internamente. De fato, a afirmativa implícita é de que Deus *é* o nosso próprio ser — ou talvez seja melhor dizer que nosso próprio ser é Deus.

Nas tradições ocidentais, Deus está separado de nós. Embora Descartes receba o crédito por ter "inventado" o dualismo, a idéia de um deus "lá fora" o antecede em milhares de anos. De certa forma, a visão dividida de Deus/humanidade abriu a porta para o predomínio do dualismo no ocidente e criou muitos problemas (e outro tanto de descobertas maravilhosas!).

Como a civilização ocidental é a predominante em nossos dias e parece dominar o mundo, falaremos primeiro das religiões ocidentais. Apesar de pretendermos rever algumas idéias e dogmas e seus efeitos problemáticos, é importante não esquecer o outro lado da moeda: graças aos ensinamentos das várias igrejas, vidas foram inspiradas, esperança e discernimento foram amealhados por milhões ao longo dos séculos.

A evolução e o empreendimento humano

Uma característica dos seres humanos: avançamos implacavelmente. Por vezes em direção a algo sobre o qual não estamos seguros, mas prosseguimos. Porque, em todos os sistemas vivos, aquele que não avança e não se modifica não evolui, fica estagnado e morre. Disse Miceal Ledwith:

> Na ciência, o método consiste em produzir uma conjectura sobre a realidade e, então, usar todos os recursos possíveis para desmenti-la. Com esse processo conseguimos remover as excrescências e as partes periféricas e

com sorte conseguimos chegar a um núcleo íntegro e firme. Mas, como você sabe, 90% do conhecimento novo vai para a lixeira em poucos anos, e é assim que deve ser.

Agora, a única exceção a essa regra no campo dos esforços humanos é a religião, porque ela diz: "Veja, somos os detentores de toda a verdade, já correta desde o primeiro dia." Logo, ela não pode mudar, nem podemos refutá-la. E como nunca se tenta refutar os aspectos periféricos dos pressupostos da religião, ela se tornou cada vez mais irrelevante para a evolução do pensamento humano.

Mas não foi sempre dessa forma, mesmo no Ocidente. O exemplo mais óbvio e conhecido disso são os ensinamentos de Jesus. O Deus do Velho Testamento, que era o Deus em vigor no tempo de Jesus, era uma entidade colérica, vingativa e malevolente. Parecia se divertir em matar primogênitos, seres humanos, cabras, gado. Não fazia diferença, ele era um "deus ciumento". O que difere muito das palavras de Cristo: "Deus é amor." Segundo o doutor Ledwith, "houve uma mudança perceptível na essência dos ensinamentos de Jesus com relação aos ensinamentos do Velho Testamento. Por exemplo, citando Moisés, ele declara que foi dito aos homens no passado: 'Olho por olho e dente por dente', mas eu vos digo: perdoai os vossos inimigos".

E, de fato, muitos ensinamentos de Jesus pareciam reforçar a idéia de abandonar aquela figura de barbas brancas, que andava sobre as nuvens e distribuía julgamento e ira, em favor de um deus mais pessoal. Ou de parar de ver o paraíso como um lugar, passando a considerá-lo como um estado mental. Como dito antes, "o Reino de Deus está dentro de nós."

Na verdade, os aspectos revolucionários dos ensinamentos de Jesus ainda nos influenciam após tantos séculos. De acordo com o doutor Ledwith

Ele sempre assinalou como é importante o pensamento, superior inclusive à ação que o segue. Con-

A SEMENTE DE MOSTARDA

Então... uma semente de mostarda. É uma parábola brilhante para uma época na qual não havia ciência. Jesus sabia disso há 2 mil anos. Como ele podia ensinar física quântica a um bando de pescadores, coletores de taxas e indivíduos que montavam em asnos? O que somos realmente? Somos menores que o menor espaço de tempo, desde a energia do ponto zero até seu reconhecimento. Quão pequenos somos nós? Nós somos o ponto zero e flutuamos para fora dele. Então ele disse aos seus discípulos que o Reino dos Céus não fica no céu. Muitos vão dizer que ele fica lá, mas, na realidade, uma semente de mostarda, a menor das sementes, é o Reino dos Céus. E o que isso significa? Significa quem nós realmente somos e onde está nossa eternidade, onde sempre estivemos e sempre estaremos, e o ser é menor que uma semente de mostarda, e o Reino dos Céus onde Deus habita é menor ainda. Isso, minha amada entidade, é consistente com o mundo quântico que produz as ilusões grandes e confortáveis chamadas realidade.

—Ramtha

seqüentemente, por exemplo, se eu desejar matar meu vizinho, mas nunca obedecer a esse pensamento, bem, então evidentemente faz diferença para meu vizinho não ser morto, mas, no que se refere ao reino que estou construindo dentro de mim, não há diferença entre o pensamento e a ação que se segue a ele, porque na visão quântica do mundo, com a qual estamos mais familiarizados agora, o pensamento é fator decisivo, o pensamento é supremo.

Dos livros banidos, aquele que a maioria dos estudiosos considera mais próximo dos verdadeiros ensinamentos de Jesus e da Igreja primitiva é o Evangelho de Tomé. Esse documento foi descoberto em 1945, junto à vila de Nag Hammadi, no Egito.

Mas em algum momento no caminho, até os dias atuais, as religiões ocidentais se atolaram. Foram banidos livros da Bíblia e outros foram alterados. As visões discordantes foram impiedosamente esmagadas, e a Igreja subiu ao poder: todas as estradas *vinham* de Roma.

E agora há centenas de estilhaços de religiões, cada uma com a última palavra sobre a verdade. Como descreve a escritora Lynne McTaggart, "um dos problemas das religiões organizadas é esse sentido de separação. De que só é bom ser protestante ou que os católicos são os únicos a conhecer o caminho. Penso que nosso entendimento atual sobre física quântica é essa compreensão de completa unidade e, portanto, temos de derivar nossa espiritualidade desse sentido".

A evolução e o empreendimento pessoal

Portanto, considerando o que sabemos sobre visões do mundo e como elas limitam nossa visão da realidade, como somos afetados pelas visões predominantes que involuíram dos grandes ensinamentos?

O doutor Ledwith narra a seguinte história:

Há alguns anos, me aconteceu um incidente na Austrália. Estava falando sobre a idéia de céu e inferno, e um jovem de uns 20 anos me disse:

Eles nunca pecaram; eles nunca cometeram um erro; erro, sim, nas confrontações morais com a sociedade, mas isso é a adversidade deles, é a razão pela qual estão aqui, para errar, para aprender, para procurar e utilizar essa sabedoria de forma a criar sonhos ainda maiores. Criamos tudo isso para gente assim. Todos somos divinos.

—Ramtha

— Sabe, isso foi muito interessante, mas graças a Deus, graças a Deus, não sou religioso.

— É mesmo? — disse eu, e ele respondeu:

— É, não sou religioso. Meus pais não tinham religião e eu cresci sem nenhum tipo de crença também.

No dia anterior ele contara que o pai morreu quando ele tinha 8 anos, portanto eu perguntei:

— Você se importa se eu perguntar para onde disseram que o seu pai foi quando morreu?

— Bem, me disseram que ele foi para o céu — disse ele. Eu respondi:

— Para mim isso se parece muito com uma visão religiosa.

E eu relacionei umas vinte questões, como acreditar em certo e errado, na retribuição pelas boas e más ações, etc., e em todas ele passou com louvor como uma pessoa com percepção profundamente religiosa da realidade. Ele nunca freqüentara uma igreja, sinagoga ou mesquita, mas era uma pessoa perfeitamente religiosa.

De acordo com doutor Ledwith, o maior obstáculo à nossa evolução é a forma como nossa cultura freqüentemente vê Deus — como um deus sentado lá em cima em algum lugar "registrando em seu laptop se nós agimos de acordo com objetivos dele ou se o ofendemos, como se costuma dizer; uma idéia absolutamente ultrajante. Como podemos ofender Deus? Como isso pode ser tão importante para ele? Acima de tudo, como ele pode achar essa situação tão grave que nos condene a uma eternidade de sofrimento? Essas são idéias absurdas."

Absurdas mesmo que nesse vasto universo, no qual há mais galáxias do que gotas d'água em todos os oceanos, que nessa vastidão um grupo de pessoas num pequeno planeta detenha o acesso exclusivo aos preciosos portais do céu. E todos os outros seres do universo estão condenados a uma eternidade de sofrimento no inferno. É difícil imaginar uma idéia mais absurda. E se esse é o tipo de deus em que você acredita, é melhor se perguntar como isso afeta sua visão de mundo.

E, no entanto, há milhões de pessoas a quem são ensinadas essas idéias sobre o medo de errar, o medo da condenação eterna e o medo de viver. Como observou Ramtha: "É o único planeta habitado na Via-Láctea mergulhado numa imensa subjugação da religião. E vocês sabem por que isso acontece? Porque as pessoas estabeleceram o certo e errado."

Mas é difícil aceitar à primeira vista a idéia de que de alguma forma o certo e errado atrapalhem o verdadeiro significado e o alcance da evolução. É certo matar alguém? Posso roubar meu vizinho? Destruir uma cidade?[1] A razão pela qual esse conceito é tão difícil de entender é por ele ser fundamentalmente uma forma diferente de abordar a vida e a evolução.

Os conceitos de certo e errado se baseiam em um conjunto de regras, derivadas de ensinamentos, valores culturais e conveniência política. Todas vêm do exterior, de nossas convicções culturais. A evolução vem de dentro. Ver as decisões sob a ótica da evolução estabelece o pressuposto básico de que, na essência, cada pessoa é basicamente divina. Isso é muito diferente da idéia de que nascemos pecadores ou desgraçados a quem deve ser dito exatamente o que fazer porque somos repulsivos por natureza. Conseqüentemente, para que esses animais sejam mantidos sob controle, existe a ameaça de uma eternidade de sofrimento.

"Pecadores nas mãos de um deus irado" é o título de um famoso sermão de Jonathan Edwards, um dos primeiros pregadores na América puritana a usar a retórica do fogo do inferno. Pode-se argumentar que, em certos estágios de sua evolução, a raça humana precisava dessa "orientação", como uma criança de 3 anos deve aprender a não enfiar o garfo na tomada. Mas estamos sugerindo que já é hora de superar um sistema de valores baseado no julgamento de certo e errado em favor de outro baseado na evolução pessoal. Como a criança estuda as forças mais refinadas — a eletricidade —, também o indivíduo pode aprender sobre as leis mais refinadas do universo: "Não julgueis e não sereis julgados; não condeneis e não sereis condenados;

[1] Tudo é, obviamente, uma questão de escala. Se uma pessoa faz qualquer uma dessas coisas, isso é "mau"; se um país faz isso ao seu vizinho, é uma conquista justa.

Acredito que quem estiver entrando no caminho da iluminação será absolutamente impecável em tudo o que fizer. É por causa do medo da condenação? Não. Ou da punição de Deus, ou porque pequei e não alcancei o perdão? Não, não, não. Os verdadeiros iluminados verão que toda ação tem uma reação com a qual eles terão de lidar, e, se formos sábios, não faremos coisas que nos levarão a ter de enfrentar, resolver e equilibrar isso em nossa alma mais tarde. Esse é o verdadeiro critério. Por conseguinte, você não pode pecar contra Deus porque a divina presença está em todos nós e estamos cumprindo mandato divino em tudo o que fazemos. Por causa da realidade da ação e reação, descobriremos muito rapidamente que existem coisas que não evoluem em nós e teremos de aprender isso mais cedo ou mais tarde. Se podemos pecar contra Deus? Isso é impossível.

—Miceal Ledwith

perdoai e sereis perdoados." (Lucas 6:37). Ou, como estivemos dizendo, sua atitude interior se refletirá na realidade exterior.

O conceito de evolução baseada numa sabedoria crescente é mais próximo das quatro nobres verdades de Buda, já mencionadas: "A origem do sofrimento é o apego às coisas transitórias e a conseqüente ignorância." O sofrimento não decorre de ofender um deus zangado e ciumento; é simplesmente o resultado da ignorância.

E como tal, não é uma punição, mas um indicador, um empurrão, uma placa de sinalização n'O Caminho.

Numa entrevista a uma jornalista, depois que *Quem somos nós?* foi exibido, critiquei enfaticamente o dogma religioso. Ela disse que eu parecia tão dogmático quanto as religiões sobre as quais estava falando. Ela era uma escritora que cobria a área de religião e tinha ouvido e visto muitas coisas maravilhosas relacionadas com aquelas religiões e disse que eu estava "jogando fora o bebê com a água da bacia". Isso realmente me fez pensar. Também me fez apreciar o que realmente é uma jornalista dedicada buscando a verdade.

—WILL

Salvem-me de mim!

Um dos aspectos básicos do cristianismo é a idéia de que "Jesus me salvará". E na verdade tenho esperança de eu mesmo me salvar, sendo um pecador nascido na culpa. É difícil imaginar uma idéia mais desmoralizante do que essa.[2]

A ironia é que são exatamente esses erros, essas decisões ignorantes, esses "pecados" que nos levam a estados cada vez mais elevados. E se alguém puder salvá-lo, você nunca precisará assumir responsabilidades, clássica mentalidade de vítima. De fato, muitas dessas idéias remetem à palavra vítima.

JZ Knight descreve essa situação: "Agradar Deus nos isenta de viver. Quer dizer, o próprio fato de que alguém teve de morrer por nossos pecados é uma espécie de roubo, você não acha? Quero dizer, penso que todos deveríamos ter o privilégio de viver nossos próprios pecados e de nos enriquecermos em sabedoria graças a eles. Não vejo como podemos crescer e nos tornar seres extraordinários se não estivermos repletos da praga da experiência, que é má e prejudicial, etc. porque só dessa forma teremos realmente alcançado a sabedoria que nos permitirá compreender todo o mundo."

---

[2] Se você pensar em alguma, pode ser interessante acrescentá-la à seção de *O manual do antimago* que trata da transformação de mágicos em sapos.

A religião é *ruim*?

Está começando a soar como se a religião fosse o vilão — nos transformando em ovelhas apavoradas, esperando que o martelo do julgamento nos condene. Além do mais, existe uma história infeliz de guerras religiosas, caça às bruxas, queima de livros e sistemas de castas, para mencionar só uma parte. Não é exatamente a imagem da orientação divina. Mas seria uma grande hipocrisia rotular a religião de *má*, depois de ter elaborado tanto a idéia de que bem e mal não existem.

Vamos ver todas as atividades religiosas como paradigmas ou como uma ebulição da consciência que encontra sua expressão nas várias religiões. E com certeza uma quantidade de dados apóia essa visão. Olhe mais uma vez para todas essas coisas "más": guerras, caça às bruxas, queima de livros, sistemas de castas — todas tiveram expressões freqüentes fora de qualquer igreja. Se os seres humanos quiserem fazer a guerra, eles encontrarão um motivo. Se as pessoas desejarem se sentir superiores aos outros e sentir que têm "o único caminho", elas encontrarão um paradigma que lhes dê essa identidade.

Durante um tempo, algumas religiões talvez tenham tido uma fonte verdadeiramente divina, mas foram alteradas e sofreram retrocesso pela ação do homem. Foram incluídas doutrinas, como a do "pecado original", que nunca fizeram parte dos ensinamentos de Jesus. "Oferecer a outra face" virou "matar os árabes na Terra Santa". Porém, a raiz desses desenvolvimentos não está nos ensinamentos, mas nos recônditos da humanidade. A saída não é atacar as religiões, mas evoluir para a próxima geração, a próxima versão da humanidade. Não nos livraremos da guerra acabando com igrejas ou governos, mas evoluindo para além das dependências que nos levam a fazer o que fazemos. O problema com as religiões é que elas estagnaram e fincaram pé quanto ao que é a verdade. Para que o impulso religioso abandone essa postura estagnada, ele precisa olhar o outro lado da moeda — a ciência — e aprender o que a tornou grande. O que falta é a disposição para cometer erros, na busca de uma compreensão maior.

Durante o último ano, enquanto viajava por todo o mundo conversando com os fãs e com a imprensa, tive uma percepção semelhante à compreensão de Will. Eu estava usando a ciência para tornar erradas as religiões fundamentais. Usando uma abordagem da "lei do mais forte", estava mostrando a mesma atitude que vi em algumas das tradições calvinistas. Ao mesmo tempo, desejava que essas tradições divergentes pudessem chegar a um consenso. Talvez elas só cheguem a um consenso quando eu começar a fazer o mesmo. Criticar uma idéia pressupõe a existência de apenas uma resposta correta. E a mecânica quântica mostrou claramente que não é assim. Isso foi minha grande lição de humildade.

—MARK

Jesus disse: "Quando conseguirdes conhecer a vós mesmos, então sereis conhecidos e compreendereis que sois filhos do Pai vivo. Mas se não vos conhecerdes, vivereis na pobreza e sereis a pobreza."

—Evangelho de Tomé

Quando era pequena, íamos à igreja todos os domingos. O que acontecia é eu nunca sabia a que igreja iríamos. Íamos a uma igreja diferente a cada semana, principalmente porque meu pai adorava ouvir a música. Eu ficava sempre surpresa ao ver como as igrejas são semelhantes em seu entendimento: amor, bondade, unidade. Mas eu sempre ficava triste pela separação entre elas. Eu perguntava a meu pai: por que tantas igrejas diferentes? Ele respondia: porque o homem tem o hábito de pensar que ele e somente ele sabe o que é certo e o que é errado, e aqueles que não concordarem com ele estarão errados! Espero que um dia o homem aprenda que não existe "certo e errado"; existem apenas graus de compreensão que você precisa entender dentro de si mesma para evoluir.

—BETSY

Já vemos sinais de que as imagens de Deus estão mudando. O Grande Pai Branco sentado no trono do julgamento, tão popular na Idade Média, está sendo substituído por uma idéia menos humana, mais abstrata.

Andrew Newberg disse: "As pessoas se afastaram do Deus pessoa, adotando uma concepção maior, infinita: Deus, em alguns sentidos, permeando o mundo, mas também, em outros, sendo uma adição ao próprio mundo. Assim, Deus não é o universo, *per si*, mas Deus emana de todo o universo. E o universo inclui todas as coisas e todas as partículas e todos os seres."

Essa proposta inclui a idéia de que Deus está dentro de nós.

A visão que os sumérios tinham de Deus era a de seres que caminhavam pela terra e interagiam com eles. A visão de Ed Mitchell é o oposto: "Em um momento entendi que esse universo é inteligente. A própria consciência é o que é fundamental." Os indígenas norte-americanos viam o espírito presente em toda parte e fazendo parte de tudo. Portanto eles falavam com o espírito do vento, com o espírito do búfalo.

Portanto, o que é Deus? O que é o espírito? O que é espiritual? Espiritual é apenas esse reino de onde a ciência foi expurgada há quatrocentos anos? Quando ela vai voltar?

Deus/espírito/matéria/ciência

A separação acabou? Qual foi o acordo? É *essa* a separação quântica? Quem fica com as igrejas e quem fica com os laboratórios? Quem foi traído? De quem é a culpa?

Quem começou esse processo foram as religiões, com idéias como a de um universo dualístico em que Deus está lá em cima e nós, os peões, aqui embaixo. Em alguns aspectos, a Igreja tentou absorver todas as formas de empreendimento humano. Não somente a ciência, mas também as artes, até a ciência provar que a Igreja estava errada, e então a única solução foi dividir o bolo. Deus e companhia ficaram com o espírito; a ciência ficou com a matéria. E não é uma ironia que essa divisão tenha sido o que levou a ciência às alturas em que se encontra agora? Se voltarmos os olhos para as religiões orientais, elas nunca deixaram que o dogma dualístico assumisse o controle, de modo que a ciência nunca foi excomungada. No entanto, por ter sofrido essa extrema separação do mundo dos espíritos, a ciência ocidental descobriu que mente e matéria são a mesma coisa.

O quê!? Bem, se isso for verdade, então a separação entre ciência e espírito é realmente artificial e não está baseada em nenhuma realidade. E quem enganou quem?

Ninguém e todo mundo. Esses dois mundos são dois lados da mesma moeda, que é a humanidade, girando através da realidade. Talvez esses dois ramos do pensamento humano tenham se separado apenas para que a ciência pudesse se concentrar na matéria, fazer descobertas e melhorar a qualidade de vida. Certamente o dogmatismo de que freqüentemente se acusa a religião é igualado pelo lado científico. É como as diversas religiões se formam, simplesmente como uma ebulição do campo subjacente à consciência da humanidade. Como observou antes John Hagelin: "Não cometam o erro de pensar que os cientistas são científicos. Eles são humanos, como todo mundo."

O ponto importante a compreender é que, quando dizemos que Deus está dentro de nós, não estamos falando de nós mesmos como um recipiente dentro do qual Deus está contido. Sempre penso naquela velha imagem dos filmes sobre extraterrestres em que a criatura irrompe de dentro do peito de alguém; Deus não está dessa maneira dentro de nós. Ele não está encerrado dentro de nós. Portanto quando dizemos que o Reino dos Céus está dentro de nós, como disse Jesus, em vez de dizermos que Deus está dentro de nós, estamos falando de uma completa identificação do nosso ser com a fonte divina que é a origem de tudo.

—Miceal Ledwith

O velho paradigma

Jeffrey Satinover disse: "Há cientistas tão preconceituosos como seres humanos quanto qualquer outra pessoa. Há o método científico (...) para minimizar a influência do preconceito." O doutor Satinover vai além: a cisão entre ciência e espírito, segundo ele, afeta (ou talvez infecte) a todos nós.

> As implicações da afirmativa surgida durante o Iluminismo são de que toda ação realizada por um ser humano, cada acontecimento na vida, pode em princípio ser explicada da mesma forma que toda ação em um jogo de bilhar. No início, todas as bolas recebem um impacto e começam a se mover, e cada movimento subseqüente ao primeiro

não tem absolutamente nenhum significado. Portanto, todas as ações que você realiza e considera objetivas, intencionais e significativas, todos os pensamentos sobre intenção, propósito e significado, tudo isso é completa ilusão.

Assim, mesmo os que não acreditam nessa idéia nem a compreendem foram completamente mergulhados nela, dos pés à cabeça, e foram infectados por ela. Dessa forma, sem ter consciência disso — deixem-me insistir nessa proposição —, mesmo quem insiste em não acreditar nela acredita piamente na visão mecanicista da vida. É impossível não ter sido infectado por ela. Ela domina tudo. E ela nos despojou de praticamente qualquer senso nítido de que o mundo e o universo na realidade estão vivos. É como um veneno que penetrou em tudo. Mesmo os que insistem em afirmar que não acreditam nela são afetados por ela.

Isso parece assustadoramente similar à afirmação do doutor Ledwith de que a visão de mundo da religião se infiltrou e todos somos afetados por ela. E se ambos estão certos, isso significa que estamos tendo uma visão de mundo esquizofrênica, um sistema de crenças desintegrado e partido segundo o qual nossas ações sem sentido e sem propósito são julgadas por algum deus. Embora elas não tenham sentido, nossa estada na eternidade depende inteiramente delas.

E quem foi enganado nessa separação? Como sempre, as crianças. Enquanto os padres e os catedráticos disputavam entre si, a humanidade foi deixada com uma história confusa e fragmentada do universo. E os dois lados fincaram pé e gritaram que estavam certos.

Pergunte a dez pessoas se elas gostariam de conhecer uma base científica para a prece e a cura, o pensamento e a telepatia, e você ouvirá mais "sim" do que "não". Apesar disso, a maior parte da ciência estabelecida não vai lançar mão do método científico e mergulhar na investigação desses temas. Quem perde? Nós perdemos. Alguém poderia ter sido salvo se tivesse alguma garantia de que a prece realmente ajuda, em vez de ter ouvido daqueles "brilhantes cientistas" que isso é um monte de besteira.

Recebemos muitos e-mails de pessoas que assistiram ao filme *Quem somos nós?* Elas se sentiram inspiradas ao ver cientistas inteligentes, com credenciais de verdade, dizendo a palavra Deus e falando sobre essas coisas; e, como foi relatado depois, coisas surpreendentes aconteceram porque elas agora pensavam que essas possibilidades eram reais.

O doutor Radin acrescenta: "Se elas são reais, então isso quer dizer que a maior parte da ciência passou completamente ao largo de coisas de interesse e importância profundos. Porque toda vez que a ciência ignorou alguma coisa ou isolou uma área do mundo – 'não vamos olhar para isso' – o resultado foi uma visão incompleta da realidade."

E agora?

Viva! A humanidade está novamente em ebulição e de dentro desse caldeirão surgem cientistas que se dedicam a descobrir onde esses dois mundos aparentemente díspares se encontram. Declara Andrew Newberg:

> Por muito tempo a ciência e a religião se estranharam e as pessoas se tornaram bastante inflexíveis sobre um lado ou outro. Tentamos buscar um tipo diferente de perspectiva sobre a questão, para descobrir como podemos integrar as duas, em vez de separá-las.
>
> Penso que, quando examinamos o relacionamento entre ciência e religião, as ciências neurológicas [são] uma das áreas mais ricas para explorarmos como duas podem se unir, porque elas podem muito bem se unir, sem necessariamente serem diminuídas ou se combaterem.
>
> Portanto, o objetivo final do trabalho que fizemos é ajudar a finalmente criar um diálogo entre pessoas que

são mais orientadas para a religião e pessoas que são mais orientadas para a ciência e dizer que podemos olhar essas questões de forma segura, de que seja preservada a ciência, mas que ao mesmo tempo seja respeitosa e preserve a religião e as implicações espirituais da ciência, e encontrar uma maneira de unir as duas.

Foi muito importante que há muito tempo tenhamos tomado a decisão de separar o espírito da ciência. Graças a isso pudemos aprender como fazer ciência. Mas agora já aprendemos e podemos assumir a tarefa mais rica de aprender a fazer ciência tendo a consciência como parte do experimento.

—William Tiller, Ph.D.

Fred Alan Wolf acrescenta: "Não é uma questão de a ciência julgar a espiritualidade. É mais uma questão de expandir o círculo onde a ciência e a espiritualidade residem, de modo que o tipo de pergunta que fazemos possa ser examinada pelos pontos de vista diferentes que a ciência e a espiritualidade trazem para a mesa. É importante perceber que o sujeito, o 'espaço interior', é merecedor de grande exploração. É importante perceber que as maneiras pelas quais exploramos o 'espaço interior' podem não ser as mesmas utilizadas para explorar o 'espaço exterior'. Mas as formas pelas quais compreendemos o espaço interior podem ser amplamente auxiliadas pelas maneiras pelas quais entendemos a natureza quântica do mundo físico."

A porta pode se abrir para os dois lados. A compreensão da natureza quântica das partículas pode ser enormemente auxiliada se for incluído o estudo da consciência. Certamente, quando dois grandes ramos do empreendimento humano se unem, uma civilização inteiramente nova é criada. A própria ciência está buscando modelos cada vez melhores para descrever o universo misterioso.

Essa interseção de Deus com a matéria, do espírito com a ciência, está em muitos aspectos resumida na resposta de Ramtha às grandes perguntas: "Por que estamos aqui? Qual é o nosso propósito?" Porque essa resposta é na verdade a palavra de ordem da ciência:

"Para tornar conhecido o desconhecido."

Pense um pouco nisto...

- Como o paradigma religioso afetou a sua percepção da realidade?
- De que forma seu paradigma é uma elaboração de suas convicções sobre certo e errado?
- O que é certo?
- O que é errado?
- Quem detém a verdade sobre o certo e o errado? Você detém? A Igreja detém? Seus pais detêm? Seu marido? Sua mulher? A ciência?
- Você vê seu paradigma se expandindo?
- Por que estamos aqui?
- Por que você está aqui?

Carta de um observador

Como diretor musical, vejo uma cena de filme centenas de vezes enquanto experimento diversos trechos de música para aquela cena. Trabalhar em *Quem somos nós?*, vendo aquelas cenas e a mensagem delas, [me] motivou a dar uma atenção ao medo que a vida toda senti de água e de me afogar, e decidi me tornar triatleta.

Joey Dispenza explica numa cena como o ato de pensar os mesmos pensamentos constantemente nos faz consolidar conexões na rede neural de nossos cérebros. Esses pensamentos repetitivos nos fazem agir da mesma maneira vezes seguidas. Joey então explicou que, se mudarmos nossos pensamentos, podemos "quebrar" as conexões neurais e criar outras, novas. Com essa mudança em nossos pensamentos e uma convicção sincera de que nos tornaremos aquilo que os novos pensamentos descrevem, ocorre uma mudança na ação.

Decidi testar essa teoria. Tinha medo de água e de me afogar (literalmente não podia entrar numa piscina de 1m sem sentir medo), mas, para piorar esse medo, um dos meus irmãos se afogou no mar. Eu sabia que queria me tornar um nadador. Mas foi somente quando me vi nadando, quando vi meu movimento na piscina e honestamente e sem esforço acreditei que eu era aquele nadador, foi somente aí que comecei a trabalhar da forma como os nadadores fazem. O estágio final foi visualizar a mim mesmo nadando um quilômetro e meio por dia no mar. A partir de junho de 2004 e durante 2005, quando as condições permitiram, fiz uma média de 5km a 6km por semana de nado no mar, mesmo no inverno.

Você precisa *querer*, sim. Mas é somente quando você vê a si mesmo sem esforço em determinada situação, e acredita sinceramente que está lá, que você age como se já estivesse ali.

—TIM

O EMARANHAMENTO
A natureza aparentemente é uma
hierarquia encadeada de sistemas coerentes
conectados de forma não-localizada.
ERVIN LASZLO

Colocamos os geradores para funcionar e, como esperávamos, vimos o pico com uma probabilidade de mil para um.

—Dean Radin,
A respeito do experimento de O. J.

Você se lembra do emaranhamento? Foi a tentativa de Einstein de desacreditar a teoria quântica com a "ação fantasmagórica a distância" — fenômeno no qual duas partículas emaranhadas podem ser enviadas para lados opostos do cosmo e, se alguma ação for realizada sobre uma delas, a outra responderá instantaneamente. Esse fenômeno é algumas vezes chamado de "não-localizado" porque a idéia de alguma coisa ser localizada significa que ela não é distante, e no emaranhamento parece não se aplicar o conceito de distância. Tudo está se tocando o tempo todo.

Anteriormente citamos Erwin Schrödinger, que declarou: "O emaranhamento não é uma propriedade quântica; é a propriedade." Mas isso é física quântica — a física da matéria, da energia e das partículas. E quanto a outras áreas de experiência? Esse fenômeno pode ser observado em sistemas biológicos, sociais ou globais? Ou sua extrapolação a todas essas áreas é apenas uma esperança dos filósofos da Nova Era?

Em muitos aspectos, essas teorias, experimentos e debates são o ponto central do "Novo Paradigma" e na essência traçam uma linha divisória muito clara entre um universo morto e desconectado e um universo intrinsecamente vivo, interconectado.

Mentes emaranhadas

Não parece ser um exagero tão grande (pelo menos para nós) pensar que mentes possam estar emaranhadas. As partículas ficam emaranhadas e elas são semelhantes à informação, e a mente é como a matéria, e a matéria é como a mente, portanto por que as mentes não poderiam ficar emaranhadas? Embora as experiências com partículas não provem isso, elas certamente apontam para uma área fascinate de estudo. Qualquer mente à procura de uma teoria de tudo que seja mais geral e abrangente desejaria investigar essa área.

Pelo menos é o que pensa o doutor Radin. O conceito de mentes emaranhadas[1] parece ter respondido a muitas anomalias que encontramos no mundo, e, portanto, ele decidiu testar a idéia em laboratório. Ele começou por pedir a duas pessoas que pensassem uma na outra durante toda a experiência. E com esse procedimento simples descobriu que consegue emaranhar mentes. Depois disso, os dois sujeitos do estudo foram separados e enviados para locais diferentes, para que não houvesse a possibilidade de comunicação física entre eles. Os cientistas monitoraram fisiologicamente os sujeitos e fizeram o equivalente científico ao que o doutor Radin chama de "cutucar um e ver se o outro tem um sobressalto. E, se verificarmos que você consegue cutucar uma pessoa, e a outra se encolher em resposta, isso demonstra que elas ainda estão emaranhadas, embora não estejam mais no mesmo lugar (...) Esse tipo de experiência foi realizada com parâmetros fisiológicos diferentes."

Ele realiza experimentos acendendo uma lanterna nos olhos de uma pessoa para verificar se o cérebro da outra, especificamente a parte posterior, ou lobo occipital, registra uma alteração. Em experiências como essa, realizadas ao longo de duas décadas, Radin descobriu que "acender uma luz no cérebro de uma pessoa dá origem a uma resposta cerebral muito característica em quem viu a luz (...) O cérebro do parceiro, sentado

---

[1] *Entangled Minds* é o título do livro de Radin sobre este assunto. As experiências mencionadas neste capítulo estão descritas em detalhes nesse livro.

num quarto escuro sem fazer nada, não acende da mesma forma por não estar sendo ativado por um estímulo sensorial, mas ele muda de modo mais ou menos sincronizado com o que está acontecendo no lado que envia (...) Num modelo de mentes emaranhadas, eles estão conectados o tempo todo; quando eu cutuco um, o outro tem um sobressalto; não porque algo magicamente viajou entre eles, mas porque cutucar um é como cutucar o outro, e por isso o outro reage."

Acho que há muitos indícios sugerindo que uma "perturbação na força" é real; não é só metáfora, não é mitologia. Algumas pessoas podem sentir isso mais que outras, mas, sim, eu chamaria isso de força, essa coisa das mentes emaranhadas [ou] quaisquer palavras que queiramos usar para isso.

—Dean Radin, Ph.D.

O doutor Radin relata a ocorrência desse fenômeno em termos de probabilidades, baseado numa meta-análise: "Na pesquisa sobre mentes emaranhadas, há indícios de mil para um contra a probabilidade de que as conexões observadas ocorram por acaso. Em experiências com aquele conhecido fenômeno de se ter a impressão de estar sendo observado, a probabilidade aumentou muito, bem acima de um trilhão para um." Esse número elevado baseia-se na reunião de milhares de experimentos realizados durante décadas e combinados estatisticamente na meta-análise do doutor Radin.

Então, a PES (percepção extra-sensorial) é algum tipo de ação fantasmagórica? O doutor Radin julga que, se pensarmos na variedade de fenômenos de PES como aplicações diferentes do emaranhamento, poderemos reuni-los sob uma teoria unificada. "Vamos presumir que a experiência é emaranhada, então como se manifestaria? Podemos começar a examinar as formas pelas quais ela se manifestaria. Se houver conexão com outras mentes, chame-a de *telepatia*; se houver conexão com algum objeto em algum outro lugar, chame-a de *vidência*; se houver conexão que transcende o tempo, chamemos de *premonição.* Se há uma conexão na qual a intenção se expressa no mundo em algum lugar, chamamos de *psicocinese* ou *cura a distância.* Dessa forma você pode percorrer talvez 12 tipos de experiências psíquicas que receberam um nome ao longo dos anos, como a telepatia, mas isso é apenas a ponta do iceberg."

De que tamanho é esse iceberg? Se há algum fenômeno não-físico de emaranhamento acontecendo entre duas pessoas, indicando a existência de uma espécie de espaço mental ou campo mental onde ocorrem as interações, deve haver efeitos agregados, envolvendo centenas, milhares ou milhões de mentes. Para estudar isso, o doutor Radin e seus colegas inauguraram o projeto de consciência global. Inspirados pelos resultados do julgamento de O. J. Simpson e seu efeito sobre os geradores de eventos aleatórios (GEAs), eles criaram uma rede mundial de GEAs que enviam suas leituras a um servidor em Princeton.

O doutor Radin conta: "Assim temos dados sobre dois tipos de acontecimentos. Temos eventos planejados, como a passagem do ano 2000. Também temos eventos espontâneos, como o 11 de setembro, que não foram planejados. Podemos agora examinar todos eles quanto ao que aconteceu com a aleatoriedade, essa medida física de aleatoriedade em todo o mundo, quando muitas mentes subitamente concentraram a atenção em algo, e a história simplificada é que — e temos agora centenas de eventos, tanto planejados quanto não planejados — fica claro que, quando esses eventos estão ocorrendo, geralmente a aleatoriedade não é tão aleatória quanto deveria ser pela teoria. Eventos em larga escala que atraem muita atenção criam certa coerência mental que parece se refletir no que acontece com os geradores aleatórios instalados pelo mundo afora."

A teoria à qual o doutor Radin se refere está na base da teoria quântica — a aleatoriedade dos eventos quânticos. Entretanto, a focalização coerente de milhões de mentes altera essa aleatoriedade. E tal como a descoberta da natureza quântica discreta das partículas revelou as falhas das premissas newtonianas, também esse "fato feio" deveria fazer o mesmo com a barreira mente/matéria que caracterizou o pensamento durante séculos. As implicações são maravilhosamente monstruosas!

O emaranhamento de tudo e a complexidade

A psicologia, a sociologia, a biologia, a economia, a parapsicologia, a medicina, a política, a ecologia, a teoria dos sistemas, a ética, a moral, a teologia — *todas* são revolucionadas pelo conceito de que algo externo ao mundo físico — a mente, a consciência — tem um efeito real sobre ele (tornando a mente tão real quanto a matéria), e que mentes coerentes, com o mesmo pensamento, agregam-se para formar algo também real, o suficiente para mudar drasticamente o que as "leis" quânticas prevêem.

É aí que esbarramos na teoria dos sistemas complexos. Esse ramo relativamente novo da ciência examina os sistemas complexos e como eles são construídos a partir de sistemas menores, menos complexos. Essa teoria se apóia no conceito de "ciclos de retroalimentação" entre os diferentes níveis de complexidade. Ou seja, as estruturas menores afetam as maiores e vice-versa.

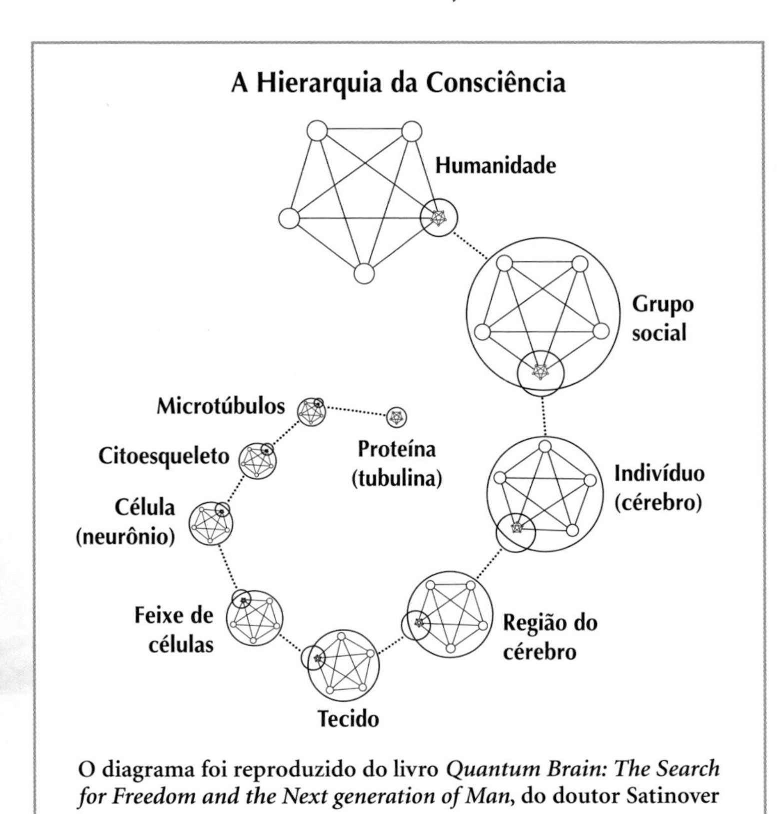

O diagrama foi reproduzido do livro *Quantum Brain: The Search for Freedom and the Next generation of Man*, do doutor Satinover

O doutor Satinover usou essa teoria ao construir sua teoria do cérebro quântico como "uma hierarquia aninhada de estruturas computacionais paralelas e auto-organizáveis, caracterizadas pelo caos, pela bifurcação, pela sensibilidade às condições iniciais, pela dinâmica de 'vidros de spin', etc. No nível mais baixo estão os efeitos quânticos. Por causa da estrutura hierárquica, aninhada, a retroalimentação iterativa de estados antes totalmente indeterminados, em vez de gerar uma média, é na verdade amplificada ao longo das diversas escalas superiores e gera indeterminações de larga escala."

Contudo, o doutor Satinover afirma que o modelo, e conseqüentemente as indeterminações quânticas, continua proporcionalmente dos cérebros individuais para os grupos, as sociedades e até o planeta. E que essa propagação não precisa levar em consideração nenhum campo mental ou efeito metafísico para produzir uma forma de coerência no âmbito de toda a humanidade.

Na teoria da complexidade o conceito de estruturas auto-organizáveis, que é uma propriedade emergente, manifesta-se à medida que o sistema evolui para uma complexidade maior. (Os materialistas usam esse conceito para explicar a consciência como algo que emerge de redes neurais complexas.)

Hoje, a teoria da complexidade em voga não inclui o aspecto das mentes emaranhadas. Contudo, as duas são incrivelmente semelhantes. Ambas tratam da questão de como as coisas podem subir de escala e produzir algo maior que a soma de suas partes. A grande diferença é que, com o emaranhamento, o elemento do espírito, ou da mente, está incluído como elemento processador real, e, logo, afeta o todo.

Agora vamos dar uma volta por algumas das "ologias" mencionadas e ver como essas teorias são afetadas. Para nossa discussão, aceitamos os dados experimentais do doutor Radin indicando o emaranhamento de mentes como um aspecto básico da realidade. Segue uma visão geral de alguns dos desenvolvimentos científicos interessantes nessa direção.

A combinação dessas idéias — mentes emaranhadas e teoria da complexidade — e sua aplicação às disciplinas estabelecidas deve ser a fronteira científica mais excitante hoje. Esperamos que isso o instigue a pesquisar mais. Para uma explicação completa, recorra aos cientistas mencionados.

Sou constantemente lembrado da declaração de Gandhi: "Seja a mudança que você deseja ver no mundo." Para muitos essa é uma idéia de difícil compreensão. A idéia de que a *minha* mudança possa de alguma forma afetar o resto da realidade parece, bem... uma idéia encantadora. Mas quando você vê o trabalho que Radin, Sheldrake, Hagelin ou Laszlo estão realizando, a declaração de Gandhi começa a fazer mais sentido. Por que deveríamos ser a mudança que queremos ver? Porque estamos emaranhados com todo o mundo. Todo pensamento é importante. Quem nós somos "é importante" para todas as outras pessoas. E se for realmente tão simples assim?

—MARK

Psicologia

Carl Jung, um dos fundadores da psicologia moderna, postulou o "inconsciente coletivo". É desse inconsciente coletivo que brotam certas idéias ou arquétipos ("lar", "criança", "Deus", "herói", "santo") que costumam afetar nosso comportamento consciente. Jung observou como esses arquétipos pareciam ser universais e dar origem na psicologia a conceitos, sonhos e outros fenômenos similares. Muitas técnicas e terapias foram desenvolvidas com base nessa idéia e são usadas com sucesso por terapeutas junguianos há décadas.

Assim, a idéia do emaranhamento afirma que esse constructo teórico tem uma base muito real. Ele não é apenas uma idéia nebulosa para ajudar a lidar com a psicologia humana. Jung deduziu ou intuiu algo sobre a estrutura do universo, e levou quase cem anos para isso ser validado. Isso não é diferente de os físicos terem deduzido a existência dos quarks e só encontrarem essas partículas décadas mais tarde.

Portanto, somos afetados por tudo o que os outros pensam, sentem e experimentam. Entrar num ambiente em que todos estão loucos para ir à guerra afetará você, e a sua entrada afetará a todos.

É questão interessante saber se temos pensamentos que podemos de fato controlar completamente ou se, quando um pensamento impuro brota em nossa mente (...), nós tivemos controle sobre ele? E isso deveria ser considerado imoral, porque aconteceu? Portanto, há alguns aspectos éticos e morais fascinantes que surgem por causa desse tipo de pesquisa. Penso que precisamos explorar essas questões mais a fundo.

—Andrew Newberg, médico

Sociologia

"Consciência social" não só descreve um certo instinto de rebanho, este instinto é ele mesmo tão real quanto este livro. Esses acordos sociais são criados pelas muitas mentes coerentes sobre um determinado assunto. A "ebulição" de paradigmas discutida anteriormente é outra expressão do efeito agregador das mentes coerentes.

John Hagelin vem acompanhando e estudando esses efeitos há anos. Ele fornece vários estudos estatísticos mostrando como pequenos grupos focalizados afetam toda a sociedade: "O efeito de propagação da iluminação individual mudará a sociedade de forma mais poderosa do que supomos. E esse é o estudo sobre a paz que mencionei rapidamente no filme, e mais pesquisas foram feitas desde então para mostrar como grupos poderosos estão meditando coletivamente e estimulando o campo unificado que está na fonte da mente e da matéria, criando ondas irreprimíveis de paz e unidade no mundo."

Biologia

Com a descoberta do DNA parecia ter sido realizado o sonho de finalmente compreender como a vida é criada e mantida. O DNA foi visto como o código de computador da vida que, uma vez decodificado, mostraria como a vida funciona. Desde então, os cientistas descobriram que o DNA não contém informação suficiente para descrever como criar um corpo a partir de um ovo fertilizado.

Rupert Sheldrake é um biólogo que investigou as anomalias dos sistemas biológicos e, em resposta, desenvolveu: "A hipótese dos campos morfogenéticos [que] estabelece que as formas dos sistemas auto-organizáveis são definidas por campos mórficos. Eles organizam os átomos, as moléculas, os cristais, as organelas, as células, os tecidos, os órgãos, os organismos, as sociedades, os ecossistemas, os sistemas planetários, os sistemas solares, as galáxias, enfim, eles organizam sistemas em todos os níveis de complexidade e são a base para a totalidade da natureza, que é maior do que a soma das partes."

Temos de nos curvar diante dessa mente maior que está moldando a energia em modos de realidade com que ainda temos de sonhar nessa existência, e que ainda percebemos somente como caos, mas cuja ordem é definida. Ela está acima de nós. É mais profunda.

—Ramtha

Sheldrake investigou efeitos tão estranhos quanto animais de estimação parecerem saber que seus donos estão chegando em casa e nossa percepção de que alguém nos olha fixamente. A teoria é ampla demais para ser discutida aqui, mas a seguinte declaração se aplica ao "emaranhamento de tudo":

> Em discussões com o falecido David Bohm, ficou claro que alguns dos fenômenos que descrevo sobre ressonância mórfica e causação formativa possam ser explicados em relação à não-localidade da física quântica. Discussões posteriores sobre essa não-localidade me levaram a pensar que deveria ser possível elaborar uma nova estrutura teórica na qual a não-localidade quântica e os campos mórficos sejam integrados.
>
> Não penso que a física quântica das partículas subatômicas possa (...) explicar os campos mórficos dos organismos vivos. Afinal, mesmo a física quântica existente

dificilmente extrapola para moléculas complexas e cristais, porque os cálculos são extremamente complexos. Contudo, parece-me muito provável que a não-localidade quântica e os tipos de efeito de que falei tenham alguma fonte ou origem comum.

Penso que quando duas pessoas estão conversando, elas podem estar se comunicando em dois níveis diferentes. Elas podem estar se comunicando em um nível clássico, e pode também haver alguma forma de interação não-localizada, devido a algum tipo de emaranhamento quântico, de coerência quântica entre as pessoas. Os cientistas políticos agora estão ficando interessados nisso para ver as implicações das interações quânticas entre pessoas, sociedades e até mesmo governos, e como isso afeta a política.

—Stuart Hameroff, médico

Isso sugere que os campos mórficos de Sheldrake são o fator determinante para decidir qual propriedade emergente de fato surgirá nos sistemas complexos e que o campo mórfico é um campo de coerência cuja fonte é algo não-físico — mas *real*.

Podemos pensar nesses campos mórficos como a planta ou padrão que, quando aplicado sobre a natureza aleatória dos eventos quânticos, muda os eventos para uma ordem mais elevada. É como uma mão invisível guiando qual das muitas propriedades possíveis vai emergir no mundo físico.

Política

John Hagelin levou as repercussões sociais um passo além: "Estabelecemos o que chamamos de governo da paz para os Estados Unidos, não para competir com o governo existente, cuja principal preocupação é gerir crises, mas como um governo do povo, que evite os problemas por meio de uma educação que eleve a consciência coletiva e eleve o comportamento humano a um nível de maior harmonia com a lei natural, promovendo soluções sustentáveis nas áreas de agricultura, energia, educação e prevenção do crime."

Tal governo não funcionaria em oposição ao existente, mas fazendo o que Hagelin chama de "ataque indireto". Utilizando o conhecimento sobre campos mórficos, o poder coletivo de mentes coerentes, e, implantando um sistema educacional baseado na iluminação, prevê uma mudança evolucionária na forma como o mundo é governado. Se a hipótese das mentes emaranhadas estiver correta, certamente há uma infinidade de aplicações para os que compreendem suas conseqüências.

Ecologia

Uma das primeiras teorias a adotar abordagem holística sobre os fenômenos físicos é a teoria de Gaia. Nos anos 1960, James Lovelock trabalhava para a Nasa na pesquisa de vida em Marte. Como resultado, estudou o que constitui a vida na Terra e percebeu que tudo na Terra estava inter-relacionado e regulado por fatores inorgânicos e orgânicos. O Dr. Lovelock recorda:

> Para mim, a revelação pessoal de Gaia veio subitamente — como um momento de iluminação (...) Eu estava falando com Dian Hitchcock sobre um artigo que estávamos preparando (...) Foi então que vislumbrei Gaia. Um pensamento surpreendente me veio à cabeça. A atmosfera da Terra era uma mistura extraordinária e instável de gases, mas eu sabia que sua composição permanecia constante durante longos períodos. Seria possível que a vida na Terra não somente criasse a atmosfera, mas também a regulasse — mantendo sua composição constante, em um nível favorável aos organismos?

A idéia do planeta como um grande ser vivo, sendo os rios o sistema circulatório, por exemplo, é um pensamento usual e incentivou muito do interesse pela ecologia. Mas Lovelock e os proponentes da teoria foram criticados por sugerir a existência de um propósito por trás da regulação da natureza:

> A teleologia, derivada da palavra grega *telos* (propósito), afirma haver um propósito por trás do funcionamento da natureza. Ela é parte de um debate antigo entre os mecanicistas, com sua crença de que a natureza se comporta essencialmente como uma máquina, e os vitalistas, que acreditam na existência de uma força vital não-causal. Os críticos pensaram que Lovelock estava afirmando a existência de uma força vital no planeta, que controlasse clima e assim por diante. No entanto, essa não era a intenção dele,

Se estou sempre conectada ou emaranhada, como posso saber? Existe alguma coisa aí que eu deveria estar tentando escutar? Isso me guiará para onde eu quero ou preciso ir? Comecei a perceber que são as sutilezas, que são tão pequenas (mal posso percebê-las); elas são na verdade as grandes pistas. Trata-se de ser suficientemente observadora para vê-las nas coisas de todo dia. É dessa forma que eu sei que estou conectada. Hoje minha filha pegou na geladeira um retrato de minha amiga e seu bebê e começou a balbuciar para elas. Momentos depois o telefone tocou e, isso mesmo, era a minha amiga.

—BETSY

que declarou: "Nem Lynn Margulies nem eu jamais propusemos que a auto-regulação do planeta é intencional (...) No entanto sofremos uma crítica persistente, quase dogmática, de que nossa hipótese é teleológica."

Há tempos esse é um debate acalorado. A teoria das mentes emaranhadas encerra a discussão ao afirmar que a força vital é o campo mórfico, um agregado de intenções maiores ou menores sobre a viabilidade da própria vida. Esta não são apenas mutações aleatórias, mas surge de uma fonte não-física em constante evolução. É a consciência criando a realidade.

A hipótese da conectividade

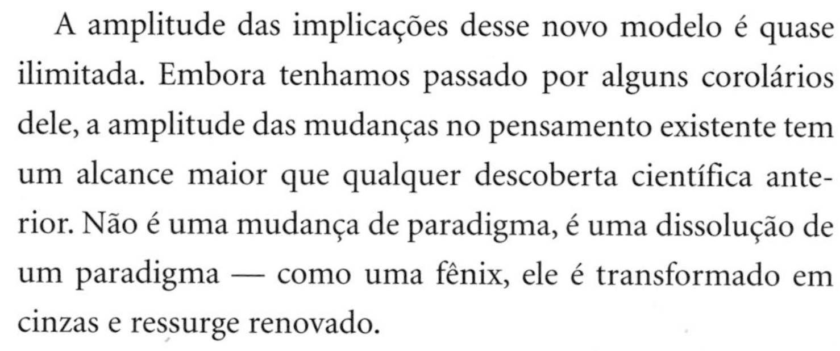

A matéria e a mente evoluíram dentro de um mesmo útero cósmico: o campo de energia do vácuo quântico. A interação de nossa mente e consciência com o vácuo quântico nos liga a outras mentes em torno de nós, assim como à biosfera do planeta. Ela "abre" nossa mente para a sociedade, a natureza e o universo.

—Ervin Laszlo, Ph.D.

A amplitude das implicações desse novo modelo é quase ilimitada. Embora tenhamos passado por alguns corolários dele, a amplitude das mudanças no pensamento existente tem um alcance maior que qualquer descoberta científica anterior. Não é uma mudança de paradigma, é uma dissolução de um paradigma — como uma fênix, ele é transformado em cinzas e ressurge renovado.

E o escopo disso não passou despercebido na comunidade científica. Diversos campos de interesse como a biologia, a física e a sociologia estão pela primeira vez trocando idéias, o que as faz avançar. Muitos cientistas sonham chegar a uma teoria abrangente. Segundo o doutor Ervin Laszlo, "o pronunciamento de Einstein 'buscamos o esquema de pensamento mais simples possível, que possa unir os fatos observados' é a aspiração e também a inspiração da hipótese da conectividade".

O doutor Laszlo é considerado o fundador da filosofia dos sistemas e da teoria geral da evolução. Sua hipótese da conectividade é uma teoria unificada e concisa que reúne muitas das descobertas que vimos e as enquadra em uma estrutura conceitual, formando os "fundamentos de uma ciência integral sobre quântica, cosmos, vida e consciência".

Em seus livros, o doutor Laszlo discute anomalias da medicina, da biologia, da parapsicologia e da física, e introduz um formalismo matemático que torna experimentalmente prático o teste de sua hipótese. Um dos pilares dessa teoria é o papel da informação ou, como ele define, da in-formação:

> A presença da in-formação na natureza é um princípio fundamental da hipótese da conectividade. A hipótese se apóia em três leis da in-formação como elemento fisicamente ativo no universo:
>
> i. partículas alteradas e sistemas constituídos de partículas carregadas criam informação fisicamente ativa;
> ii. a informação é conservada;
> iii. a informação criada e conservada retroalimenta as partículas carregadas e os sistemas de partículas.
>
> Isso mostra que a retroalimentação de informação ativa, ocorrendo de modo holográfico, cria a coerência entre as partículas e os sistemas de partículas que criaram a informação.

Os sistemas de partículas podem ser elétrons, fótons e moléculas, células, seres humanos e civilizações. O que os in-forma é tão real fisicamente quanto as partículas: a mente como matéria. Assim, o doutor Laszlo deu um formalismo científico a conceitos como o inconsciente coletivo, os campos mórficos e o emaranhamento — seja de partículas ou de mentes.

O doutor Laszlo conclui seu livro com a seguinte declaração sobre sua hipótese, resposta para "Por que estamos aqui?" na grande escala cósmica: "A evolução do metaverso por meio da evolução cíclica dos universos conduz à plena realização dos potenciais evolucionários codificados na plenitude cósmica[2] primordial — para a completa coerência de tudo que existe no espaço e tempo. Ela marca a plena realização da criatividade divina: a coerência suprema na mente de Deus."

[2] Plenitude cósmica, de acordo com doutor Laszlo, é o "que foi equivocadamente denominado vácuo quântico".

PARA CIMA E PARA BAIXO NA TOCA DO COELHO

O que isso fornece é um mecanismo pelo qual a mente ou consciência cria estruturas ou a realidade a partir de elementos menores — a consciência criando a realidade. E se as mentes também forem elementos de um sistema complexo, elas darão origem a mentes maiores que têm propriedades divinas, que emergem do caos de complexidade, que ascendem todos os degraus da escala até — Deus? O ponto zero? O nada? Eles, por causa da estrutura de retroalimentação desses sistemas, modelam nossa realidade "aqui embaixo". E esta, por causa do sistema de retroalimentação, retroalimenta o nível de cima. A quantos *ciclos* além você deseja ir?

—WILL

A suprema coerência

Estamos todos conectados. Estamos emaranhados. Se preferir chamar de emaranhamento quântico, tudo bem. O fato é que estamos emaranhados. E não existe separação entre nós, o que fazemos uns aos outros também atinge um aspecto do nosso eu. Nenhum de nós é inocente nesse sentido. Existe algo lá fora de que não gostamos, e não podemos virar as costas para isso porque somos co-criadores, de uma forma ou de outra. E temos de fazer o que é certo para alcançar o melhor futuro para todos. Essa é a nossa responsabilidade como co-criadores. E, no processo, seja qual for o papel que assumamos — de políticos, de teólogos, de cientistas, de médicos ou qualquer outro —, todos podemos contribuir para a vida e levá-la além, usando o máximo de nossas habilidades e fazendo o que acreditamos ser o melhor. Isso requer que meditemos profundamente sobre cada coisa. Refletir e agir, reconhecendo que os outros são nossos irmãos e irmãs, e que tudo é um assunto de família. É isso.

—William Tiller, Ph.D.

E quanto à suprema coerência em nossas mentes? É isso o que inconscientemente buscamos? É por isso que gravitamos rumo a mil vozes elevadas numa canção, é por isso que ver um belo arco-íris com uma pessoa amada é muito melhor do que vê-lo a sós?

Houve momentos neste planeta em que a humanidade se reuniu para o bem maior, e o sentimento de boa vontade gerado foi imenso. O doutor Emoto, que viajou por todo o mundo criando coerência em torno do conceito da água, fez a seguinte observação sobre a crise da Apolo 13: "Naquela ocasião, por causa da divulgação feita pela televisão, muitas pessoas, inclusive eu, rezaram pelo retorno seguro dos três astronautas. Isso se aplicou a muçulmanos, cristãos, budistas, judeus, pessoas de diferentes religiões, raças e etnias. Acredito que foi por essa razão que aconteceu um milagre como aquele."

Durante o desastre do tsunami no Natal de 2004, aconteceu uma condição semelhante de consciência de massa. O doutor Emoto prossegue:

> Quando as pessoas mundo afora viram as imagens da destruição que matou mais de 200 mil pessoas, acho que elas entenderam que aquilo poderia ter acontecido a elas próprias. Elas puderam pensar naquele incidente de uma perspectiva mais pessoal. Em meus dez anos de pesquisa, tenho enviado a pessoas em todos os lugares do mundo a mensagem visual de que preces e pensamentos podem afetar a realidade, não importa onde elas estejam. Por conseguinte, como essa idéia já foi aceita por muitos no mundo, as pessoas provavelmente pensaram: "Então é assim que funciona. Se tentarmos, nossa energia pode chegar lá. Então, todos nós devemos rezar." E essa é a razão de não ter havido grandes epidemias de doenças infecciosas como resultado do desastre do tsunami. Com uma repetição de ações similares, as pessoas podem começar a recuperar a fé nas orações.

Portanto, em outras palavras, pode haver mais desastres, sejam naturais ou causados pelo homem, que provoquem mais baixas pelo caminho, mas, por meio dessas experiências, mais pessoas podem ser capazes de perceber esses problemas como sendo delas mesmas, perceber que todas elas também são responsáveis.

Não sei o que você pensa disso, mas naquelas raras ocasiões em que a humanidade agiu globalmente para ajudar a humanidade, os sentimentos e efeitos foram literalmente do outro mundo. Ou melhor, de fora do mundo do "mais para mim, o meu é melhor que o seu", e dentro do mundo maravilhosamente feliz da coerência global de Gaia. Sabemos que a coerência realiza coisas. De alguma forma ela vira pelo avesso os eventos quânticos.

A *intenção* coerente realiza ainda mais; pedindo emprestado as palavras do doutor Laszlo: "Ela marca a plena realização da criatividade divina."

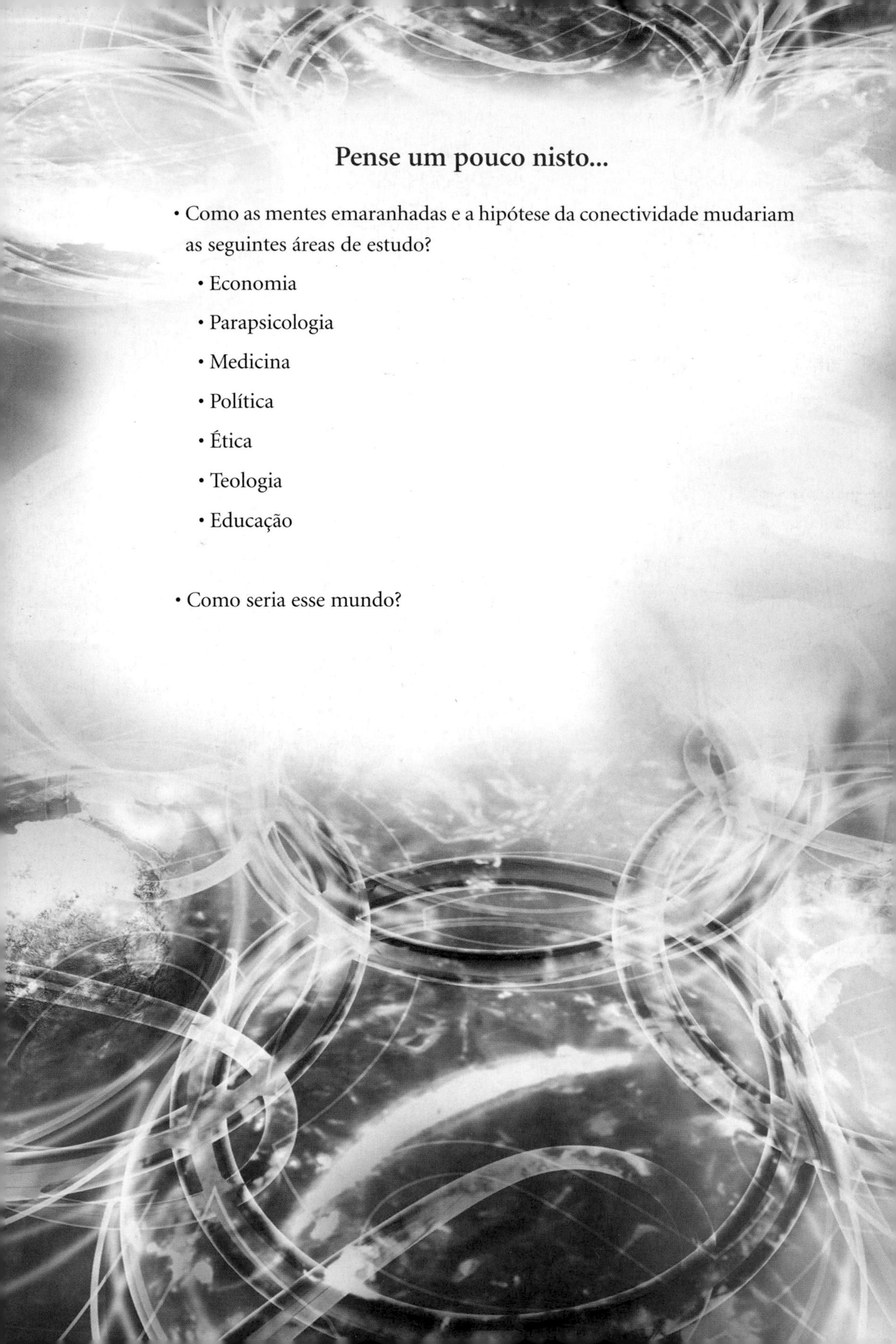

Pense um pouco nisto...

- Como as mentes emaranhadas e a hipótese da conectividade mudariam as seguintes áreas de estudo?
  - Economia
  - Parapsicologia
  - Medicina
  - Política
  - Ética
  - Teologia
  - Educação

- Como seria esse mundo?

A SUPERPOSIÇÃO FINAL

Estou agora repassando uma lista de pessoas famosas que afirmaram alguma coisa como sendo a palavra final e não consigo pensar em uma única que não estivesse errada.

JEFFREY SATINOVER

Há uma superposição de múltiplas possibilidades que depois de algum tempo colapsará em uma ou outra possibilidade; então você escolherá fazer isso ou fazer aquilo.

—Stuart Hameroff

Para não entrarmos na lista do doutor Satinover, declaramos de saída que este capítulo não vai ser a palavra final sobre como você deve levar *sua* vida, ou o que *você* precisa fazer, deixar de fazer ou criar. Como se nós pudéssemos saber, sentados aqui, digitando num computador, qual fator, local ou acontecimento decisivo vai virar sua vida de cabeça para baixo e tornar gloriosa a sua viagem pelo universo. É comum as pessoas pensarem que existe uma fórmula secreta e que, se a conhecessem, tudo seria maravilhoso. Se pudessem somente passar cinco minutos a sós com Donald Trump, então os negócios delas também seriam um sucesso.

Todos os conceitos da física teórica, os conceitos da física quântica, tudo isso é fabuloso e maravilhoso. Mas, no fim das contas, isso nos oferece forma melhor de mudar nossas mentes?

—JZ Knight

Então, por que escrevermos sobre todas essas idéias, experimentos, conceitos, metodologias e maneiras de ver o mundo? Pensem nisso como uma operação para abastecer a caixa de ferramentas. E agora estamos abastecidos com alguns equipamentos *poderosos.*

Muitos conceitos sobre os quais falamos foram debatidos, discutidos e defendidos pelas melhores mentes e espíritos do planeta durante milhares de anos. Portanto, no domínio da mente (que, afinal, é real) nos reunimos com muitos seres verdadeiramente maravilhosos. Você talvez pergunte: como podemos esperar algum dia solucionar definitivamente o que esses gênios não puderam resolver? Bem, eles provavelmente pensavam o mesmo, mas entraram no território desconhecido de qualquer maneira. E, no final, as respostas para as perguntas "O que é realidade? Quem sou eu? Eu crio a realidade? O que é matéria? Como posso me tornar iluminado? A que paradigma estou amarrado?" são inteiramente pessoais. Temos de encontrá-las por nós mesmos.

O.k., mas outra pergunta nos vem imediatamente à cabeça — por que nos preocuparmos com essas idéias "grandiosas" quando detestamos a viagem até o trabalho? Por que alguém deve se preocupar com o que é a realidade quando está "entalado" na sua? Perguntamos a Dean Radin por que ele se preocupa com a filosofia e com o pensamento abstrato:

> Porque eles vão até a essência dos pressupostos sobre quem e o que você pensa ser. Conseqüentemente, se pensamos estar vivendo num certo tipo de mundo, nos comportamos de determinada maneira. Se achamos que vivemos num mundo onde os seres humanos são uma espécie de máquina, seremos robôs andando por aí, e pode ou não estar acontecendo algo, e então questões como moral, ética, como vivemos nossas vidas e o que pensamos sobre a morte serão bem diferentes do que se pensássemos que este é um mundo interconectado, vivo.

Por que nos preocuparmos com a ciência?

Uma das principais razões está no fundamento da ciência: o método científico. Como o que percebemos está baseado no que sabemos e acreditamos, parece difícil obter uma imagem verdadeira de como as coisas são. O método científico é uma abordagem revolucionária para lidar com a realidade: tanto quanto possível, ele remove os preconceitos do observador e fornece uma imagem mais verdadeira da realidade. Podemos ver a importância disso se lembrarmos da Idade Média, quando acreditava-se que a Terra era plana, o que dificilmente

Bem, vivemos de acordo com as histórias que a ciência cria, e ela nos contou uma história muito sem graça durante os últimos quatrocentos anos. Contou que somos uma espécie de erro genético. Que nossos genes se limitam a nos utilizar basicamente para avançar à próxima geração, e que nossas mutações são aleatórias. Foi dito que estamos fora do universo; estamos sozinhos, somos um caso isolado. Somos essa espécie de erro solitário, em um planeta solitário, em um universo solitário. E isso é a base de nossa visão do mundo. Isso forma nossa visão de nós mesmos e agora estamos percebendo que ela, essa visão de separação, é extremamente destrutiva. É o que cria tudo; todos os problemas no mundo, as guerras, a idéia de que eu preciso de mais do que você, a agressividade em tudo, dos negócios à sala de aula. E agora estamos percebendo que esse paradigma está errado, que não estamos sós. Estamos todos juntos. No elemento mais infinitesimal de nosso ser, todos somos um; estamos conectados. Assim, estamos tentando entender e absorver as implicações disso.

—Lynne McTaggart

seria a base para uma era de explorações. Portanto, a maioria das pessoas permanecia no campo, na cidade ou no feudo.

Em outras palavras, nosso entendimento da realidade limita nossas opções. O que é grandioso na ciência é ela ter a capacidade de dizer: "O que eu julgava ser a realidade era só uma aproximação — agora eu tenho uma visão melhor." Pense no que é ter uma ferramenta como essa em suas mãos.

Não que a ciência seja a única maneira de abordar a vida. Existem a arte, a beleza, a inspiração e a revelação. Contudo, pense em todas as ocasiões em que deixou de fazer algo porque poderia dar errado. Na ciência não existe o experimento que não deu certo. Ele deu certo — mostrou que a realidade não funciona da maneira que você pensava. Por que se preocupar com a ciência? Perguntamos a John Hagelin:

> Saliento que tudo o que digo aqui representa um fundamento sólido da física matemática com conseqüências previsíveis passíveis de serem testadas em laboratório e, o que é mais importante, aplicadas em benefício da sociedade. É da maior importância a descoberta do campo unificado; a teoria das supercordas é linda —, mas o que importa é que a descoberta do campo unificado logo transformará a civilização, afastando-a do mundo fragmentado de hoje, cortado por fronteiras políticas arbitrárias que separam a humanidade de si mesma.
>
> Um mundo fragmentado reflete uma compreensão fragmentada do universo. Agora, com o aparecimento da compreensão fundamental de que a unidade é a base da diversidade na vida, não tardará para esse mundo dividido politicamente se tornar um país global, em paz. E realizaremos isso em nossa geração.

Simplificando, a ciência nos diz o que é possível. Mas o que é impossível? A teoria quântica diz ser possível que, no próximo instante, você vá parar do outro lado do universo. A probabilidade é de dez elevado a menos um zilhão, mas não é zero.

Candace Pert diz: "O corpo sempre deseja se curar. Há uma base de dados sobre remissões e recuperações espontâneas, principalmente de câncer, e me parece interessante que aquelas freqüentemente sejam acompanhadas por uma súbita liberação de emoções." Que alguém leia isso, libere algo e fique curado.

Qual é a definição de um milagre? Alguma coisa que acontece fora da convenção, fora do que é socialmente aceitável, cientificamente aceitável, religiosamente aceitável. E exatamente fora disso é onde o potencial humano existe. Como chegamos lá? Temos que superar os estados emocionais em que vivemos diariamente. Nossa própria dúvida pessoal. Nossa própria desvalorização. Nossa própria letargia e fadiga. Nossas próprias vozes que dizem que não somos merecedores ou que é impossível.

—Joe Dispenza

Por que se interessar pela mudança?

Realmente, a mudança é um saco. Todo mundo começa a gritar. O patrão, os namorados, os pais, até as suas células estão se arrastando em busca daquela boa e velha sensação. Basta deixar de lado a caixa de ferramentas e se atirar em algum sofá confortável. Ou não. Diz o doutor Joe Dispenza:

> As pessoas precisam fazer essa escolha por si mesmas. A maioria fica feliz com a vida como ela é, vendo televisão e tendo um emprego padrão. Ou estão hipnotizados para pensar que isso é normal. Para quem tem um anseio diferente dentro de si e está claramente interessado em algo mais, basta um pouco de conhecimento; e se alguém aceitar esse conhecimento como possibilidade e aceitá-lo muitas vezes, mais cedo ou mais tarde começará a aplicá-lo.
>
> Agora, para alguns isso pode levar cinco minutos, enquanto para outros dar o primeiro passo pode requerer muito esforço, porque eles precisam compará-lo a tudo o que conhecem e isso está vinculado à maneira como a vida deles é no momento, com todos os acordos feitos, todos os relacionamentos. E dar o primeiro passo significa avaliar como isso será percebido, dar um passo na direção contrária a tudo o que sabem, e há uma batalha entre esses dois elementos. Mas, uma vez que nos autorizemos a sair do convencional, há um sentimento claro de alívio e de alegria.

Portanto, segundo o doutor Dispenza, do outro lado do "anseio diferente" está um "sentimento claro de alegria." Realmente? Nesse ponto poderíamos começar a falar das razões por que isso acontece e sobre a evolução e sobre "tornar conhecido o desconhecido," mas isso foi feito ao longo do livro.

E além disso, QμΣM Sθmσs πóζ?, afinal!? O doutor Dispenza acredita que isso é verdade, mas e eu? E você? A verdadeira pergunta é: O QμΣ VOCÊ Sabe?

Realmente.

A resposta sucinta para essa pergunta é: tente. Faça um teste. Teste tudo. Lembre-se, as respostas são estritamente pessoais, razão pela qual não estamos dando a você um livro de receitas quânticas que ensine a cozinhar uma vida maravilhosa. A boa notícia e a má notícia são: só você sabe.

Assim que o processo de experimentação com sua própria vida começar toda a informação que você leu e todo o conhecimento sobre criação, emoções, dependências, escolhas, mudanças, intenção, memória associativa, tudo isso vai entrar em ação. Os paradigmas e redes neurais que limitam seus graus de liberdade vão saltar à sua frente. As crenças que restringem seu espírito imortal vão gritar em seu ouvido. Vai ser o caos. Oba! — você estará vivo.

Como podemos dizer que vivemos totalmente cada dia se nos limitamos a experimentar a cada dia as mesmas emoções das quais somos dependentes? O que estamos de fato dizendo é que preciso confirmar quem sou e o que é a minha personalidade, e tenho de fazer isso, tenho de vir aqui, tenho de ser aquilo. Um mestre é um tipo de animal bem diferente. É aquele que vê o dia como oportunidade no tempo para criar avenidas de realidade, emoções e realidades que ainda não nasceram, para que o dia se torne uma fertilização de amanhãs infinitos.

—Ramtha

O colapso final

O colapso final na superposição final é você. Todas essas possibilidades: mudar ou não mudar? Transformar-se em quê? Tomar posse, aposentar ou provocar o colapso de quais padrões emocionais na forma de sabedoria? Qual convicção colocar à prova? Todas essas possibilidades estão esperando lá fora, esperando por uma escolha. Miceal Ledwith diz:

> Qual é a diferença entre crença e conhecimento? Bem, acredito na sabedoria de alguma outra pessoa ou coisa. Percebi quando experimentei aquilo pessoalmente, e se

por acaso eu caminhasse sobre a água, saberia que isso é possível e nunca mais duvidaria dessa possibilidade. Porém, se só acredito em algo por causa de alguém, então isso é só filosofia, abstração, e uma grande necessidade na evolução é transformar a crença em conhecimento, experiência e sabedoria. Converter o conhecimento em sabedoria experimentada é a grande jornada do desenvolvimento espiritual.

A iluminação é nosso direito de nascença. Fomos estruturados para isso. É o que o cérebro humano foi projetado para experimentar.

—John Hagelin

E aparentemente estamos equipados para fazer essa viagem. O doutor Dispenza acrescenta: "O cérebro é na verdade um laboratório, e por desígnio nosso, ou por nossa própria vontade, ele age como laboratório para pegar conceitos, idéias e modelos, perguntar os 'e se', as possibilidades, os potenciais, e meditar sobre projetos ou ideais que estão fora dos limites que são o nosso entendimento atual, para produzir um novo entendimento ou alargar nossas fronteiras."

Como foi dito no filme *Os Caça-Fantasmas*, "nós temos as ferramentas; nós temos o talento".

E você só tem de se perguntar: por que temos essas ferramentas? Esses talentos? Ou é por um acidente da natureza ou é a razão para estarmos aqui. É um ou outro. Obviamente, o impulso desse livro foi na direção do "é a razão para estarmos aqui". Todas as criações da humanidade nascem das habilidades, dos potenciais humanos, que nós possuímos. E nós os temos por uma razão, que estamos todos em vias de descobrir.

Temos um cérebro surpreendente — a estrutura mais complexa no universo conhecido —, que consegue se reestruturar para maximizar continuamente qualquer coisa que desejemos experimentar. O cérebro se reestrutura imediatamente após cada nova experiência — tudo sob o nosso controle. E ainda há o corpo: capaz de se curar, capaz de se replicar e, verdade seja dita, uma obra de arte. E a mente, que tem a habilidade de mergulhar nos mais ínfimos recantos do espaço e do tempo, e, então, de se expandir e contemplar o big bang. E mais além.

E para dentro. A consciência explora a si mesma e retorna com idéias loucas como: o mundo é essencialmente vazio; tudo o que percebemos é *maya* — ilusão — e fundamentalmente estamos todos conectados — somos um. Os exploradores do invisível, os iluminados, vêm relatando esses fatos há milênios! De dentro dos ínfimos recantos do espaço e do tempo e da investigação do funcionamento do cérebro vem a mensagem: "Sim, é isso o que é."

A caixa de ferramentas está ficando muito cheia. Sempre tivemos as ferramentas para a transformação; só o que está faltando é pressionar o botão "avançar". Se há algum conhecimento em falta, vamos descobri-lo; se é uma experiência que está faltando, vamos criá-la.

Mais e mais para cima, mais e mais para a frente. Lembra-se daquelas caixas chinesas encaixadas umas nas outras? Como as propriedades emergem à medida que subimos para níveis mais elevados e mais integrados? Que propriedades, que talentos, que realidades emergirão dali? No que podemos nos tornar e o que nos tornaremos? Há um limite? Como encontro as respostas para minhas perguntas?

Portanto, terminamos como começamos — com perguntas.

Nossas palavras finais são: "Por quê? Como? O que é?"

As palavras dos exploradores, dos divinos aventureiros.

Portanto, é claro que o colapso final da superposição final se transforma nas condições iniciais de uma nova superposição. Essa é a definição dos CDFs: as mudanças jamais acabam.

Graças a Deus.

Epílogo: um Banquete Quântico

Era uma época de mágica, quando a magia pairava densa no ar. As árvores respiravam canções para os pássaros, que narravam histórias incentivadoras. Vales encantados guardavam segredos que a palavra adequada transformaria em ouro para brilhar do nada. A mágica estava em toda parte. E eu estava lá. Imerso nos estilhaços cintilantes da criação que eu dizia ser real.

No início, era apenas um sussurro ao longe. Árvores movendo os pés e folhas expirando o precioso ar. Então, o clop-clop das patas dos cavalos pisando em pedras na saída da velha Viena. Logo, de dentro da neblina surgiram as carruagens, uma após a outra: os convidados estavam chegando! Doutores, físicos, místicos, artistas — todos magos. Chegando para terminar o livro e, quem sabe, começar um novo. Para festejar e brindar às aventuras já vencidas e às do outro lado do amanhã.

No castelo, Lorde Mortimer das Copas, o indicado pelos deuses, passa apressadamente, em prontidão. Embora fossem muitos os banquetes, ele sabia ser esse muito especial e o precursor de muitos outros. "Há algo no ar esta noite", sussurrou para si. A perfeição no plano físico era inatingível, mas ele sempre buscava alcançá-la.

O salão estava decorado nos tons da floresta e o aroma de zimbro era inebriante. Todos trabalharam com a maior diligência na preparação do Grande Festival: os convidados em seus gabinetes e laboratórios silenciosos, sondando os segredos da vida; os

A pergunta realmente é: o que Deus está fazendo para construir um universo? Esse é o truque, e é para esse truque que os físicos tentam encontrar uma resposta. Meu interesse sempre foi pela mágica como uma forma de abordar o que eu pensava ser uma coisa muito miraculosa. Basicamente, por que estamos aqui? O que está acontecendo? Mesmo quando criança eu fazia essas perguntas. Assim, o que eu descobri ao responder à pergunta sobre como esse truque é realizado, esse truque que chamamos de universo, foi descobrir que a mente ou consciência não pode estar dissociada da matéria. Que a matéria e a mente estão ligadas muito mais intimamente do que se pensava antes.

—Fred Alan Wolf, Ph.D.

poetas e mágicos sempre à procura da musa; aqueles cozinheiros quânticos fazendo criações culinárias sem precedentes ou sucessores — uma sugestão de genialidade para deliciar os sentidos e estimular a grande conversação.

Pois ela, a conversação, era o prato principal no salão do jantar, em concordância com as palavras entalhadas no arco de pedra do salão principal:

Grandes mentes discutem idéias
Mentes medianas discutem acontecimentos
Mentes pequenas discutem pessoas.

Mas não haveria mexerico sobre pessoas nesta noite. Todos esperavam trocar idéias: novas teorias, realizações, emoções, e, talvez, até uma nova dependência! Esta noite seria por si só uma força da natureza:

Campos mórficos serão abalados
Plenitudes cósmicas reveladas
E realidades crepitarão holograficamente
Pelo tempo e pelo espaço.

Parecia que todos chegaram ao mesmo tempo.

Num instante, lorde Mortimer se distraía com algo, num canto, e no instante seguinte todos estavam em toda parte. Fred Alan Wolf,[1] cada vez mais parecido com o doutor Quantum, examinava uma pintura na parede, considerando onde estaria o portal. Mark Vicente entrou no grande hall, tendo percorrido toda a casa: "Sabe, eu seria capaz de viver aqui!"

Masaru Emoto e sua bela esposa tinham acabado de chegar de algum lugar do outro lado do globo, mas encontraram tempo em sua programação para jantar, rir e criar por uma noite. Subitamente, um brado se elevou.

[1] O.k., isso é uma história. E tomamos algumas liberdades com as pessoas que conhecemos e amamos. As citações mais adiante são reais. Estamos quase terminando, e é tempo de celebrar! Desfrute essa "história contada por um louco".

Todos os olhos se ergueram no momento exato de ver Gordy, tendo nos braços o bebê dele e de Betsy, Elorathea, precipitar-se (com a criança) num deslizamento alucinado pelo longo e curvo corrimão. Foi uma tremenda emoção para todos, principalmente porque Gordy estava usando seu novo kilt de couro. Ele fez uma aterrissagem perfeita sobre os dois pés, que conquistaram a caminhada sobre as brasas e que, portanto, estavam destinados a nunca mais provar os carvões incandescentes.

E lá estava Betsy Chasse. Até certo ponto a mão invisível e criadora de tanto do que ocorreu, e eternamente uma amante de figurinos, ela estava vestida de forma indescritível, lembrando algo que ninguém era capaz de recordar. Se Betsy continuamente trocou os trajes durante a noite ou "só fez mudanças", foi um assunto que sobreviveu ao fim do baile de gala.

Com os sobretudos de viagem recolhidos, os convidados migraram para o salão. Por todo lado havia sofás confortáveis e os viajantes se acomodaram para repousar, tomar uma bebida e se preparar para os festejos. Da sala de música, uma deliciosa sonata de Mozart se fez ouvir e terminou.

Daí, irrompeu o caos. Sem que o restante dos convidados percebesse, Masaru, tal como fizera no Water and Peace Festival, em Tóquio, convenceu Ervin Laszlo a tocar uma pequena peça ao piano, uma dança romena de Bartok. A peça constantemente brincava com o caos e a desordem, e quando parecia que o inferno se instauraria, surgia um fio, uma melodia, que levava o ouvinte até o próximo precipício de insanidade. Ou, como diria o doutor Laszlo, a um momento de bifurcação.

Então, fez-se o silêncio.

Muitos dos convidados não tinham conhecimento de que a primeira carreira de Ervin Laszlo fora a de pianista e que ele, na adolescência, viajou pelo mundo tocando com as principais orquestras sinfônicas. (Comentou-se mesmo que o piano do próprio Bela Bartok veio, de algum modo, viver no escritório do doutor Laszlo.)

Magos, todos, e aquela dose de loucura bifurcativa tirou-os de seus devaneios e os levou para a grande sala de banquete.

A sabedoria dos místicos aparentemente previu há séculos o que a neurologia agora mostra ser verdade. Um ser absoluto e unitário, o "eu" se mistura ao outro; a mente e a matéria são um e o mesmo.

—Andrew Newberg, médico

Mas essa não era uma sala de banquetes comum, nem esses eram magos comuns.[2] Em vez de uma mesa ao longo do salão, parecia que alguém a tinha dobrado, dando-lhe forma de rosca. Depois de uma rápida discussão, decidiu-se que "Mágicos da Rosca" não era uma boa expressão, optando-se por algo um tanto arturiano: "Magos da Távola Redonda."

Com os convivas acomodados à mesa, os três cineastas se entreolharam. Sendo os "anfitriões", deviam fazer o primeiro brinde. Quem seria o primeiro a se deixar levar pela eloqüência? Como se uma mão invisível se lançasse do alto e o alçasse para fora da carteira, Mark Vicente ficou de pé! Havia algo que ele há longo tempo desejava dizer aos convidados:

"Tive a sorte de encontrar nos últimos anos mentes verdadeiramente grandes. O conhecimento e as idéias que colhi expandiram enormemente a minha visão do mundo. Sem vocês, eu não poderia ter realizado isso. Presto meu tributo a tudo que foi necessário àqueles que vieram antes de nós e que permitiram a vocês tomar o conhecimento deles e ampliá-lo. O mundo é seguramente um lugar melhor, graças a seus esforços.

"Sabendo o que sei sobre a quantidade de dados que ignoro — 99% —, farei o possível para aprender novas idéias a partir da perspectiva de uma mente mais aberta. Se existe tanto que desconheço, agora compreendo que seria tolice insistir em algo apenas porque desejo que seja de determinada forma. Quero enxergar além da minha cegueira voluntária, olhar o vácuo de potencial e fazer as grandes perguntas:

"O que sou em relação à realidade que vejo? Como posso ver o que não conheço? Como posso abandonar minha própria maneira de ser? Se estou construindo o universo como sei, o que mantém um universo íntegro apesar da minha psicose emocional? Como seria não investir numa única perspectiva, mas ter a liberdade de explorar todas elas?

"E como poderei desenvolver a habilidade de parar de formular pressupostos? Para mim, a resposta a essa pergunta é o que faz uma grande mente.

[2] E existe tal coisa, um mago "comum"?

"Obrigado por me ajudarem a redescobrir a curiosidade de uma criança e a obstinada análise crítica de um cientista."

Pausa. Mark, Betsy e Will olham uns para os outros. Foi um longo e profundo olhar. A estrada fora difícil. Anos antes eles encontraram pela primeira vez aqueles que estavam sentados agora em torno da mesa. E fizeram perguntas e receberam respostas. Algumas delas não eram o que esperavam. Eles foram desafiados; ficaram perplexos; tiveram de voltar atrás e reexaminar os próprios preconceitos e convicções. [Will e Betsy se ergueram para acompanhar Mark.] E aqueles seres maravilhosos reunidos em torno da mesa nunca criticaram ou denegriram os três cineastas em sua busca. Todo o tempo se tratou de descobrir o que é real, a verdade, e desfrutar a descoberta. Que encontro fabuloso!

Todos se levantaram. É como se já ouvissem as últimas palavras de Mark:

"A vocês, companheiros de jornada, e ao conhecimento!"

Como um grande grito de "assim seja", as taças se juntaram, o pão foi partido e o banquete começou.

Era a própria perfeição. O alimento, as histórias incentivadoras, a camaradagem. Lorde Mortimer se fazia presente em toda parte, garantindo que a ordem da apresentação, a colocação, a temperatura da variedade aparentemente incessante de pratos fosse exatamente o que se esperava. É raro um grupo como esse dispor do tempo livre necessário para desfrutar de uma refeição suntuosa e da companhia mútua. Passando os olhos sobre Mark, Jeffrey Satinover declarou:

"Aprendi que, se quisermos realmente explorar as questões mais interessantes da vida, vamos acabar errando muitas vezes, e haverá pessoas que estarão certas onde estivemos errados, portanto devemos estar dispostos a aprender dessa maneira. Algumas vezes você estará certo e então precisará aprender a ser generoso quando estiver certo, se quiser que outros ouçam o que você diz.

"Se você quiser explorar o mundo das coisas realmente interessantes, é preciso se acostumar a ficar confuso e inseguro e a fazer concessões ao fato de que há tantos mistérios. Esta não é uma referência à exata nuance da frase 'estar no mistério', usada por Fred Alan Wolf, mas uma espécie de uso mais mundano da afirmativa de que todos somos realmente estúpidos em comparação com a quantidade de mistérios que existem lá fora. Precisamos ter aquela espécie de sensação infantil de explorar o desconhecido."

E com as travessas de alimentos fumegantes passando ao longo da mesa, as histórias continuaram a surgir...

De Candace Pert:

"Então, meu amigo Deepak Chopra contava essa história de sua excitação com meu trabalho que, tendo ido à Índia, disse a todos os rishis: 'É incrível, essa mulher, é maravilhoso, ela descobriu as moléculas, ela descobriu os receptores, ela descobriu os peptídeos, é inacreditável.' Os rishis só faziam: 'O quê, o quê, o quê, o quê?' E ele: 'Não, não, vocês não estão entendendo. Ela descobriu as verdadeiras moléculas de emoção, há as endorfinas e os peptídeos, os hormônios e os receptores, é incrível.' Todos os rishis coçam as cabeças. Ele tenta várias vezes. Finalmente, o mais velho e mais sábio deles subitamente se senta e diz: 'Acho que entendi. Ela acha que essas moléculas são reais.'"

Não estudei o milagre da transformação da água em vinho. Parece ser bom.
—John Hagelin, Ph.D.

Ao que todos riem ou gargalham... humor de vários CDFs iluminados... realmente, um deleite raro...

Cada uma das células de nosso corpo espiona nossos pensamentos.
—Joe Dispenza

A refeição estava terminando. Naquela noite, como comentou Ramtha, todos podíamos dizer: "Jantamos como reis e rainhas." Vieram os licores, os cappuccinos e os expressos; bules de chá foram deixados sobre a mesa, juntamente com as trufas e os queijos.

Quando o último cozinheiro foi embora, os convivas se sentaram, preparando-se para escrever o último capítulo do livro *O manual dos antiantimagos*. Ao ruminarem um verso

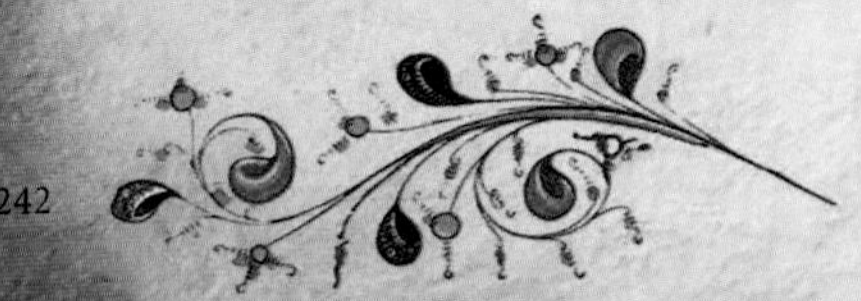

para o epílogo, profunda sensação de relaxamento, quase de preguiça, esgueirou-se pelo ar.

O centro da Távola Redonda era aberto, deixando um espaço de três ou quatro passos largos, de modo que quem tivesse a palavra pudesse caminhar e gesticular enquanto apresentasse suas idéias, a atração da noite. Entretanto, os convivas permaneciam sentados, não se aventuravam a ir ao centro e começar o capítulo final. Um cachimbo foi acendido aqui e ali, um ocasional charuto, e ainda assim eles permaneciam sentados, perdidos num momento de eternidade.

Mas o tempo escoava pela ampulheta e havia muito o que fazer: um livro para escrever, outro para desfazer, conversação e risos e, naturalmente, brindes...

Will se levantou, com um brinde em mente:

"Quando decidimos realizar o filme, um dos nossos objetivos era fazer das pessoas em torno dessa mesa heróis. Heróis para o mundo. Vejo que todos dedicaram anos de suas vidas ao que os alquimistas chamavam a Grande Obra. E isso não aconteceu sem risco e sem a ironia dos colegas e da sociedade em geral.

"Não acho que rebater uma bola sobre uma cerca a 100m de distância, usando um bastão, faça de alguém um herói. Nem que dar voz às idéias alheias em frente a uma câmera faça de alguém um herói. Sem os seres sentados aqui, e outros exploradores, nosso mundo seria estagnado e aborrecido, não o mundo mágico que amamos."

Ele fez uma pausa momentânea...

"Meu Deus, estou ficando sentimental. Será que foi o vinho? Não faz mal! É a verdade. AOS HERÓIS!"

Não acostumados a brindes efusivos, os convidados sorriram e brindaram com as taças. Uma das artes perdidas na era moderna é a do brinde: "Tim-tim" é uma simplificação de "não tenho o que celebrar nem com que sonhar". A intenção gira nas palavras, que giram no elixir que logo girará no corpo, tornando-se real desde a mente até a matéria. Mentes conectadas por esse processo fazem uma mágica poderosa.

"Eu tenho um brinde!" Era Betsy.

Geralmente, no supermercado, as pessoas me dizem: "Você apareceu naquele filme." E eu digo: "É, era eu." E eles dizem "Nossa!"
—Stuart Hameroff, médico

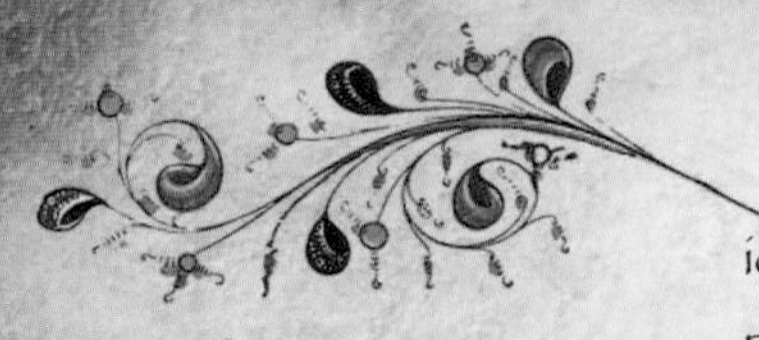

O observador é um enxerido que sempre se mete e tenta ser a parte central da experiência, ou pode ser uma testemunha que deixa a experiência se desenrolar? Algumas tradições são boas nisso. Os índios hopis aparentemente não têm palavra para "eu" e "nós". Eles colocam a ênfase no verbo, no acontecimento. Eles diriam chovendo, amando. Vê o que acontece? Em geral, faço amor com essa pessoa, certo? Mas em lugar disso, se eu digo: está acontecendo o amor, então eu só estou testemunhando. Está acontecendo amor; duas pessoas estão envolvidas. Uma sou eu e outra é meu outro significativo. Então o que está acontecendo é amor. Não existe o eu, não existe aquilo. É apenas amor. Você vê a beleza dessa transição?

—Amit Goswami, Ph.D.

"A todos os outros heróis. Àqueles que lançam mão das idéias e conceitos e os aplicam em suas vidas. Àqueles que progridem no caos e vivem no mistério e tornam conhecido o desconhecido. Gostaria que eles estivessem aqui conosco!"

E com isso todos subitamente levantaram os olhos das taças. E olharam em torno do salão. Um pensamento rapidamente passou por entre os convivas: eles estão aqui...

Pois se os pensamentos são tão reais quanto a mesa em frente, quanto a taça nas mãos, e se movem para fora do espaço e do tempo, e se os pensamentos similares se conectam, se emaranham, isso significa que todos aqueles que tiverem a mente voltada para aquele grande salão estarão ali. Se em sua mente você vir o salão e todos os que ali estão sentados, você também estará lá. As velas subitamente oscilam com a chegada de mais convidados.

E o tempo não importa. A anos de distância daquele momento, mentes se lançarão de volta no tempo e se juntarão à discussão em torno da Távola Redonda.

Quem chamou quem? A Távola Redonda trouxe as criaturas para a discussão, ou elas criaram a intenção que a Távola realizou? Os egos sempre querem ser os primeiros, mas no emaranhamento só há o acontecimento. Não há diferença; tudo é o mesmo impulso, produzindo as galinhas os ovos.

Passando os olhos pela sala, JZ Knight, que vê coisas de natureza sutil, deu um risinho:

"Minha nossa, está ficando bastante cheio aqui. Todas essas sementes de mostarda quânticas. Ainda bem que há todas as dimensões."

Aquilo se tornou um imenso festival. E, se as teorias e os experimentos eram verdade, o festival não tinha fim. Evoluía sempre, à medida que mais e mais espíritos chegavam.

Com a excitação de uma grande assembléia, os mágicos reunidos se lançaram à tarefa. Sabendo que seus versos se propagariam em ondas pelo tempo e pelo espaço, escolheram bem as palavras, cada vibração cuidadosamente afinada com a idéia apresentada. Como não havia trouxas no ambiente, o problema de entrar no centro da Távola Redonda não era prioridade, já que os mágicos simplesmente piscavam para dentro e para fora do círculo. A não ser Stuart Hameroff, que parecia ter acabado de descer com as hordas das estepes da Rússia, e que saltou para o centro da mesa, em um arco semelhante a um arremesso perfeito. Ele deu início aos trabalhos:

"Penso que o próximo passo é tentar explicar como o mundo quântico pode se relacionar com nossa consciência e com a espiritualidade, porque esse será o futuro no qual a ciência e particularmente a física quântica e a relatividade se unirão à consciência humana, ao subconsciente e à espiritualidade. Se uma explicação científica da espiritualidade será algo bom, depende de quem responde a essa pergunta. Eu acho que, se explicarmos tudo, provavelmente vai ser ruim, mas não creio que haja risco de isso acontecer, porque tudo o que estamos fazendo é retirar as camadas de uma cebola com muitas outras dentro!"

Como para provar esse ponto de vista, quando Stuart pronunciou a palavra "dentro", o solo pareceu tragá-lo e ele surgiu de volta na cadeira. Betsy tinha um brilho no olhar:

"Muito bem, o que é culinária quântica?"

Uma porção de respostas "prováveis, possíveis, superpostas" flutuava no espaço-mente compartilhado. Quem iria fazê-las colapsar?

Betsy não deu tempo a eles. Suas roupas brilhavam e subitamente ela era um falcão, com uma máscara de penas e olhos extraordinários. Olhos de falcão, buscando respostas para sua pergunta favorita: "Por que devo me importar com a quântica? Ela responde às grandes perguntas?"

Antes que qualquer um pudesse responder, o doutor Wolf já se lançara:

"A física quântica é a questão inicial para responder às grandes perguntas. É um bom lugar para começar. Foi só nos últimos cem anos que começamos a questionar se estávamos fazendo as perguntas erradas, vendo o mundo como se ele estivesse 'lá fora', separado da experiência subjetiva do 'aqui dentro'.

Porque onde estiverem dois ou três reunidos em meu nome, aí estou eu no meio deles.

—Mateus 18:20

"A física quântica fecha essa questão. Ela diz: 'Espere um minuto, há uma conexão mais profunda acontecendo aqui.' Na minha opinião, o que a física quântica foi para o século XX, aquilo que fizer a ponte entre a ciência e a espiritualidade será para o século XXI."

Ele fez uma pausa, então girou, dirigindo-se a todos os presentes, visíveis e invisíveis. Seus olhos cintilavam.

"O universo é aleatório em uma medida muito grande. E há uma razão importante para isso. A aleatoriedade é a bênção, não a praga do universo. Ela permite o aparecimento de coisas novas. Como seria se tudo fosse ordenado e estruturado? Todos seríamos robôs, e seríamos incapazes de produzir novos pensamentos. "Com a aleatoriedade vem a estranheza, e a dança, o teatro, a beleza — todas as coisas maravilhosas da vida. Porque o acaso realmente torna a vida bela. A sorte é uma mulher."

E todos olharam em torno: "Sim, a vida é bela." Todos estavam ali para fazê-la mais bonita, mais maravilhosa. Para pegar os sapos e lembrar-lhes que são magos. Para desencantar os sapos. Para reverter séculos de ignorância nos quais a humanidade foi mantida na escuridão. Não mais. Uma grande mudança ocorreu, e conhecimentos secretos estão sendo produzidos em livros, em conferências e nas artes. O "colégio invisível" já não mais está oculto. A caverna do Tibet se transformou no laptop de alta velocidade. A informação já não pode ser escondida das mentes inquisidoras. É mágica de uma ordem diferente para uma era diferente.

Betsy ainda perguntava: "Como tornar tudo isso real?" Como um bom siciliano, Joe Dispenza esvaziou a taça e a colocou sobre a mesa, antes de responder:

"Então, o que precisamos perder, como seres humanos, para viver como se o pensamento fosse a suprema premissa para contagiar a realidade e observar a realidade da maneira que desejamos? O que temos de perder? Sou um cientista e fui treinado cientificamente. Entretanto, por essas mesmas razões, tudo o que falamos não passa de grande papo de mesa de jantar a menos que possamos aplicá-lo de alguma maneira, forma ou processo. Aí aquilo se torna ciência de verdade. Torna-se religião de verdade."

Nesse meio tempo, Will trouxera o original de *O manual do antimago*. Um tomo respeitável: capítulo após capítulo, uma louvação das virtudes dos centros comerciais, das comédias de TV, das fofocas, de ficar sempre do lado seguro, de sacar que você já entendeu tudo e de achar que não é paranóia eles estarem realmente atrás de você. No final de cada capítulo havia uma sessão intitulada "Não pense sobre isto...": uma lista de coisas sobre as quais não pensar, para se poder viver uma vida não-tão-ruim-quanto-poderia-ser. Em destaque especial estava o capítulo "Magos que pensaram poder voar". Era ilustrado por todos que buscaram coisas fora do padrão, fora da zona de conforto, e que não ganharam um milhão de dólares. Aquilo combinava bem com a pergunta sempre presente para enfraquecer o poder: "Se você é tão bom, por que não é rico?"

Por um momento pareceu que um odor estranho se introduzira no salão. Will fechou bruscamente o livro flatulento: "A primeira regra do antimago é: convença as pessoas de que elas NÃO são mágicas."

Sim, a regra nº 1. Porque, na verdade, essa limitação é a que com certeza causará todas as outras. As limitações auto-impostas são as piores, porque o criador está na criação e dessa forma todas as limitações se realizam.

Will, a essa altura bastante inebriado, sugeriu que o manual dos antiantimagos tivesse apenas uma página: "Você é um sapo porque quer ser um sapo. Convença-se disso."

Miceal sugeriu que isso poderia ser um pouco excessivo, por mais sucinto e delicado que fosse, e que talvez bastasse uma abordagem mais convincente:

"O maior problema das pessoas é não aceitar a própria infelicidade, a própria condição de pobreza, a própria carência, a própria inabilidade, a própria falta de poder. O maior

Então nossos pensamentos têm importância? Eles são a realização da realidade. O que é um pensamento? Bem, um pensamento é um momento congelado na corrente da consciência, que o cérebro processa e coloca em um pacote chamado neurônio, e que recebe contribuições da memória associativa. Conseqüentemente, quando você tem um pensamento e diz: "Esse pensamento tem significado e poder?", ele tem, porque é uma estrutura sobre a qual a realidade está tecida. É na verdade a arquitetura da realidade. Então, quando você cria o seu dia, você compõe em pensamento, e quando você observa o pensamento, ele se torna a forma na qual a realidade é moldada. Assim, as aventuras do dia são baseadas no seu pensamento.

—Ramtha

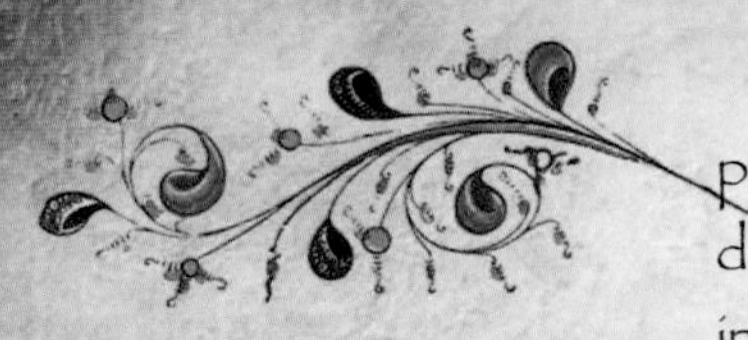

problema que temos como raça humana é aceitar nossa grandeza. Fugimos aos berros de qualquer um que sugira sermos intrinsecamente poderosos. Logo, não somos capazes de causar a manifestação daquilo que desejaríamos ter.

"Se pelo menos aceitássemos quem e o que somos, o verdadeiro poder que temos, então o que chamamos de miraculoso, e que infelizmente brilhou em poucos indivíduos no passado, se tornaria lugar-comum. E aprenderíamos a nova ciência da manifestação, que é a percepção de que sempre, 24 horas por dia, 365 dias por ano, estivemos criando nossa própria realidade. Não há novos poderes a ser aprendidos. Já temos todos. O que precisamos mudar é o tipo de vida que criamos para nós mesmos."

Se a realidade é uma possibilidade da própria consciência, então imediatamente surge a questão de como mudá-la. Como fazê-la melhor? Como torná-la mais feliz?
—Amit Goswami, Ph.D.

JZ Knight deu continuidade ao pensamento:

"Quando uma pessoa pergunta: será que eu crio minha realidade? A resposta é: você já está criando. Você é o produto da sua realidade naquele momento. Mudar isso seria mudar conceitos sobre pessoas, lugares, coisas, tempos e acontecimentos. A idéia de com quem você está, onde vive, que aparência tem, o que veste, com quem falou hoje, o que vai fazer amanhã foi criada como realidade fundamental, de modo que todo mundo em sua vida é um aspecto de você.

"Estamos muito ocupados sendo isso. É como os peixes no oceano; alguém dá a um peixe a idéia de que é uma inovação pedir um pouco de água para beber. Então o peixe pede um pouco de água e todo mundo começa a rir. Porque o peixe está dentro d'gua.

"Então é como perguntar: como eu crio minha própria realidade? Bem, você é a realidade; você já a está criando. Nós só vemos o que somos quando saímos fora de nós e olhamos para quem temos sido."

Com isso, as conversas irromperam por toda a mesa. Parecia que todos falavam ao mesmo tempo, pois todas as conversações estavam inter-relacionadas. O espírito se relacionava com a matéria, que se relacionava com a consciência, que se relacionava com a criação, que se relacionava com a intenção. Emoções, redes neurais, velhos paradigmas, de volta à consciência, o observador, as escolhas e a mudança. E a realidade — o conceito intermediário entre todos os outros — era por sua vez definida por tudo.

Como se pode definir uma palavra, a não ser por palavras? É possível compreender um conceito sem outros conceitos? Se isso for verdade, como saberemos algum dia? Nesse momento da conversação, Betsy fez seu brinde final:

"Vocês sabem que, para mim, tudo isso era apenas filosofia, que eu amo; mas a luz só surgiu em minha vida quando juntei isso à experiência prática."

Bingo!

A fabulosa troca de idéias que atraíra pessoas dos quatro cantos do mundo chegou. Durante eras, o mundo do pensamento humano se limitou a tratar das fronteiras: "O que é meu? O que é seu? Essa disciplina não trata disso. Não use a palavra emaranhamento — você nem sabe o que isso significa." Mas no final, as avenidas estreitas da busca científica e filosófica se depararam com um desfiladeiro. No final das partículas só se encontram mais partículas. No final da doença, nunca se encontrou saúde, apenas doença.

O foco que permitiu à civilização ocidental todos os seus avanços também a isolou do mundo da mágica. Mas, quando passou da meia-noite, brotou o sentimento de que em algum lugar algo mudara. As trilhas voltavam a se unir. A grandeza do sonho de encontrar uma explicação simples para os fenômenos mais amplamente observados era como um elixir — e, naquele momento, uma atividade que se julgava extinta, relegada a uma era passada, foi redescoberta.

A conversação, a investigação entre amigos, as teorias gloriosas e os fatos feios — isso era um banquete que valia a pena. Eles sabiam, todos sabiam que as ondas estavam se propagando para o mundo. Da mesma forma, foram as ondas vindas do mundo que conseguiram reuni-los.

Um sintoma de tédio é um sintoma para mudar. E o que acontece quando mudamos a mente? Mudamos onde o nosso observador se localiza em nosso cérebro. Isso começa a acionar novos neurônios, porque a toca do coelho é como um buraco que nos leva para uma nova rede neural no cérebro.

—JZ Knight

O universo holográfico repetia a miniatura de si mesmo em toda parte.

E, até certo ponto, esses mágicos abriram o caminho para que outros mágicos em toda parte pudessem ter essa possibilidade. Quando as taças foram erguidas em celebração ao triunfo do espírito humano, era tão certo quanto o nascer do sol que essa celebração reverberaria em lares e residências, pousadas e tavernas de toda parte. Essa é a natureza da realidade. Esse é o universo em que nos encontramos.

Já fazia tempo que os convivas se retiraram, buscando locais mais confortáveis. Alguns foram para o salão, junto ao fogo, para contar histórias. Todos os peregrinos conhecem histórias assustadoras e incentivadoras, e era uma alegria para todos sentar ao lado deles e rir.

Em alguns momentos a fumaça parecia se aglomerar de forma estranha e outros convidados eram percebidos em meio à névoa. Certamente nenhum dos membros do grupo parecia se importar. Correu a notícia de que se tratava apenas de "velhos amigos chegando para bisbilhotar". As velas se agitavam, um vento açoitava o ar, e as chamas eram levadas à beira da extinção quando subitamente o vento cessou. "Um truque barato de salão", observou alguém, depois que a cinza do charuto dele caiu sobre seu colo. "Touché!" E ninguém riu tanto quanto aquele da cinza. Tal é o humor dos mágicos.

A única forma de eu fazer bem a mim mesmo não é pelo que faço a meu corpo, mas pelo que faço à minha mente.
—Ramtha

Um a um, os convivas se dispersaram. Alguns foram para o andar de cima, onde havia quartos. Ocasionalmente, ouvia-se um carro chegar, uma porta ser aberta e fechada, e, então, silêncio. Houve rumor de um Lamborghini.

Um dos cientistas decidiu "caminhar pela cidade velha até o amanhecer", e recebeu o novo dia no topo da Torre Eiffel.

O último a sair foi o doutor Wolf, em sua esplêndida carruagem puxada por quatro cavalos.

Posteriormente foi dito que os convidados, ao olharem pelas janelas de seus quartos no segundo andar, viram que a

carruagem, à medida que se distanciava pela avenida, ficava cada vez mais parecida com uma abóbora. E também ficava menor a cada passo dado pelos cavalos. Na parte traseira da carruagem estavam gravadas as iniciais: "F.A.W." Porém, um instante depois, elas pareciam uma face sorridente, emitindo raios de luz. Alguém ouviu uma risada, um estalo, e ela desapareceu.

E assim a primeira revisão de *O manual dos antiantimagos* chegou ao fim. Antes que o sol se erguesse completamente, os convidados já se haviam espalhado novamente pelos quatro cantos do mundo. Tal como com os bardos do passado, sempre haveria uma próxima cidade, uma próxima aventura, o próximo "desconhecido", escondido sob o impulso de... de...

"Essa vida não é senão uma página de um imenso livro", diz Ramtha, "no qual nós sempre seremos quem somos. Mas sempre com pilares inerentes à busca ambiciosa. Uma busca que nos leva do tédio cansativo da auto-reflexão e da auto-aversão para a criação de novos sonhos, de modelos de pensamento que não transpõem o insano ou a redenção do fracasso, mas nos quais participamos com o zelo da energia ambiciosa."

Sim, é isso, uma busca ambiciosa. Tornar conhecido ...

E enquanto seguia pela longa escadaria, apagando as velas ao passar, pensei comigo mesmo e com todos os que ainda estavam ali, escutando: "Sim, a mágica está em toda parte. Principalmente nessa noite. E em todas as noites. Ah, que noite foi essa..."

E assim damos a todos
Nosso mais caloroso
Adeus.

Fim

A história de

QμΣM Sθmσs πóζ?

Da palestra de Will Arntz, principal conferencista na Prophets Conference em Santa Mônica, EUA, em 2005

Muita gente pergunta a nós três como esse filme aconteceu. Acho que foi uma dessas coisas que planejamos antes mesmo de chegarmos aqui — sabe como é, lá estamos nós, no plano da bem-aventurança, escolhendo corpos novos, quando surge um anjo e pergunta:

— Ei, galera, vocês gostariam de fazer um filme?

— Claro, isso parece... vai ser muito difícil?

— Não, vai ser ótimo. Vocês vão lá para baixo e coisas maravilhosas acontecerão. Vocês vão fazer muito sucesso e dar palestras...

Há alguns anos vendi minha primeira empresa de software e me aposentei. Logo comecei a ficar entediado — bem, na verdade mais irritado que entediado, porque vendi a galinha dos ovos de ouro. Escrevi o software, vendi e me dei bem, mas quem comprou se deu melhor — eles ficaram bilionários.

Portanto, decidi abrir uma segunda empresa e tinha dinheiro para financiá-la. Eu estava em Nova York, cuidando disso, quando houve um momento chave que, em retrospecto, ajuda a ver um sentido nisso tudo. Um amigo participou de uma peça num teatro de subúrbio e eu entrei com parte do financiamento. A peça era sobre budismo, e era uma sensação maravilhosa ter ajudado a financiar algo assim.

Um dia eu caminhava na direção do World Trade Center, pensando no meu novo projeto. Foi exatamente na época em que Ted Turner se comprometeu a doar um bilhão de dólares para as Nações Unidas. E eu pensei: "Bem, isso é ótimo. Mas será que vai realmente dar algum resultado? Ele só está canalizando dinheiro para as estruturas de poder que já existem, e nós sabemos o que vai acontecer: o de sempre. Alguém precisa criar produtos que realmente mudem a consciência. Alguém precisa fazer isso e alguém precisa financiar esses projetos."

E subitamente o raio me atingiu: "Posso fazer isso. Posso desenvolver mais programas e ganhar mais dinheiro e fazer isso." E pensei:

"Se não for eu, quem vai ser?" Parecia estranho que tivesse de ser eu, mas concluí: "O.k., vamos fazer isso! Vou abrir uma empresa de software de 6 milhões de dólares e usar parte do dinheiro para bons projetos."

Um ou dois anos antes comecei a freqüentar a escola de Iluminação do Ramtha e lá existe uma grande focalização sobre as idéias de criar a própria realidade, manter em mente os desejos e as intenções e então manifestá-los. Então eu pensei: "Sabe, vou aplicar esses princípios. Em vez de abrir uma empresa de 6 milhões de dólares, vou abrir uma empresa de 30 milhões de dólares e doar a metade do lucro a trabalhos espirituais."

Portanto, naquele momento, caminhando na direção do World Trade Center, fiz uma espécie de acordo comercial com o espírito: O.k., você vai ficar com a metade, mas também vou precisar de algum convencimento da sua parte para fazer essa coisa acontecer.

Meu primeiro professor costumava ter uma espécie de batalha de apostas com o universo. O universo faz algo de bom por você e você responde:

— Ah, você acha que isso foi bom? Rá! Veja só o que eu vou fazer por você; eu vou te dar o troco em dobro!

— Ótimo, mas agora vou retribuir a você em dobro — prossegue o universo. Então você continua:

— Ainda não estou impressionado...

Foi isso o que aconteceu quando eu caminhava na direção do World Trade Center. Por dentro, eu pensei: "Temos um acordo?" E fiz o aperto de mãos secreto dentro de mim.

Então abri a segunda empresa, ganhei o dinheiro e saí. Bem, quando me aposentei, não achava que seria eu quem faria o trabalho. O objetivo era fornecer o dinheiro. Outras pessoas viriam e diriam: "Eu tenho esse grande projeto," e eu responderia: "Ótimo, vá em frente e execute" e preencheria um cheque. Então eles mandariam vídeos sobre o que estavam fazendo e eu os veria. Bem, não foi assim que aconteceu.

Quando eu estava na escola de Ramtha, houve uma ocasião em que fui apresentado ao Mark, que estava editando um filme. Eu tinha feito filmes — não profissionalmente, apenas na universidade. Comecei a olhar por cima do ombro do Mark e a pensar: "Uau, isso é divertido. Talvez eu pudesse fazer alguma coisa assim."

Uma noite, na escola, Ramtha andava pelo palco e falava: "Nesta escola falamos sobre física quântica, biologia molecular (...)" e relacionou o que estudávamos e continuou: "Alguém deveria escrever um livro sobre isso." Eu estava lá sentado e, como quem sabe tudo, pensei: "Escrever? Alguém deveria fazer um filme."

Foi um daqueles momentos em que você se dá conta: "Merda, acabei de ser voluntário para alguma coisa."

Um mês mais tarde a idéia ainda rolava na minha cabeça e pensei: "O.k., eu estou mesmo de saco cheio. Acho que o alguém serei eu mesmo."

Então falei com JZ Knight e comecei a trabalhar nisso. A idéia original para o filme foi pegar uma boa parte dos ensinamentos de Ramtha, filmados ao longo dos anos, e juntar esse material com trechos de animação, acrescentar algumas entrevistas e talvez fazer um filme do tipo exibido na rede pública de televisão educativa. Com sorte. E iria custar entre US$100 mil e US$125 mil.

Comecei a analisar e reunir o material filmado. E comecei a escrever uns pequenos esquetes para ilustrar o estranho e louco mundo quântico. Um deles chegou a fazer parte do filme — o pedaço que mostra Amanda na quadra de basquete, com muitas bolas quicando. Foi praticamente a única coisa que sobrou do primeiro script.

À medida que ia mais fundo no projeto, pensava: "Talvez eu queira fazer algo um pouco maior. Se for assim, preciso de ajuda." Então procurei Mark e disse "Me ajuda!"

Logo, os dois estávamos trabalhando juntos nos roteiros, e muito entusiasmados. Trabalhávamos freneticamente, escrevendo coisinhas engraçadas. A essa altura, Mark viu que precisávamos de ajuda. Aquilo estava tão acima da minha competência que nem percebi. Ele disse que precisávamos de um produtor de verdade. Eu disse:

— É mesmo?

— Precisamos falar com a Betsy.

— O.k., o que ela está fazendo?

— Comida de luxo para cachorros.

Então telefonei para a Betsy. Nesse meio tempo, Mark passou os scripts para ela. Ela leu e pensou: "Nossa, isso é fantástico; responde a uma porção de perguntas." Quando falei com ela no telefone, perguntei:

— Por que preciso de você na produção? Posso contratar um diretor de produção.

— Claro — ela respondeu. — Você pode contratar um diretor de produção. Mas quando o carro da grua não aparecer por causa de problemas com o sindicato e os motoristas estiverem em greve porque não fizeram turno de oito horas e blá, blá...

E eu:

— Você está certa. Talvez eu realmente precise de ajuda.

Quando me preparava para pegar um avião e encontrá-la em Los Angeles, recebo um telefonema de um amigo, que pergunta o que eu estou fazendo. Respondo que estou me aprontando e vou sair para o aeroporto. Ele diz:

— Você não vai a lugar nenhum hoje.

Eu pergunto por que e ele responde:

— Você já ligou a televisão?

Liguei a TV a tempo de ver desabar a segunda torre do World Trade Center.

Fiquei sem saber o que fazer. Eu queria contratar Betsy, mas não queria empregar ninguém que não conhecesse pessoalmente porque, você sabe, ela podia ser uma pirada. Então conversamos um pouco mais ao telefone e, enquanto decidia o que fazer, ela me contou uma história realmente encantadora. Ela tem uma coisa com animais abandonados: ela os recolhe e cuida deles. Um dia, um passarinho entrou no banheiro dela. Como os gatos começaram a persegui-lo, ela fechou a porta e começou a falar com ele. A avezinha voou para a mão dela e ela pôde sair e soltá-lo.

Foi nesse momento que decidi contratá-la. Porém, é claro, assim que a contratei, ela virou a pequena Miss Manda-chuva: "Bem, isso está uma droga. Não acredito que esses idiotas tenham feito isso..."

Perguntei:

— Betsy, o que aconteceu com você?

E ela respondeu:

— Ah, vá se acostumando!

Então agora éramos três trabalhando no roteiro. Mas a essa altura algo mudara. Todos queríamos que o produto fosse um filme para cinema. A TV educativa já não era o bastante. Discovery Channel — de jeito nenhum. Queríamos ser exibidos em cinemas pelo país afora.

Sentíamos que havia milhões de pessoas no mundo sedentas por esse tipo de informação. Podíamos sentir isso, essas pessoas querendo uma nova visão de mundo, querendo ver as coisas de forma diferente. "O que nos ensinaram, o que estamos fazendo, não está dando certo." Sentíamos esse apelo realmente forte, por isso não recuamos quando estávamos produzindo o filme e todo mundo na indústria afirmava: "Vocês são loucos. Não há como fazer um filme interessante sobre esse assunto. E mesmo que fosse possível, ninguém veria." Então a grande piada é que as centenas de milhares de pessoas que viram o filme — agora provavelmente são milhões — não existem. É só perguntar a Hollywood.

Seria ótimo dizer que nossa intenção era clara, que tínhamos foco e sabíamos que isso iria acontecer! Rá! Foi mais como nos filmes dos Batutinhas. Lembram-se do Spanky, dos Batutinhas?

— Olha aí, turma, o que vocês acham de a gente fazer um filme que mude o mundo??

— Grande idéia, Spanky. Como vamos fazer isso?

— Comprando uma câmera!

Mark e eu vínhamos desenvolvendo esse script há um bom tempo. Pouco depois de Betsy entrar para o time, ela disse: "Sabe, meninos, o que vocês estão fazendo aqui é como um filme do Discovery Channel. Vocês têm um apresentador." Era verdade; naquela altura, tínhamos um apresentador dizendo coisas como: "Se você pensa que a física quântica é estranha, veja só esse fenômeno." Era dessa forma que estávamos escrevendo o roteiro.

Então Betsy começou a campanha para acabar com o apresentador. Mark e eu ignoramos a campanha (...) e continuamos na esperança... Sabíamos que ela estava certa, mas não sabíamos o que fazer.

O caos mordia nossos calcanhares o tempo todo. (E algumas vezes ele chegou um pouco mais acima!) Um dia, um de nós disse: "Não sabemos para onde estamos indo. Não temos idéia de como fazer isso. Então vamos entrevistar pessoas. Talvez elas possam nos ajudar. Talvez aprendamos algo e isso nos dê um rumo, porque é evidente que não temos um."

Aí começamos a telefonar para pessoas, dizendo que queríamos entrevistá-las. Marcamos reuniões e começamos a entrevistar. Para mim, um dos maiores momentos foi bem no início, quando entrevistamos Ramtha. Recebi sinal verde para fazer isso. Do jeito que as coisas aconteceram, a entrevista com Ramtha durou dez segundos. A dele comigo durou três horas. Ele disse: "Você quer que eu me sente aqui como um manequim e responda a todas as suas perguntas, para você poder fazer um grande filme? Não é por aí! Eu só tenho de fazer um você melhor e você poderá fazer todo o trabalho."

Como ele revelou mais tarde, eu carecia de humildade, porque eu estava financiando o filme e pagando todas as contas, portanto imaginava que estava no comando. Ele disse:

— Produzir esse filme e tudo o mais, é só para criar uma certa emoção, obter uma resposta emocional específica. Mas a questão é: essa emoção que você está perseguindo vem do universo que você conhece. Você está controlando tudo, e assim tem uma certa emoção. Quer saber? É uma emoção velha e vagabunda que você já tem há tempos.

— Está certo, eu acho — respondi.

E ele protestou:

— Não, não, não! Você não está enxergando a gravidade do problema. Você vem sendo o mesmo babaca há milhares de vidas.

Então foi assim. Eu lá, sentado, de alvo. Mark e Betsy diriam: "Até que enfim, estou feliz por finalmente terem dito isso a ele." As câmeras estão rodando. A equipe está rindo. Mas isso era só o começo.

— Você quer genialidade — continuou Ramtha —, mas o gênio sempre vem de fora do que é conhecido, de fora do controle. Se você tivesse feito o filme que queria fazer, teríamos uma merda que ninguém ia querer ver!

A questão é que era tudo verdade. Eu sabia que era verdade. Ele me ganhou. Ele ganhou a todos nós, porque queríamos alguma coisa maior e tínhamos chegado ao ponto em que estávamos dispostos a fazer todo o possível para nos livrarmos de nosso ego.

Os professores adoram quando os alunos querem muito alguma coisa. "Eu posso apertar os parafusos agora (...) Posso aplicar pressão." Porque só quando estamos indo através do caos, para dentro do desconhecido, e lutando com o desconhecido, alcançamos a genialidade. Às vezes me vem a imagem de Ramtha sentado onde quer que ele se sente e em frente dele está um pequeno botão onde está escrito "Caos" e ele simplesmente não pode evitar: "Ah, eles pensam que estão fazendo isso (...) Bip." E tudo vai pelo espaço.

Esse foi o ponto da grande virada. Depois disso, eu ainda estava em choque quando nós três tornamos a nos reunir. Betsy declara:

— É, temos de explodir a coisa toda! (...) Vamos detonar a Amanda.

Mark e eu nos entreolhamos e protestamos:

— Não, acho que precisamos de Amanda.

— O.k., vamos jogar fora o apresentador – diz Betsy. Há três meses ela vinha tentando fazer isso.

— É — concordamos. — Vamos jogar fora o apresentador.

Dessa forma, num instante jogamos fora seis meses ou um ano de trabalho. E partimos para entrevistar pessoas.

Como eu tinha alguma formação científica e conhecia o aperto de mão secreto dos nerds, iria conduzir as entrevistas e fazer as perguntas mais técnicas. Quando os entrevistados começavam a ficar com os olhos um pouco turvos e já estavam de saco cheio de mim, Betsy entrava na entrevista. E ela soltava: "Vocês sabem, vocês estiveram falando sobre tudo isso e talvez isso signifique muito para vocês, os sabe-tudo, mas que importância isso tem para mim? Quero dizer, superposição quântica... E daí?"

Ela não dizia isso de forma arrogante. Era mais como: "Que importância isso tem para mim? Como afeta a minha vida?" E isso extraía do entrevistado uma resposta inteiramente diferente, e de repente tudo ficava elétrico novamente.

Então entrava o Mark. Depois de ficar sentado num canto, ouvindo e observando, ele às vezes saía com uma pergunta que realmente era o ponto alto.

Fizemos todas as entrevistas que queríamos — e voltamos ao mundo do caos. Bom, não temos um roteiro e temos sessenta horas de filme bruto. O que podemos fazer?

Enquanto isso, o orçamento ia aumentando. Nessa altura, já passava de um milhão de dólares. Eu me dizia: "Tudo bem, seja o que Deus quiser."

O plano — e o desafio — era conseguir intercalar trechos de entrevistas de tal forma que o todo fizesse sentido. De modo a parecer que estávamos vendo um diálogo. Não queríamos ver nossos próprios rostos frente às câmeras. Queríamos estar fora do produto. No final, a edição funcionou bem. Chegamos a um total de duas horas e meia de filme, organizado mais ou menos na ordem que se vê na versão final.

E então veio a noite negra da alma.

Ou melhor, a noite negra de *Quem somos nós?*, porque agora tínhamos de escrever o roteiro. E não sabíamos o que fazer, porque tínhamos filmado durante os seis meses anteriores com o apresentador em mente. Como pegar agora todo aquele material e ter um enredo sem alguém conduzindo? Nós repassamos dezenas de idéias. Tínhamos a idéia do dia. Às vezes um de nós tinha a revelação no chuveiro, pela manhã, e chegava correndo: "Ei, já sei!" Uma vez Betsy chegou e disse: "Já sei, Amanda é uma mulher que digita transcrições de filmes. E chegam esses filmes todos, e ela começa interagir com eles." Era uma idéia boa, mas tanto Mark quanto eu sinalizamos descaso(...) Em seguida eu tinha uma idéia e todas as sirenes disparavam. Foi um tempo difícil. Foi preciso criar um "lixômetro" (...) porque algumas das idéias que propusemos eram muito ruins. Tivemos de colocar um na sala de montagem também.

Depois de seis meses de idéias brilhantes, ainda não tínhamos um roteiro e nem mesmo um título. Estávamos pregando na janela cartões, tentando dar uma ordem à coisa toda pela centésima vez.

Betsy a toda hora soltava: "Ah, que porra nós sabemos?" ou "Que porra sei eu?". Bom, um dia Mark e eu adotamos essa sábia frase porque percebemos: que porra qualquer um de nós sabia? Parece que não sabíamos como resolver a questão toda. Pensávamos que podíamos resolvê-la, mas não conseguíamos (...) E então alguém, não me lembro quem, falou: "Talvez devêssemos chamar o filme desse jeito, rá, rá, rá." Então escrevemos a frase e a colocamos ali, imaginando que alguma hora íamos cair na real. Mas, adivinhe? Não caímos. O nome pegou.

Uma razão para ele pegar foi porque não queríamos soar como: "Esse é o caminho. É dessa forma que o universo funciona. Nós entendemos tudo. Sabe, ou é como estamos dizendo ou não é nada. Ou você concorda conosco ou está frito."

Depois de meses e meses, algumas coisas pequenas começaram a se encaixar. Num determinado momento Mark sugeriu: "Acho que a Amanda é uma fotógrafa." O.k., isso funciona. Ela é uma fotógrafa.

Finalmente, temos o roteiro. E eu penso – pois ainda sou o Spanky, certo? — "Oba, nossa, temos o roteiro, agora vai ser fácil: só temos de filmar o que está no roteiro e vai ser ótimo." É claro que não foi assim.

Quando começamos a mandar o roteiro para as atrizes que pudessem interpretar Amanda, todas elas respeitosamente recusaram. Por quê? É um filme esquisito que não dá para tornar interessante e ninguém vai entender. Todo mundo sabe disso! Assim, o que vamos fazer?

Então nosso diretor de elenco colocou o roteiro à disposição de quem quisesse lê-lo e ele caiu nas mãos do sócio de produção de Marlee, Jack Jason. Tínhamos criado o roteiro de modo que não houvesse muito diálogo naquela parte. Já tínhamos uma hora e meia de falação e não queríamos muito diálogo. Jason sugeriu:

— Isso é perfeito para a Marlee, porque ela se comunica muito bem de forma não verbal.

Minha primeira reação foi: "O quê, você está brincando? Não, não, não." Mas tanto Mark quanto Betsy disseram que poderia dar certo.

Todo mundo sempre quis saber como nós três trabalhávamos juntos. Pense em três gatos, lutando e se arranhando o tempo todo, até ficarem cansados e desabarem. Então aquele que ainda tem alguma energia se levanta e fica com a bola por um tempo. Em momentos diferentes, cada um de nós assumiu a direção e essa foi em uma das ocasiões que Mark e Betsy tomaram a dianteira. Tivemos uma reunião com Marlee e todos sentimos que daria certo.

Nunca tínhamos imaginado Marlee interpretando aquele papel, mas parecia certo. Tivemos a impressão de que, naquele ponto, o filme a estava escolhendo. Quando você se envolve com um projeto de criação, ele assume vida própria e há momentos em que o artista só tem de calar a boca e sair da frente. Então pensamos: "Vamos calar a boca e sair da frente. A Marlee apareceu. É uma idéia excelente. Gostaríamos que tivesse sido idéia nossa, mas vamos deixar rolar."

Filmamos tudo em Portland. É uma cidade fantástica. Foi uma aventura. Durante todo o processo eu pensava: "Uau, agora que nós conseguimos fazer isso, vai ser fácil." E então o velho botão do caos era pressionado novamente.

Quando escrevemos o roteiro, adotamos uma forma um tanto modular, de forma que as diversas partes pudessem entrar em lugares diferentes. Achamos que era uma idéia engenhosa, que nos daria grande quantidade de opções na hora da montagem. E deu — opções demais! Mais uma vez voltamos à terra do caos. Não sabíamos como reunir aquilo tudo. Havia uma centena de maneiras diferentes de amarrar a coisa toda — dez eram boas, noventa não eram. Passamos um ano e meio em pós-produção, montando, editando o som, fazendo a animação, burilando mais e mais. E enquanto fazíamos isso, fazíamos também uma série de sessões de teste.

Como era um filme fora do comum, precisávamos ter certeza de que não estávamos simplesmente malucos. Portanto, trazíamos uma platéia. Fazer sessões de teste foi nossa maneira de conseguir o que o zen chama de "mente de principiante". Nós conhecíamos todas as nuances do material, mas descobrimos que, quando nos sentávamos com um grupo de pessoas que nunca viram o filme, podíamos pegar uma carona na percepção delas e ver o filme como se fosse a primeira vez. Foi nas sessões de teste que vimos o que funcionava. E continuamos editando e editando. Fizemos umas vinte grandes versões do filme. E finalmente conseguimos terminar, três anos após começar.

Foi muito excitante. O filme estava pronto. As pessoas pareciam gostar, portanto providenciamos que potenciais distribuidores viessem vê-lo. Elaboramos um plano de marketing declarando que existia realmente um público para o filme, apesar de Hollywood não acreditar nisso. Quando viram o filme, todos os distribuidores disseram: "Interessante, mas não tem público, adeus."

Nesse ponto, apelei para minha experiência com software. Quando você tem uma nova tecnologia, é preciso fazer uma "prova de conceito". Precisávamos mostrar que realmente existia um público para o filme. Betsy foi até nosso cinema local em Yelm, Washington, e pediu:

— Você pode exibir nosso filme?

— Oh, acho que não.

— Por favor, você pode nos ceder uma sala?

— Não, não posso.

Conversa vai, conversa vem, e, finalmente, apenas para se livrar de nós, a pessoa diz:

— O.k., daremos uma sala. Mas vocês provavelmente não vão passar da primeira semana.

O filme foi exibido durante sete semanas. A mídia ainda estava nos ignorando. E o cara do cinema, após quatro semanas, afirmou: "Eu sabia que ia ser um sucesso." Nós estávamos tão felizes que só respondemos "Claro. Obrigado."

Em Portland, o filme foi exibido durante 18 semanas. Éramos um sucesso em duas salas de cinema. Fizemos o contrário de Hollywood: o inverso da estréia de gala.

Outra razão para o povo de Hollywood achar que ninguém iria ver o filme era a premissa em que ele estava calcado: de que o público é inteligente. A premissa básica de Hollywood é de que vocês são idiotas e de que eles precisam soletrar tudo: vai ser tudo igual ao que vocês já viram antes, só vamos aumentar um pouco o volume. Nós decidimos: "Não, as pessoas são inteligentes. Elas gostam de usar o cérebro." Na verdade, um dos nossos objetivos em todo esse empreendimento era ressuscitar o raciocínio, que nessa cultura se tornou uma arte extinta. Mark gosta de dizer que ele quer fazer o ato de pensar ser sexy de novo.

Assim começamos nossa marcha — um cinema aqui, outro ali. Tínhamos de trabalhar duro para cativar nosso público. Encontrávamos espectadores por meio de organizações como as igrejas da Association of Unity Churches e o pessoal da Science of Minds. Íamos a estúdios de ioga. Acho que nossa próxima estréia foi em Tempe, Arizona, num cinema de uma única sala. Não estávamos na sala do canto de um multiplex.

Continuamos fazendo as coisas dessa forma, um cinema por vez, até que finalmente encontramos um distribuidor. A Samuel Goldwyn Roadside Attractions tinha distribuído o filme *Super Size Me — A dieta do palhaço*, e nós estávamos em vários dos mesmos cinemas. Eles ficavam vendo aquele filme esquisito se saindo melhor que o deles. Não tínhamos um relações-públicas e *Super Size Me* tinha vários. Então eles começaram a nos observar, tipo, que &%!*@ está acontecendo?

Por fim, tivemos um encontro com eles em Santa Monica. Estávamos para estrear naquela cidade; saíamos do Beverly, onde ficamos em cartaz durante várias semanas. Eles perguntaram:

— Vocês colocaram um anúncio grande no *Los Angeles Times*?

— Não — respondi —, não colocamos nenhum anúncio no *Los Angeles Times*.

— Isso é interessante. Estamos nesse negócio há anos e você tem de colocar um anúncio — fomos informados.

— Sim, é claro, — disse eu — é por isso que quero trabalhar com vocês, porque vocês sabem essas coisas todas.

Então viramos a esquina do cinema e lá estava um grande cartaz anunciando: "*Quem somos nós?*, esgotado."

Entramos e vimos o filme inteiro. Havia uma sessão de perguntas e respostas depois do filme. Eles escutaram as discussões e as perguntas, e o mais importante deles declarou:

— Nossa. Nunca vi uma coisa assim. É, vamos fazer a distribuição.

E foi assim que começamos a ter o filme distribuído.

Eu imaginei que os espectadores fossem adorar o filme ou simplesmente ignorá-lo. Nenhum de nós jamais tinha estado na condição de figura pública; não tínhamos nenhuma experiência com a mídia e realmente não sabíamos o que esperar.

Então começaram a chegar as cartas com ameaças. Ameaças de morte. Meu Deus, era muito estranho. Houve um momento em que Betsy e eu paramos de ler o livro de visitas de nossa página na internet por que só havia três ou quatro tipos de comentário. Líamos "O filme mudou minha vida" ou "é maravilhoso" e então íamos para o próximo e era: "Seus nazistas, o mundo estaria melhor sem vocês." Eu não estava acostumado a isso.

A coisa ficou tão feia que telefonei para JZ Knight, que canaliza para Ramtha. Ao longo dos anos ela tem recebido sua dose de cartas ameaçadoras e me ajudou muito. Ela me disse: "Você tem de se desligar da reação dos outros ao que está fazendo. Algumas pessoas vão adorar você, outras vão odiá-lo. Por fim, quando estiver sentado à noite tomando seu chá e contemplando o fogo na lareira, você tem de estar feliz com o que realizou. Faça uma avaliação honesta de quem você é. E se achar admirável o que realizou, isso é o que vale. Se você desmoronar a cada vez que alguém não gostar do que fez, nunca sairá de casa.

Foi um grande aprendizado para todos nós.

Desde quase o início, começamos a ler que o filme foi financiado pela Escola de Ramtha e que era um vídeo de recrutamento para eles. Para mim era muito estranho ler isso porque eu sabia que eles não financiaram o filme — eu financiei. Gostaria que tivessem sido eles — teria sobrado muito mais dinheiro para mim!

Então uma mulher escreveu no jornal *San Francisco Chronicle* uma crítica em que se referia às pessoas que entrevistamos como os "ditos especialistas." Temos aqui uma jornalista — se é que podemos chamá-la dessa forma — decidindo que as pessoas entrevistadas por nós eram "ditos especialistas." Quer dizer, se você não gosta do filme, se o acha idiota, se pensa isso artisticamente, ótimo. Mas criticar os cientistas que passaram anos de suas vidas trabalhando nessas descobertas? Em nossa opinião, eles são os verdadeiros heróis. Não os caras que acertam bolas com um taco de beisebol. As pessoas que fizeram essas pesquisas são os heróis de verdade.

Quando fui para a cama naquela noite, começou a passar pela minha cabeça uma canção de Bob Marley. Ela se chama "Redemption Song" e tem um verso assim: "Até quando eles vão matar nossos profetas enquanto ficamos de lado, olhando?" Isso ficou rodando na minha cabeça.

Da maneira como é a nossa sociedade, a imprensa pode simplesmente matar nossos profetas inventando coisas. E todos nós só reagimos com: "Ah, sim, é a mídia, o que você esperava? Tudo bem." Nós apenas passamos por cima e dizemos "tudo bem" enquanto ficamos de lado, olhando.

Acordei na manhã seguinte soltando fogo pelas narinas e mandei um e-mail para a pessoa que escreveu a crítica. E informei o endereço eletrônico dela aos membros da minha lista de e-mail, para o caso de eles quererem responder.

Mais de quinhentas pessoas escreveram para o *San Francisco Chronicle*, e esse é um número surpreendente. E o que o jornal fez? Nada. Eles não publicaram nada. E nós entendemos: "Meu Deus, isso é a mídia."

Foi muito interessante para nós três. O que fizemos, essencialmente, foi ficar de pé, cravar nossa lança no chão e declarar: "Isso é o que achamos importante." E aprendemos um pouco sobre como lidar tanto com a negatividade quanto com o que é positivo.

E essa é a &%!*@ da história sobre como chegamos aqui. E não temos uma &%!*@ de idéia de para onde vamos a seguir. Mas estamos muito felizes de ter feito essa viagem alucinada e agradecemos a todos vocês por terem vindo conosco.

Mais pirações da turma de

QμΣM Sθmσs πóζ?

Fomos assediados por pedidos para que divulgássemos todas as entrevistas, seja em mídia impressa, seja em um DVD apenas com as entrevistas. Parece que as pessoas querem mais informação (razão pela qual escrevemos este livro).

Porém decidimos levar a coisa mais adiante. Na conferência em Santa Monica, entrevistamos novamente quase todo mundo que esteve no filme. Então localizamos Lynne McTaggart e Dean Radin e os entrevistamos, acrescentando mais trinta horas às sessenta que já tínhamos. Quando fizemos isso, ainda havia cerca de dez minutos de animação que desejávamos ter incluído na primeira versão, mas não houve tempo, portanto também incluímos isso na produção.

Então voltamos para a sala de montagem. Removemos 95% das entrevistas da primeira edição e as substituimos por material novo. Acrescentamos mais uma hora de entrevistas e animação, reestruturamos a parte ficcional e demos ao novo produto o nome de *Quem somos nós? — Uma nova evolução.*

Mas então, por que não dar mais um passo adiante? Utilizando tecnologia de DVD e os geradores de números aleatórios (GNAs!) embutidos nos aparelhos de reprodução, criamos uma versão de seis horas em que os espectadores podem decidir "até onde dentro da toca do coelho" eles querem ir. Se quiserem cair no mundo quântico, podem ligar o dispositivo aleatório para que, em tempo real, o aparelho de DVD "jogue os dados" e selecione que entrevista irá apresentar a seguir. (Deus talvez não jogue dados com o universo, mas nós podemos jogar dados com o DVD.) Dessa forma, cada vez que você reproduzir o DVD, ele será diferente. (E se a consciência afeta os GEAs, o que *isso* significa?)

Colaboradores

David Albert, Ph.D., professor titular e diretor da Philosophical Foundations of Physics na Universidade de Columbia, é especializado em problemas filosóficos da mecânica quântica, filosofia do espaço e tempo e filosofia da ciência. O professor Albert é o autor de *Quantum Mechanics and Experience* e *Time and Chance* e publicou muitos artigos sobre mecânica quântica, principalmente na *Physical Review*.

Joe Dispenza, D.C., estudou bioquímica na Universidade Rutgers, em Nova Jersey. Recebeu o grau de doutor em quiropráctica na Life University, em Atlanta, na Geórgia, graduando-se com louvor. O doutor Dispenza fez pós-graduação e educação continuada na áreas de neurologia, neurofisiologia e funcionamento cerebral. Recebeu uma condecoração, pela excelência clínica no relacionamento médico-paciente, e o título de membro da International Chiropractic Honor Society.

Freqüentemente lembrado por seus comentários sobre criar seu dia no filme *Quem somos nós?*, o doutor Joe é aluno da Ramtha's School of Enlightenment, uma escola contemporânea de sabedoria milenar localizada nos EUA, onde aprendeu a criar seu dia e teve a experiência pessoal de como o cérebro, a consciência e a intenção trabalham juntos na criação da realidade em suas diversas formas, seja um dia, um acontecimento, um objeto ou o futuro. Sua nova série em DVDs, *Your Imortal Brain*, trata das maneiras pelas quais o cérebro humano pode ser usado para criar a realidade pelo comando do pensamento.

A pesquisa de **Masaru Emoto, Ph.D.** (www.masaru-emoto.net) e suas maravilhosas fotografias de cristais de água tornaram-se fonte de interesse amplo e generalizado. Os livros do doutor Emoto incluem *As mensagens da água volumes 1, 2 e 3*; *Hado – Mensagens ocultas na água*, bestseller do *New York Times*; e *The True Power of Water*.

Amit Goswami, Ph. D., é professor emérito no departamento de física da Universidade do Oregon, em Eugene, onde trabalha desde 1968. Ele é um pioneiro do novo paradigma da ciência denominado a ciência dentro da consciência. Goswami é autor do reputado livro-texto *Quantum Mechanics*. Os dois volumes de seu livro-texto para leigos, *The Physicist's View of Nature*, relata o declínio e a redescoberta do conceito de Deus dentro da ciência.

Goswami também escreveu oito livros de grande popularidade, baseados em sua pesquisa sobre física quântica e consciência, entre eles *O universo autoconsciente*, *A janela visionária*, *A física da alma* e *O médico quântico*.

Em sua vida particular, Goswami é um praticante da espiritualidade e da transformação. Ele se auto-denomina ativista quântico.

John Hagelin, Ph.D., é um renomado físico quântico, educador, escritor e especialista em ciência e políticas públicas. Conduziu uma pesquisa pioneira no CERN (Laboratório Europeu de Física de Partículas) e no SLAC (Centro do Acelerador Linear de Stanford) e é responsável pelo desenvolvimento da bem sucedida teoria da unificação dos campos, baseada na teoria das supercordas. Como diretor do Instituto de Ciência, Tecnologia e Política Pública, um centro de estudos em política progressista, o doutor Hagelin liderou com sucesso um esforço nacional para identificar, comprovar cientificamente e disseminar soluções econômicas para problemas sociais críticos nos campos da criminalidade, da saúde, da educação, da economia, da energia e do meio ambiente. Além disso, passou a maior parte dos últimos 25 anos liderando uma pesquisa científica sobre os fundamentos da consciência humana. Em seu livro, *Manual for a Perfect Government*, ele mostra como, por meio de programas educacionais que desenvolvam a consciência humana e de políticas e programas que utilizem com eficácia as leis da natureza, é possível resolver problemas sociais agudos e melhorar a eficácia governamental. Em reconhecimento por suas realizações, o doutor Hagelin recebeu o prestigioso prêmio Kilby, para cientistas que tenham realizado "contribuições relevantes à sociedade pela pesquisa aplicada nos campos da ciência e da tecnologia." O prêmio considerou o doutor Hagelin "um cientista na tradição de Einstein, Jeans, Bohr e Eddington."

Stuart Hameroff, médico, (*www.quantumconsciousness.org*) é professor dos departamentos de anestesiologia e psicologia e diretor do Centro de Estudos da Consciência da Universidade do Arizona, em Tucson, Arizona. O doutor Hameroff dedica a maior parte do seu tempo de atividade profissional à pratica de anestesiologia no Centro Médico da Universidade do Arizona, cuidando de pacientes cirúrgicos e treinando residentes e estudantes de medicina em um concorrido hospital de traumatologia. Seu interesse em pesquisa sempre foi entender como o tecido rosa-acinzentado — o cérebro — produz pensamentos, sentimentos e emoções. O cérebro é apenas um computador, ou alguma coisa mais profunda acontece? Nossos cérebros estarão nos conectando à estrutura refinada do universo? O que é a estrutura refinada do universo?

O doutor Hameroff publicou centenas de artigos científicos, incluindo três em co-autoria com Roger Penrose, e cinco livros, incluindo: *Toward a Science of Consciousness I-III* (MIT Press) e *Ultimate Computing: Biomolecular Consciousness and Nanotechnology* (Elsevier-North Holland). Como diretor do Centro de Estudos da Consciência *(www.consciousness.arizona.edu)*, Hameroff organiza a série de conferências "Toward a Science of Consciousness".

Ervin Laszlo, Ph.D., é autor e editor de 74 livros, traduzidos para vinte idiomas, e publicou mais de quatrocentos artigos e documentos de pesquisa, além de seis volumes de gravações de piano. Ele atua como editor do periódico mensal *World Futures: The Journal of General Evolution* e da série associada de livros *General Evolution Studies.* Laszlo é amplamente reconhecido como fundador da filosofia dos sistemas e da teoria geral da evolução, atuando como fundador-diretor do Grupo de Pesquisa em Evolução Geral e como ex-presidente da International Society for the Systems Sciences. Recebeu da Sorbonne, a Universidade de Paris, o mais alto grau em filosofia e ciências humanas e também recebeu o ambicionado Diploma Artístico da Academia Franz Liszt, de Budapeste. Seus numerosos prêmios e títulos incluem quatro doutorados honorários. Ele é conselheiro da Diretoria Geral da Unesco e é embaixador do International Delphic Council. Recebeu o prêmio Goi da Paz de 2004, no Japão. Foi indicado ao Prêmio Nobel da Paz em 2004 e novamente em 2005.

Miceal Ledwith, L.Ph., L.D., D.D., nascido no condado de Wexford, na Irlanda, foi ordenado padre católico em 1967, depois de estudar arte, filosofia e teologia. Depois de completar o doutorado, foi professor de teologia na Pontifical University, em Maynooth, e se tornou catedrático em 1976. Assumiu a decania da faculdade de teologia em 1979 e a vice-reitoria da faculdade em 1980; foi reitor durante dez anos, a partir de 1985.

De 1980 a 1997, o doutor Ledwith serviu três períodos como membro da Comissão Teológica Internacional, um pequeno grupo de teólogos que dá consultoria sobre matérias teológicas que lhes são encaminhadas pelo Papa ou pela Congregação para a Doutrina da Fé. O doutor Ledwith estudou por muitos anos na Ramtha's school of Ancient Wisdom. Para introduzir alguns dos principais temas do livro que está preparando, ele atualmente está produzindo uma série em DVD intitulada *Deep Deceptions*.

Lynne McTaggart é a autora premiada do sucesso editorial *The Field* (www.livingthefield.com), livro que teve como origem a busca da autora para verificar se as novas pesquisas científicas podiam explicar a homeopatia e a cura espiritual. Ela é mais conhecida como fundadora e editora de importantes boletins informativos e livros sobre medicina alternativa e espiritualidade, incluindo a publicação internacional *What Doctors Don't Tell You*. Escreveu também um livro com esse mesmo título. Ela vive em Londres e Nova York com o marido e duas filhas. A empresa de Lynne promove cursos e conferências regulares intitulados *Living The Field*, nos quais os principais cientistas e físicos quânticos do mundo dão palestras e prestam esclarecimentos, lado a lado como curandeiros e videntes. No momento ela está trabalhando em uma seqüência de *The Field*.

Daniel Monti, médico, recebeu o título de doutor em medicina pela Escola de Medicina da Universidade Estadual de Nova York em Buffalo, com louvor, em 1992. Seu pós-doutorado foi realizado no Programa de Pesquisadores, do Departamento de Psiquiatria e Comportamento Humano da Jefferson Medical College, na Filadélfia, em Pensilvânia. Atualmente o doutor Monti é diretor executivo e médico do The Myrna Brind Center for Integrative Medicine, na Universidade Thomas Jefferson.

A pesquisa do doutor Monti envolveu uma ampla gama de tópicos: arteterapia para pacientes com câncer, terapias alternativas, teste de resposta muscular a declarações semânticas. Sua pesquisa sobre cura do corpo/mente deu a ele os prêmios Doutor do Ano em Técnicas Neuroemocionais e Árvore da Vida pela "contribuição para o bem-estar da comunidade como um todo." O doutor Monti recebeu dos Institutos Nacionais de Saúde uma verba de cinco anos para estudar os efeitos da redução de estresse em pacientes com câncer.

O doutor Monti está no momento escrevendo um livro cientificamente fundamentado para um público leigo, cujo tema é como a mente, o corpo e os sistemas energéticos são parte de uma rede complexa que promove nossa saúde física e mental.

Andrew B. Newberg, médico, é professor assistente do Departamento de Radiologia e de Psiquiatria do hospital da Universidade da Pensilvânia e membro da equipe de medicina nuclear. Ele se formou na Escola de Medicina da Universidade da Pensilvânia, em 1993. Seu treinamento em clínica geral foi realizado no Graduate Hospital, na Filadélfia, onde ele foi chefe de residentes no último ano. O doutor Newberg publicou numerosos artigos e capítulos em livros sobre o funcionamento cerebral e exames neurológicos de imagem associados ao estudo de experiências religiosas e místicas. Ele é co-autor do bestseller *Why God Won't Go Away: Brain Science and the Biology of Belief* e de *The Mystical Mind: Probing the Biology of Belief*, ambos explorando o relacionamento entre a ciência e a experiência espiritual.

Candace Pert, Ph.D., era uma estudante da graduação com vinte e poucos anos quando descobriu o receptor opióide, o sítio de ligação celular das endorfinas, os analgésicos naturais do corpo, que ela chama de nossos "mecanismos subjacentes de felicidade e de união". Essa descoberta foi o prenúncio de grandes mudanças na compreensão científica dos sistemas de comunicação internos humanos. Ela indicou o caminho para o modelo baseado em informação que agora suplanta o ponto de vista estruturalista dominante por longo tempo.

Nos anos que se seguiram, Candace Pert concentrou seus esforços na pesquisa para desenvolver medicamentos atóxicos que bloqueiem seletivamente os sítios receptores para o vírus da Aids. Ela também se dedicou ao relacionamento "assustadoramente interdisciplinar" entre os sistemas nervoso e imunológico, desenvolvendo documentação sobre um sistema de comunicação do corpo inteiro, mediado pelas moléculas de peptídeos e por seus receptores. A doutora Pert considera esse sistema a base bioquímica para a emoção e a possível chave para muitas das doenças mais desafiadoras de nossa época. Seu livro *Molecules of Emotion* é um bestseller notável, por ser tanto uma visão de dentro de uma mudança de paradigma científico quanto o relato da jornada de uma mulher em direção ao crescimento e ao entendimento.

Ramtha (*www.ramtha.com*), um dos grandes enigmas estudados pelos cientistas na última década, é místico, filósofo, mestre e hierofante. Sua parceria com a norte-americana JZ Knight, seu canal, ainda surpreende os estudiosos: os resultados dos estudos mostram um fenômeno decididamente não-localizado. Utilizando um sofisticado polígrafo, os parapsicólogos Ian Wickramasekera e Stanley Krippner, da Saybrook Graduate School, observaram repetidamente que enquanto JZ Knight está canalizando Ramtha, a leitura da atividade de suas ondas cerebrais muda para delta e seu cerebelo passa a operar o corpo, que fala, caminha, come, bebe e dança, enquanto Ramtha ensina os mistérios da mente sobre a matéria.

Por meio de um sistema coerente de pensamento que unifica o conhecimento científico e o conhecimento esotérico do espírito, os alunos de Ramtha estudam biologia, neurofisiologia, neuroquímica e física quântica. Tal como Bohm, ele declara que a consciência é a base de todo o ser. Em sua própria existência, há 35 mil anos, ele aprendeu a separar a consciência do corpo, a elevar sua freqüência e eventualmente levá-lo consigo. Ele é um dos poucos seres humanos a testemunhar o visível e o invisível.

Dean Radin, Ph.D., é cientista sênior no Instituto de Ciências Noéticas, em Pentaluma, na Califórnia. Também é professor adjunto na Universidade Estadual de Sonoma e na Distinguished Consulting Faculty — na Saybrook Graduate School, em São Francisco. Graduou-se com honras em engenharia elétrica pela Universidade de Massachusetts em Amherst e obteve o grau de mestre em engenharia elétrica e o Ph.D. em psicologia pela Universidade de Illinois, em Champaign-Urbana. No início de sua carreira, Radin foi membro do corpo técnico dos Laboratórios AT&T Bell e mais tarde o principal cientista nos Laboratórios GTE, onde se dedicou durante uma década à pesquisa e desenvolvimento de uma variedade de produtos e sistemas de telecomunicação avançada.

Radin foi quatro vezes presidente da Associação Parapsicológica, uma organização associada à Associação Americana para o Avanço da Ciência.

O doutor Radin é autor do premiado livro *The Conscious Universe* e de *Entangled Minds*. É autor ou co-autor de mais de duzentos artigos e relatórios técnicos.

William A. Tiller, Ph.D., é professor emérito da Universidade Stanford, pioneiro na pesquisa psicoenergética (atualmente presidente e cientista chefe da William A. Tiller Foundation for New Science, em Payson, no Arizona). É autor dos livros *Science and Human Transformations: Subtle Energies, Intentionality and Consciousness*, *Conscious Acts of Creation: The Emergence of a New Physics* e *Some Science Adventures with Real Magic.* Tiller recebeu o prêmio Humanitário do Ano do INTA (1982) e o prêmio Alyce and Elmer Greene para Inovação, da International Society for the Study of Subtle Energies and Energy Medicine (ISSSEEM), de 2005, "por seu trabalho duradouro em psicoenergética e o papel da consciência na realidade mente-matéria".

Jeffrey Satinover, M.S., médico, é escritor, psiquiatra e físico. Seus livros de grande sucesso abrangem da história da religião à neurociência computacional e mecânica quântica, tendo sido traduzidos em nove idiomas. Atualmente faz parte de uma equipe de pesquisa internacional multidisciplinar no Laboratório de Física da Matéria Condensada, da Universidade de Nice, na França, investigando teoria dos sistemas complexos com aplicações no mercado financeiro, nas mudanças climáticas, na previsão de terremotos e nas epidemias sociais. Ele é professor em tempo parcial na Universidade de Princeton e consultor do Senado dos EUA para assuntos de tráfico de mulheres e crianças para escravidão sexual.

O doutor Satinover ocupou a cátedra de William James em psicologia e religião, na Universidade Harvard.

O doutor Satinover obteve títulos das universidades do Texas, Harvard e Yale e do Instituto Tecnológico de Massachusets. Possui uma graduação do Instituto C. G. Jung, em Zurique, e foi presidente da Fundação C. G. Jung em Nova York. Vive em Weston, Connecticut, com a mulher e três filhos, e em Saint-Jean Cap-Ferrat, na França.

Fred Alan Wolf, Ph.D., é físico, escritor e conferencista. Seu trabalho em física quântica e consciência é bastante divulgado por seus livros científicos e populares. É autor de 12 livros, incluindo os mais recentes: *Viagem no Tempo*, *Dr. Quantum Presents: A Little Book of Big Ideas*, a série de CDs *Dr. Quantum Presents: A User's Guide to Your Universe*, *Dr. Quantum Presents: Meet the Real Creator: You* e o ganhador do Prêmio Literário Nacional *Taking the Quantum Leap*.

A mente inventiva de Wolf pesquisou o relacionamento entre a consciência humana, a psicologia, a fisiologia, o misticismo e o espiritualismo. Suas investigações o levaram das discussões pessoais com o físico David Bohm à selva mágica e misteriosa do Peru; das aulas de mestrado com o ganhador do Prêmio Nobel Richard Feynman às viagens xamânicas pelos desertos do México; de um importante encontro com Werner Heisenberg à caminhada sobre carvão em brasa. No meio acadêmico, o doutor Wolf desafiou mentes na Universidade Estadual de San Diego, na Universidade de Paris, na Universidade Hebraica de Jerusalém, no Birkbeck College da Universidade de Londres e em muitas outras instituições de ensino superior.

O doutor Wolf é muito conhecido por sua simplificação da nova física e pela autoria de *Taking the Quantum Leap*, que em 1982 recebeu o cobiçado Prêmio Literário Nacional para Ciências.

Leitura recomendada

Além de todos os livros, fitas e vídeos de autoria das mentes incríveis que entrevistamos para o filme e o livro, eis uma lista resumida de outras obras favoritas que recomendamos. Para ver a lista completa de livros, CDs e vídeos de nossos entrevistados, e a lista completa de leitura recomendada, favor visitar nosso sítio: *www.whatthebleep.com.*

Consciência:

The Conscious Universe: The Scientific Truth of Psychic Phenomena, Dean Radin, Harper Collins.

Create your Day, Ramtha, JZK Publishing (DVD).

Entangled Minds, Dean Radin, HarperCollins.

The Science of Mind, Ernest Holmes, Putnam/Tarcher.

Física Quântica:

Beyond Einstein: The Cosmic Quest for the Theory of the Universe, Michio Kaku, Bantam/Anchor Books.

Beyond the Quantum, Michael Talbot, Macmillan Publishing.

Bridging Science and Spirit: Common Elements in David Bohm's Physics, the Perennial Philosophy and Seth, Norman Friedman, The Woodbridge Group.

A dança dos mestres, Wu-Li, Gary Zukav, Bantam.

O universo elegante, Brian Greene, Companhia das Letras.

O universo holográfico, Michael Talbot, BestSeller

Hiperespaço – uma odisséia científica através de universos paralelos, empenamentos do tempo e a décima dimensão, Michio Kaku, Editora Rocco.

The Matter Myth: Dramatic Discoveries That Challenge Our Understanding Of Physical Reality, Paul Davies e John Gribbin, Simon and Schuster/Touchstone.

Science and the Akashic Field: an Integral Theory of Everything, Ervin Laszlo, Inner Traditions International.

Science and the Reenchantment of the Cosmos, Ervin Laszlo, Inner Traditions.

À espreita do pêndulo cósmico, Itzhak Bentov, Editora Pensamento.

This Strange Quantum World & You, Patrice Topp, Papillon Publishing.

O tao da física, Fritjof Capra, Cultrix.

O Cérebro:

The God Particle: If the Universe Is the Answer, What Is the Question?, Leon Lederman, Dell.

The Mystical Mind: Probing the Biology of Religious Experience, Eugene G. D'Aquilly, médico, Ph.D., e Andrew B. Newberg, médico, Fortress Press.

Where God Lives in the Human Brain, Carol Rausch Albright, James B. Ashbrook e Anne Harrington, Sourcebooks.

Where God Lives: The Science of the Paranormal and How Our Brains are Linked to the Universe, Melvin Morse, médico, with Paul Perry, Harper San Francisco.

Why God won't Go away: Brain Science and the Biology of Belief, Andrew Newberg, médico, Eugene D'Aquilli, médico, PhD., and Vince Rauss, Ballantine.

Agradecimentos

Quando começamos o filme, pensamos: "Estamos só fazendo um filme." O que encontramos foi um movimento. Tantas pessoas que viram nosso filme disseram: "Finalmente. Eu estava esperando que aparecesse alguma coisa assim!" Bem, nós também estávamos; mas entendemos que teríamos de fazer nós mesmos o filme.

Gostaríamos de agradecer a todo mundo que mandou seu pedido por meio da consciência. O desejo de mudança agora é palpável. Somos gratos a todos os que nos apoiaram durante a realização do filme; aos que nos apoiaram junto aos cinemas, enviando e-mails e telefonando para a gerência, às vezes "exigindo" ver o filme; a todos os que trouxeram os amigos e os amigos dos amigos; e aos que participaram de grupos de promoção que foram à rua falar sobre o filme. Juntos, estamos realizando uma coisa maravilhosa.

Há muitas pessoas que trabalharam pesado por trás das câmeras para trazer ao mundo o filme, e agora o livro. Obrigado a Gabby, Melissa, Pavel, Cate, Straw, Debbie, Jason, Shelley, John e David pelo apoio incessante — horas e horas de trabalho no telefone, na internet e em tudo mais que foi necessário para levar esse filme até o público. Obrigado a todo mundo na Samuel Goldwyn, IDP e Twentieth Century Fox Home Video por acreditarem no filme, e a Richard Gaurdian por levá-lo para o resto do mundo.

Obrigado a todos em nossa editora, HCI, e especialmente à nossa editora, Amy Hughes; a Larissa Hise Henoch, que criou a maior parte das ilustrações; e a Bret Witter, que supervisionou o projeto inteiro.

Obrigado a nossas famílias e amigos por nos darem o espaço e tempo necessários para realizar nosso sonho: a Gordie e Elorathea, pela inspiração pessoal (Betsy); a

Mary Lou, por todos os anos de amor e apoio (Mark); e por me fazerem sorrir e gargalhar durante todo o processo: Walter, Viva, Rama and K. T. Elliott (Will).

A Ramtha e JZ Knight, sem os quais nada disso teria sido possível. A todos os cientistas e entrevistados — Fred Alan Wolf, Dean Radin, Lynne McTaggart, Dan Monti, David Albert, Jeffrey Satinover, Stuart Hameroff, Amit Goswami, Bill Tiller, Miceal Ledwith, Joe Dispenza, Candace Pert, Andrew Newberg, Ervin Laszlo e John Hagelin — obrigado por suas mentes brilhantes e por seu desejo de ir aonde a maioria dos homens e mulheres tem medo de ir.

A nova fronteira não é um país nem um planeta. É a mente. Essas idéias são sobre o futuro da humanidade.

Will Betsy Mark